FATWA

JACKY TREVANE

FATWA

CONDAMNÉE À MORT
PAR LES SIENS

traduit de l'anglais
par Luc Baranger

l'Archipel

Ce livre raconte une histoire vraie.
Les noms des personnages – tout comme celui
de l'auteur – ont été modifiés pour protéger
et préserver leur vie privée.

Ce livre a été publié sous le titre
Fatwa
par Hodder & Stoughton, Londres, 2004.

www.editionsarchipel.com

Si vous souhaitez recevoir notre catalogue
et être tenu au courant de nos publications,
envoyez vos nom et adresse, en citant ce
livre, aux Éditions de l'Archipel,
34, rue des Bourdonnais, 75001 Paris.
Et, pour le Canada, à
Édipresse Inc., 945, avenue Beaumont,
Montréal, Québec, H3N 1W3.

ISBN 978-2-84187-895-6

Pour Chloé

Prologue

Ça y est ! Le moment est enfin venu.

Cela fait longtemps que j'attends une bonne raison, le bon moment et la manière adéquate. Je suis chez moi, assise, à contempler les rayons du soleil qui, par la fenêtre ouverte, viennent inonder ma délicate petite-fille, jusqu'à ce qu'elle repousse son chapeau et que ses yeux de bébé affrontent la lumière aveuglante. Bien entendu, j'interviens. Je la prends tout contre moi. J'enfouis ma tête contre son cou fripé, que je couvre de baisers jusqu'à ce qu'elle pouffe de rire. Quelle merveilleuse et enivrante odeur de bébé ! Je retrouve celle de mes enfants, ce mélange de talc, de fraîcheur, de nouveauté, d'innocence et de virginité.

Cette histoire est pour toi, ma petite Chloé. Quand tu seras plus grande, tu la liras et tu comprendras alors qu'il n'existe rien de plus fort que l'amour d'une mère pour ses enfants, même si, parfois, quelle que soit la force que tu y mets, ça ne suffit pas.

Ton destin se trouve entre les mains de ta mère : ma fille aînée. Ta tante, ma cadette, vient juste d'avoir dix-huit ans et peut enfin réclamer une véritable identité pour crier au monde qu'elle existe… officiellement.

Quinze ans que j'attendais ça.

1

En cavale

Ça y est ! Le moment est enfin venu.

Dans la pénombre de l'aube, la petite aiguille approchait du cinq. Silencieusement, je me suis glissée hors du lit et me suis penchée si près de mon mari que j'ai senti son souffle sur ma joue. Je l'ai regardé dormir. Reclus dans le sommeil, un bras tendu au-dessus du vide, son visage offrait l'image de la gentillesse, de l'apaisement et de l'innocence.

Je suis sortie de la chambre sur la pointe des pieds pour aller réveiller les filles. Tout était déjà prêt : l'uniforme scolaire de Leila posé sur le dossier de la chaise, les vêtements propres d'Amira, ainsi que sa poupée. Au moment où elles sortaient avec peine de leur lit, j'ai posé un doigt en travers de mes lèvres. Aussitôt sur le qui-vive, les filles se sont préparées pour l'école dans un silence presque total.

Il ne fallait pas réveiller papa. Sinon, il se mettrait en colère. Le cœur battant la chamade, j'ai prié en silence pour que mon mari dorme encore longtemps. Déjà, les bruits du monde extérieur commençaient à filtrer au travers des persiennes : les grincements et les craquements des roues en bois des charrettes que tiraient des ânes, les sonnettes des vélos, les voix des commères autour de la fontaine du quartier...

En moins de dix minutes, nous étions prêtes à partir. J'ai pris Amira dans mes bras, jeté mon sac sur l'épaule et lancé un dernier regard sur cette vie que nous allions quitter.

Tout ce que nous possédions tenait dans cet appartement : deux tapis, une minable salle à manger, une gazinière, l'eau courante la plupart du temps, un chauffe-eau et un téléviseur noir et blanc. Il en avait pourtant fallu, des efforts, pour acquérir ces biens... Mais la rançon de ce confort, c'était la vie avec cette brute pour l'instant endormie.

Je suis restée encore une minute à regarder les traits de mon mari avant de me rendre compte que j'étais en train de perdre un temps précieux. Dire que cet homme, autrefois l'époux idéal dont toute fille pouvait rêver, m'était devenu étranger ! Un étranger qui se levait chaque matin avec la certitude de pouvoir nous traiter comme bon lui semblait, au gré de ses humeurs, sachant que nous ne pourrions rien faire pour l'en empêcher. La seule issue était celle que j'étais en train de mettre en œuvre. Pourtant, s'il se réveillait trop tôt, s'il se rendait compte de notre fuite, il deviendrait fou, nous chercherait et nous tuerait. J'en étais persuadée.

Dans la chaleur du petit matin, un frisson m'a parcourue. J'ai embrassé Amira et, après un dernier regard à mon mari, j'ai refermé la porte. Dans la pénombre, nous avons descendu les quatre étages sans faire de bruit avant d'atteindre la lumière aveuglante de la rue.

Baisse les yeux, conduis-toi normalement, comme une bonne musulmane, me suis-je dit.

Il était encore tôt, mais la chaleur nous est tombée dessus violemment. J'ai paniqué en passant près d'une femme assise dans la poussière, devant chez elle, persuadée qu'elle pouvait entendre mon cœur battre à tout rompre. J'ai marmonné un bonjour en arabe. La sueur a commencé à ruisseler sur mes joues.

— Allez, les filles ! Ne commencez pas à traîner. On vient à peine de quitter la maison. On a une longue route à faire. Allez ! On se secoue !

Nous sommes passées près de la fontaine communale. Leila a couru pour aller parler à l'une des fillettes accrochée à la robe noire de sa mère qui remplissait son seau. Amira et moi avons continué à marcher jusqu'au coin de la rue, lentement, pour masquer la précipitation qui électrisait tout mon corps.

Après un signe à ses amies, Leila a couru pour nous rattraper. Elle a cherché du regard le bus qui, d'habitude, nous attendait au bout de la rue et nous appelait de trois longs coups de klaxon.

Mais, aujourd'hui, il n'y avait pas de bus. À sa place habituelle stationnait une petite voiture grise. Je n'ai pas pu réfréner le sourire qui, un court instant, a brisé mon masque d'indifférence. Arrivée près du véhicule, j'ai fait signe aux filles de monter.

— Tout va bien ? m'a demandé la conductrice.

— Jusqu'à présent, aussi bien que possible.

J'ai senti un soulagement m'envahir quand Jill, assise au volant, m'a souri pour me réconforter. Nous sommes parties en trombe en direction de la gare routière.

Aussitôt assise, Leila l'a pressée de questions.

— Où est le bus ? Il est en panne ? C'est toi qui nous emmènes à l'école ? Jack et Sheila ne sont pas là ?

— Ils sont encore à la maison, Leila. Ils se préparent pour aller à l'école. Je vous conduis à la gare, a dit Jill en me jetant un regard entendu. Le sac est là, en dessous.

Elle m'a montré le siège passager. J'ai sorti le sac et l'ai posé sur mes genoux. Tout ce qui restait de nos vies se trouvait dans ce discret et banal sac en toile noir.

On est en train de le faire. On est en train de le faire.

Je ne pouvais m'empêcher de me répéter ces mots en ouvrant le sac pour en sortir une jupe et un tee-shirt.

— Allez, ma chérie, mets ça. Ça te dirait de partir en vacances et de manquer l'école?

— Pour aller où, maman?

Leila s'est débarrassée de son uniforme pour enfiler le tee-shirt. Malgré ses six ans, elle semblait prête pour l'aventure.

— Mamie et Papi sont pour quelque temps en vacances en Israël. C'est juste à côté de l'Égypte. Alors, je me suis dit qu'on pourrait manquer l'école, sans le dire à papa, et aller les voir. Tu en penses quoi?

La voiture a tourné au coin d'une rue et nous avons aperçu la gare routière. Mon cœur s'est remis à battre la chamade quand Leila a demandé :

— Maman, quand est-ce qu'on va revenir?

Jill s'est penchée pour me murmurer à l'oreille :

— Comme convenu, les tickets de bus aller-retour sont dans la pochette latérale, avec ton passeport et soixante dollars. Bonne chance, Jacky. Tu vas y arriver.

Nous nous sommes brièvement donné l'accolade et embrassées. Jill a essuyé une larme. J'ai eu du mal à quitter la sécurité qu'offrait l'habitacle de sa voiture. Une minute plus tard, trois silhouettes abandonnées sur le bord d'un chemin poussiéreux, une poupée et un petit sac fourre-tout à la main, ont adressé à Jill un signe d'au revoir. Il n'était que 6 heures. Le car pour Le Caire partait à la demie. Le trajet à travers le désert, jusqu'à la frontière avec Israël, devait durer cinq heures. Alors, avant d'atteindre la gare, je me suis arrêtée à un stand sur le bord de la route pour acheter un kilo de mandarines, deux bouteilles d'eau et des portions de fromage fondu, de forme triangulaire, dont raffolait Amira. J'ai sorti un foulard du sac noir pour en couvrir mes cheveux blonds que j'avais coiffés en chignon, afin de ne pas attirer inutilement l'attention. Pour la bonne marche de mon plan, il importait que j'aie l'air d'une bonne épouse, d'une mère musulmane bien soumise. J'ai pris Leila par la main et j'ai traversé la route en direction de la gare.

Le minuscule guichet où l'on vendait les tickets empestait l'urine. Assis derrière un vieux bureau, un petit homme rondouillard discutait avec trois autres personnes. Trois verres de thé noir étaient posés sur un plateau en fer-blanc. Dans un coin, un ventilateur tournait. Des mouches s'excitaient contre les murs et la fenêtre poussiéreuse.

Le petit homme nous a saluées en arabe.

— Bonjour. Entrez! Entrez! a-t-il dit avant de demander à ses amis de nous faire de la place.

L'un des hommes a pris Amira dans ses bras pour l'admirer.

— Merci. Bonjour, ai-je répliqué.

En tendant mes billets, je me suis assurée de garder la tête respectueusement baissée. Pendant que l'homme les contrôlait, deux mouches se sont heurtées en plein vol et sont tombées dans son verre de thé. Tout en me rendant les billets, il a fermement empoigné son verre où nageaient les insectes et l'a bu à grand bruit.

— Votre mari ne voyage pas avec vous? a-t-il demandé en essuyant du revers de la main le thé qui lui coulait sur le menton.

— Malheureusement, il doit travailler. Mais il viendra nous chercher au retour, ai-je menti. À la grâce de Dieu.

— À la grâce de Dieu, a-t-il répondu, pendant que je reprenais Amira et que nous nous dirigions vers le car.

— Trouve des places dans le fond, ai-je questionné à Leila qui marchait en tête.

Je voulais passer inaperçue, me fondre tranquillement parmi les voyageurs. Par chance, nous avons chacune trouvé une place. Le car était bien plus moderne que les vieux bus que l'on voyait bringuebaler en ville, croulant sous les passagers et vomissant de fréquents nuages de fumée noire. Il y était plus facile d'y trouver un peu d'intimité.

Une fois assise, Amira a joyeusement pris deux portions de fromage triangulaires, une pour elle et une pour sa poupée. À deux ans, c'était une fillette plutôt gaie, qui se contentait de peu. À cet instant précis, je lui en ai été infiniment reconnaissante.

Leila s'est levée et, afin de masquer le soleil aveuglant, a tiré le rideau marron.

— Ça va être long avant de voir Papi et Mamie ? a-t-elle demandé, impatiente.

— Oui, ma chérie. Tu sais, il y a peu de papas qui laissent leur femme et leurs enfants voyager seuls, alors des gens pourraient nous demander pourquoi papa n'est pas avec nous. Si ça arrive, je veux que tu me promettes de ne rien dire, même si tu m'entends dire des choses qui ne sont pas totalement vraies. Ce sera parce que je veux qu'on nous laisse retrouver Mamie sans nous causer de problèmes. Tu comprends ?

— Oui. On démarre, maman. Le car démarre !

Quand le véhicule a commencé son gymkhana en klaxonnant pour se frayer un passage dans le trafic, mon estomac a fait des embardées. Au moins étions-nous parties. Irions-nous jusqu'au bout ?

2

D'Égypte en Israël

Hors de la ville, la route, étroite et rectiligne, s'étendait à l'infini. Le paysage était fascinant. C'était comme si nous embarquions pour un voyage dans le passé. Il y avait beaucoup de palmiers, quelques rares parcelles cultivées et, sur l'accotement, des commerçants et leurs carrioles chargées de melons d'eau ou de tomates.

Nous avons traversé de petits villages et des hameaux aux maisons de briques et de boue. Entièrement vêtues de noir, des femmes marchaient nu-pieds avec d'énormes jarres d'argile remplies d'eau sur la tête. Elles ne les maintenaient que d'une main, l'autre tenant un enfant. Leurs bras étaient décorés de tatouages bleu marine et elles portaient aux poignets de nombreux bracelets d'or. Cernés de mouches, des enfants aux cheveux sales et en broussaille, les pieds nus, couraient tout autour. Près d'une noria, un homme en djellaba toute tachée fouettait avec régularité un animal aux yeux bandés pour le faire avancer.

Peu à peu, ces quelques signes de civilisation ont fait place à l'étendue du désert. Amira a fini par s'endormir et Leila a regardé le paysage défiler, comme hypnotisée par l'immensité de l'océan de sable qui se perdait à l'horizon.

De mon côté, je ne pouvais trouver le repos. J'ai vérifié plusieurs fois le contenu du sac noir, recompté les dollars, examiné le passeport, pour m'assurer qu'ils étaient bien là. J'ai pris le bout de papier où était marqué le nom de l'hôtel israélien, imaginant que nous étions déjà en train de gravir les marches de la réception. J'ai placé les billets de bus du retour avec les dollars, et j'allais fermer le sac quand je me suis raidie. Quelqu'un épiait chacun de mes gestes.

— Donnez ça à vos filles. La petite voulait un sandwich, n'est-ce pas ? Du fromage, j'en ai bien assez.

Une Égyptienne, tête nue, a croisé mon regard et m'a souri. Elle m'a alors tendu un sac de papier brun pour que je le donne aux enfants. Elle s'exprimait rapidement, en arabe. Puis elle a aperçu mes cheveux sous le voile.

— Vous êtes américaine ? a-t-elle demandé.

J'ai souri et hoché la tête, acceptant finalement les sandwichs et lui offrant des mandarines en échange. Ce n'était pas très intelligent de ma part, car la femme l'a pris comme une invite à venir s'asseoir à mon côté pour me parler.

Nombreuses sont les femmes éduquées en Égypte qui refusent de porter un voile ou un foulard. Elles prennent soin de leur coiffure et font très attention à leur maquillage et à leurs ongles. Le maquillage de cette femme était impeccable et tranchait avec l'allure des musulmanes de condition inférieure. Alors que celles-ci ne mettent qu'une épaisse couche de khôl autour des yeux, elle s'était appliqué un délicat filet, qu'elle avait complété de fond de teint et d'eye-liner. Un trait bordeaux mettait en valeur ses lèvres épaisses. Ses ongles étaient manucurés et ses cheveux, coupés court, lui donnaient une allure moderne.

Elle a commencé à poser des questions, beaucoup de questions, en anglais. J'avais déjà menti en disant que j'étais américaine, il devenait donc difficile d'inventer d'autres mensonges plausibles.

Elle s'appelait Mona et voyageait seule. Elle s'est beaucoup intéressée à Leila, la faisant rire ou la chatouillant.

Après avoir avalé la moitié du sandwich offert par cette femme, ma fille a commencé à éprouver de la sympathie à son égard.

— Moi, j'ai six ans et demi, et ma sœur a deux ans. On s'en va voir notre grand-mère.

Je n'étais pas en colère, seulement exaspérée. Leila était une enfant très ouverte et, l'espace d'un instant, elle avait oublié la petite discussion que nous avions eue.

Un sandwich au fromage, et elle vous raconte sa vie, me suis-je dit.

Le stress m'envahissait. Impossible de m'en défaire. De dépit, j'ai secoué Amira pour la réveiller, lui ai offert à boire et un sandwich.

— Je vous remercie pour les sandwichs, Mona. Il faut que je me repose à présent, nous parlerons plus tard, d'accord?

Mona a souri.

— Bien sûr. Si la petite le désire, elle peut venir s'asseoir près de moi pendant que vous vous reposez. Je lui raconterai des histoires.

— Plus tard, peut-être, merci.

Mona s'est levée et est retournée à sa place avec regret. Aussitôt, j'ai tiré sur mon foulard pour cacher le moindre de mes cheveux.

— Maman, pourquoi as-tu dit que tu étais américaine?

— Écoute, ma chérie. Personne ne doit rien savoir à notre sujet. Notre but, c'est de retrouver Mamie. Tu comprendras tout quand tu seras plus grande. Je te le promets.

J'ai mis les bras autour de mes deux filles et les ai serrées contre moi. J'étais tellement terrorisée par ce que nous étions en train de faire que, plus que jamais, j'avais besoin de leur soutien et de leur confiance. J'ai fait semblant de dormir, mais Amira ne tenait pas en place. Nous avons tué le temps en habillant et déshabillant sa poupée.

À un peu moins de deux kilomètres de la frontière, au milieu du désert, des bâtiments sont apparus sur le bord de la route. Des militaires en uniforme vert les entouraient, leurs baïonnettes brillant dans le soleil. Aux tables extérieures des deux cafés, des hommes jouaient au *tavla*, le backgammon local. À l'intérieur, j'ai aperçu deux vieux qui fumaient le narguilé.

Il y avait davantage de circulation : des camions, des cars, des Peugeot blanches – le taxi traditionnel du pays – et des voitures privées. Notre car s'est garé sur le côté de la route, et le chauffeur nous a dit de prendre nos bagages pour aller acheter notre visa de sortie d'Égypte. Dans ma tête, j'avais passé en revue toutes les questions possibles et les réponses que je pourrais faire en arabe de la rue. À présent, j'allais savoir si mon plan fonctionnait.

Nous sommes descendues du car. Je me suis arrêtée pour boire l'eau de ma bouteille. J'avais la gorge sèche et les mains moites. Dans cette chaleur étouffante, cela n'avait rien d'anormal. J'ai regardé en direction du désert. Le chemin à parcourir était encore long.

Dans l'immeuble, des employés délivraient les visas dans des bureaux munis de grilles en fer. Ils semblaient trouver le temps long à tamponner les passeports et se parlaient d'un guichet à l'autre, tout en travaillant.

J'ai soigneusement choisi un homme âgé et souriant, celui qui m'a paru le plus accessible. Nous avons fait la queue pendant dix minutes devant son guichet.

J'ai retenu ma respiration en lui tendant notre passeport et en me baissant pour prendre Amira dans mes bras.

— Que la paix soit avec vous, madame, a-t-il dit sans lever les yeux, le regard fixé sur le passeport.

— Que la paix soit avec vous, monsieur, ai-je répondu tranquillement.

Mon passeport britannique bleu marine a immédiatement éveillé son attention. Les gens qui étaient passés avant moi étaient tous égyptiens, et il venait d'engager la conversation avec moi comme si je l'étais. Apparemment surpris par la façon dont je lui avais parlé, il nous a accordé une attention particulière; l'exact contraire de ce que je désirais.

Mon sang s'est figé quand il a demandé :

— L'autre passeport, s'il vous plaît.

— Je vous demande pardon?

— Je voudrais le passeport de votre mari. C'est écrit sur le vôtre que vous êtes l'épouse d'un ressortissant égyptien. Vous voyagez forcément avec lui, n'est-ce pas?

— Malheureusement, non. Son travail l'empêche exceptionnellement de voyager avec nous.

— Maman, maman, je veux aller aux toilettes, a dit Leila en tirant sur ma jupe.

— Une seconde, ma chérie. Nous irons ensemble quand j'aurai terminé.

— Il n'y a personne d'autre qui voyage avec vous? Un oncle, peut-être?

— Non, monsieur. Pas cette fois-ci. C'est pour un court séjour. Rien que deux jours pour aller voir mes parents.

L'homme s'est penché pour détailler Leila.

— Cela pose un problème que vous voyagiez avec deux petites. C'est très inhabituel.

Il a marqué un temps d'arrêt comme s'il réfléchissait à quelque chose, tout en se caressant le menton et en nous dévisageant.

Baisse les yeux, garde ton calme. Remonte les yeux très doucement et souris. Pas trop. Gentiment. À présent, essuie lentement la sueur sur ton visage. Pas trop vite. Ne montre aucune émotion, me suis-je donné mentalement comme instructions pendant que nous attendions.

Soudain, l'homme a reposé son tampon et décroché le téléphone.

Mon Dieu ! Il ne va jamais nous laisser partir, ai-je pensé.

À l'ambassade britannique, on m'avait bien prévenue : « Quoi que vous fassiez, ne revenez jamais sur vos pas. » Le consul avait été très clair sur les possibles conséquences de notre échec et d'un retour éventuel en Égypte, un pays dans lequel éloigner les enfants de leur père était considéré comme un délit très grave. Je serais exécutée et les filles gardées jalousement jusqu'à leur mariage, à l'âge précoce de treize ou quatorze ans. Même si je parvenais à fuir, nous devrions rester vigilantes et cachées pour le restant de nos vies. Pour un tel crime, mon mari avait le droit de demander une fatwa contre moi, ce qui équivaudrait à n'en point douter à une condamnation à mort. En fuyant avec les enfants, je commettais un péché contre l'islam, péché qui ne m'autorisait plus à vivre.

J'ai soudain réalisé l'énormité du risque que j'avais pris, et mille pensées ont traversé mon esprit pendant que l'homme vociférait au téléphone avant de raccrocher avec violence. Moi qui l'avais choisi parce qu'il semblait amène et posé !

— Hesham ! a-t-il hurlé.

Aussitôt, un jeune homme à l'air craintif est venu se poster à côté de lui. Il portait une chemise beige froissée à manches courtes et un pantalon brun.

L'employé nous a tourné le dos pour s'entretenir tranquillement avec le jeune homme. Puis il a désigné Leila pendant que Hesham hochait la tête.

Il faut absolument que je trouve une solution, me suis-je dit, totalement désespérée.

— Vous, restez ici, a fait l'employé. Hesham va accompagner votre fille aux toilettes.

Je me suis raidie en mettant un bras protecteur autour de Leila.

— Je suis désolée, monsieur, mais nous sommes de confession musulmane ; il est hors de question que j'autorise ma fille à aller où que ce soit avec un homme. Je l'accompagnerai moi-même, dans un petit moment. Que Dieu soit béni.

— Je comprends, a-t-il répondu. Que la paix soit avec vous.

— Et aussi avec vous, monsieur, ai-je à mon tour répondu avec une modestie affectée.

— Hesham, va chercher Iman pour régler le problème.

Une fille est sortie du couloir qui se trouvait derrière les guichets et s'est dirigée vers nous en s'essuyant les mains. Elle m'a saluée et s'est proposée d'emmener Leila aux toilettes. Comme elle s'éloignait, une idée m'est venue.

— S'il y a un problème, ai-je dit à l'employé derrière son guichet, j'ai le numéro de mon mari à son bureau. Il se fera un plaisir de répondre à vos questions si vous en avez.

Je me suis mise à farfouiller dans mon sac, comme si je cherchais le numéro de téléphone. Puis j'ai glissé cinquante piastres à travers la grille en disant :

— Vous pourrez les donner à Iman, en remerciement ?

Puis j'ai respiré profondément avant de glisser deux billets de cinq livres égyptiennes, de quoi payer une bonne centaine de coups de fil.

— Et ça, c'est pour vous. Pour l'appel téléphonique.

Il m'a regardée, impassible, pendant un long moment, pendant que sa main se refermait sur l'argent. J'ai continué à fixer le guichet, sentant son regard me transpercer.

Iman est revenue avec Leila. Le fonctionnaire lui a donné son pourboire et elle m'a regardée, ravie, avant de s'éloigner.

— Je vous remercie de votre aide, monsieur.

J'ai failli croiser son regard en relevant les yeux, mais je me suis arrêtée à hauteur de son nez, avant de les baisser à nouveau. J'ai senti qu'il nous regardait encore. Il avait compris ce qui se passait. Une Anglaise venait de lui proposer de l'argent pour qu'il la laisse quitter le pays avec ses enfants. Il devait appeler son mari. Mais, pour lui, fonctionnaire, quelle différence cela ferait-il? Le bakchich suffisait à acheter son silence. Il a empoché l'argent, encré son tampon et oblitéré les visas de sortie.

— Ç'a été un plaisir, madame. Vous avez de bien belles filles. Je vous souhaite un bon voyage. Cela vous fera trente et une livres et cinquante piastres pour le visa. Que la paix soit avec vous.

J'ai compté la somme et la lui ai tendue. En arrivant, j'avais cinquante livres égyptiennes sur moi ; à présent, il ne me restait plus que six livres cinquante. Pendant un instant, l'excitation s'est emparée de moi. J'étais soulagée, l'argent n'était plus un problème, même si cela m'avait pris des mois et des mois pour l'économiser, en subtilisant quelques billets de temps en temps. Nous avions réussi. Malgré tous les écueils, nous avions réussi à quitter l'Égypte. J'avais hâte de remonter dans le car.

Nous avons quitté le bureau et nous sommes rapidement retrouvées dehors, sous un soleil brûlant. Le car n'était plus là. À sa place se trouvaient un camion et une file de véhicules.

Nous avions passé trop de temps au guichet, le car était parti sans nous. Nous étions coincées entre deux pays, sans argent. Je n'avais aucune idée de ce que je devais faire. Comment trouver un autre moyen de transport pour nous conduire en Israël, avec seulement six livres égyptiennes ? Ça ne paierait même pas le pourboire.

Espèce d'idiote ! me suis-je maudite. *Ah, il est beau, ton petit plan. Nous voilà coincées au milieu de nulle part !*

J'ai senti la panique me gagner, et j'ai couru vers le mur de l'immeuble pour vomir, jusqu'à ce qu'il n'y ait plus rien dans mon estomac.

3

De l'autre côté de la frontière

Mon foulard était tombé dans la poussière. Avec peine, je me suis baissée pour le ramasser, crachant par terre pour me débarrasser du goût de vomi que j'avais dans la bouche. Il fallait que je boive quelque chose. En relevant les yeux, je suis tombée sur Leila et son visage soucieux. L'espace d'un instant, j'avais perdu tout contrôle de la situation. Il me fallait redevenir forte, au moins pour mes filles.

Une voix, au loin, nous a alors appelées de façon insistante.

— Hé ! Par ici !

Qui cela pouvait-il bien être ?

Leila s'est retournée en souriant et a dit :

— Maman, c'est encore la dame.

Ma fille a couru pour aller prendre la main de Mona, qui en a été autant surprise que ravie.

— Le car nous attend là-bas, a-t-elle fait en désignant une longue piste bordée de hautes clôtures. Nous allons devoir marcher.

J'ai regardé dans la direction que Mona désignait. Des gens, accompagnés de leurs enfants, leurs bagages à la main, marchaient dans un couloir enserré de hautes clôtures de barbelés.

C'était donc ça, la véritable frontière. D'un côté, l'Égypte ; de l'autre, Israël. Il y avait des soldats armés partout. Certains portaient leur fusil négligemment suspendu à l'épaule ; d'autres, sur le qui-vive, le tenaient devant eux. Au beau milieu du désert, avec ce sable à perte de vue, sous ce soleil aveuglant, la scène avait quelque chose de surréaliste.

— Merci, ai-je dit en souriant à Mona. J'ai quelque chose à faire d'abord. J'en ai pour une seconde.

Je me suis penchée pour murmurer à l'oreille de Leila tout en lui mettant dans la main ce qui me restait d'argent égyptien. Elle a alors couru immédiatement vers un vieux congélateur situé devant l'immeuble où l'on délivrait les visas. C'était là qu'Iman vendait des boissons froides. Elle a donné quatre bouteilles de Coca enveloppées d'un sac en plastique usagé à Leila, qui est revenue en courant.

— Elle a dit que Dieu soit avec nous, maman. Et elle a pris tous les sous.

J'ai souri. Avec deux bons pourboires dans la même journée, Iman devait être une fille heureuse. Mais elle saurait sûrement en faire un meilleur usage que nous.

Amira a paru soudain fatiguée. Je l'ai prise dans mes bras et nous avons suivi la piste. Elle conduisait à un grand immeuble blanc.

Pas une seule fois je ne me suis retournée. J'ai toujours regardé droit devant. Il n'y avait que quelques centaines de mètres à parcourir, mais ils avaient pour moi une signification toute particulière.

Amira, soudain capricieuse, a voulu descendre. Nous nous sommes arrêtées et elle s'est dégagée d'un mouvement brusque. J'ai décapsulé la première des bouteilles de Coca pour la lui donner. Elle s'est assise, voulant être la seule à avoir le droit de boire. Il a fallu que je me fâche pour que Leila puisse terminer la bouteille.

Alors, ma fille de deux ans, la plus obstinée et la plus indépendante des deux, s'est fermement plantée dans le chemin et a refusé d'avancer.

— *Bismilailrahmeilrahim.*

J'ai rendu grâce au ciel quand Mona m'a délivrée du poids du sac noir et du bagage qui contenait l'eau et les fruits. Elle a posé mes effets sur le dessus de sa très élégante valise gris argent à roulettes et à poignée escamotable. Leila, elle, portait les bouteilles de Coca. J'ai alors pu prendre dans mes bras la moins coopérative de mes gamines.

Nous avons fini par atteindre le bout du couloir de barbelés. Le car se trouvait effectivement là. Mais, avant de remonter à son bord, il nous fallait remplir les formalités habituelles. Regonflée à bloc après avoir réussi à sortir d'Égypte, je me suis approchée du bâtiment blanc pleine de confiance.

Y pénétrer fut comme entrer dans un autre univers. Le contraste avec l'autre extrémité du corridor de barbelés m'a immédiatement frappée. Finis les murs tachés à la peinture écaillée, terminés les meubles rafistolés, adieu les ventilateurs bruyants. Ici, personne n'était assis par terre ; pas le moindre mendiant au-dehors. Au contraire, le sol était immaculé, sans mégots de cigarette, sans vieux journaux abandonnés. L'air conditionné ronronnait, l'endroit sentait l'ordre et la civilisation, deux états que j'avais presque oubliés.

J'ai respiré profondément. Je retrouvais mes marques. C'était ce confort que je voulais offrir à mes filles.

J'ai retiré mon foulard et les épingles qui maintenaient mon chignon en place. Mes cheveux blonds sont tombés en queue-de-cheval, effaçant du même coup mon apparence d'Égyptienne. À partir de ce moment, je n'étais plus qu'une mère avec ses enfants. Et plus besoin de parler arabe. Mais un autre choc m'attendait.

D'un côté de la pièce se trouvaient des sièges et des petits box ouverts où l'on pouvait remplir les formulaires d'entrée. J'avais occulté le fait que nous devions remplir un document pour entrer en Israël. J'avais rassemblé toutes mes forces pour quitter l'Égypte, oubliant de penser aux obstacles futurs.

Pas de panique, c'est juste une démonstration de l'efficacité israélienne. Il n'y aura pas de problème, ai-je pensé en prenant l'un des crayons mis à disposition.

Il fallait remplir un formulaire d'entrée pour chaque personne, y compris les enfants. Quand je suis arrivée à la rubrique « Lieu et pays de naissance », j'ai marqué un temps d'arrêt. Si Leila était née en Angleterre, j'avais donné naissance à Amira en Égypte. Cela pouvait être une cause d'ennuis. Mais si je mentais, qui le saurait ? Après tout, son nom figurait sur mon passeport.

J'ai rapidement pris la décision d'écrire « Grande-Bretagne » dans la case appropriée, pour nous trois. Pour une raison mal définie, ce sentiment d'insécurité, d'appréhension, légèrement teinté de crainte qui m'était si familier a refait surface. Allaient-ils s'apercevoir que j'avais menti ? Et, si tel était le cas, que pouvait-il nous arriver ?

C'est tendue et stressée que j'ai rassemblé les formulaires d'entrée et pris place dans la file d'attente, qui avançait assez vite. J'ai vu que Mona était en tête de la file. Son passeport à la main, elle s'est retournée et nous a saluées, puis nous a indiqué qu'elle nous attendrait dans le car. J'ai répondu d'un signe de tête, un peu soulagée.

Nous sommes arrivées au comptoir et j'ai tendu les formulaires d'entrée et le passeport. Mais, au lieu de nous faire signe de passer, l'homme a pris tout le temps nécessaire d'ouvrir et de feuilleter le document. Il en est arrivé à la page des visas de résidence en Égypte et ses yeux se sont arrêtés sur la phrase écrite en arabe qui stipulait que j'étais l'épouse d'un ressortissant égyptien.

À ce moment précis, j'ai senti que nos ennuis étaient loin d'être terminés. Un silence insoutenable s'est installé, pendant lequel l'homme a réfléchi. On aurait juré que le monde s'était figé. Soudain, il a refermé le passeport et l'a posé sur le bureau dans un claquement sec. Il a parlé quelques instants au téléphone et m'a de nouveau dévisagée, l'air sévère. J'ai baissé les yeux vers les enfants pour échapper à son regard.

Comme l'homme haussait le regard pour voir derrière moi, j'ai senti une main ferme se poser sur mon épaule. Je me suis retournée et la panique s'est emparée de moi. La main était celle d'un soldat ; de l'autre, il tenait un fusil muni d'une énorme baïonnette.

— Par ici, madame.

Nous l'avons suivi dans une petite pièce attenante où se trouvait un bureau avec deux chaises.

— Asseyez-vous, a-t-il ordonné.

Deux autres fonctionnaires plus âgés nous ont rejoints. J'ai été surprise que l'un d'eux fût une femme. Ils avaient des uniformes verts parfaitement identiques. L'homme tenait mon passeport à la main.

— Votre bagage. Je vous prierais de me montrer votre bagage.

Le soldat est immédiatement venu près de moi. Il a posé le sac noir et les deux sacs de plastique sur la table en vue de leur inspection. La femme lui a lancé, d'un ton autoritaire et en anglais :

— Videz-les. Tout !

— Excusez-moi. Mais que se passe-t-il ?

— Il est interdit de faire pénétrer des boissons et des aliments comme ceux-ci dans notre pays. Vous auriez dû vous en séparer à l'entrée. Il y a un panneau.

— Quel panneau ? Je n'ai rien vu d'écrit au sujet des boissons et de la nourriture. Je suis vraiment désolée. Pourrais-je au moins garder la bouteille d'eau qui n'a pas été ouverte ? ai-je demandé. Mes filles ont souvent soif.

La femme a très légèrement penché la tête. Le jeune soldat a sorti la bouteille d'eau du sac, l'a posée sur le bureau et est parti avec le reste de nos affaires.

Puis l'autre fonctionnaire s'est penché, les mains jointes devant lui, les pouces frappant l'un contre l'autre. Son regard s'est rivé au mien et il a commencé à me questionner dans un anglais parfait.

— Ce bagage est à vous ?

— Oui, monsieur.

— Vous avez d'autres bagages ?

— Non, monsieur.

— Vous avez fait ce bagage vous-même ?

— Oui, monsieur.

— Quelqu'un a-t-il eu la possibilité de glisser quelque chose dans votre bagage ?

— Non, monsieur.

— Le bagage est-il toujours resté sous votre surveillance ?

— Oui, monsieur.

Il a marqué une pause et baissé les yeux un instant vers mon sac noir. J'ai continué à le fixer, me concentrant sur son menton et évitant ses yeux. Si j'avais baissé le regard, cela m'aurait donné une apparence de culpabilité. J'avais fait très attention de bien répondre « monsieur » à chacune de ses questions, signe de condescendance et de respect, ce qu'aurait automatiquement fait toute musulmane.

La manière ferme de me questionner indiquait clairement qu'il me soupçonnait d'être une espionne ou une quelconque contrebandière. Les relations entre les deux pays étaient vraiment très tendues et j'étais en train de franchir seule la frontière. Peut-être s'imaginaient-ils que les enfants n'étaient qu'une couverture qui cachait des choses peu avouables ? En un clin d'œil, je venais de passer du statut de touriste à celui de terroriste potentiel.

— Pourquoi n'avez-vous qu'un seul petit sac ? Que comptez-vous faire lors de votre séjour en Israël ?

Les questions recommençaient, leurs yeux fixant à nouveau les miens.

— Nous sommes là pour un court week-end, pour voir mes parents. Ces affaires, c'est tout ce dont j'ai besoin.

— Pourquoi vos parents ne sont-ils pas allés en Égypte pour vous voir ?

— Ils sont déjà venus deux fois, monsieur. Ils ont toujours rêvé de visiter Israël et ont décidé d'y passer deux semaines avec l'espoir que je pourrais venir les rejoindre, un jour ou deux.

On a frappé à la porte. Deux jeunes soldats se sont approchés du bureau, ont ouvert la fermeture Éclair du sac noir et ont commencé à le fouiller avant de renverser son contenu : les couches en éponge, les gilets, les robes, un sac en éponge, une paire de chaussures, des vestes et un appareil photo qu'ils ont immédiatement pris et ouvert pour en retirer la pellicule. Ils l'ont ensuite mis de côté pour passer à l'examen de mes chaussures, dont ils ont arraché les talons.

Après avoir ouvert le sac en éponge, ils ont pressé sur le tube de dentifrice pour en faire sortir la pâte et emmené la brosse à cheveux pour examen.

Ils n'ont pas touché à la plupart des vêtements jusqu'à ce qu'ils tombent sur la pile de couches. Il y en avait une quinzaine, ce qui les a totalement décontenancés. Tenant l'un des carrés de tissu blanc au-dessus de sa tête, l'un des soldats a demandé :

— C'est quoi, ça ? Une serviette ?

S'est ensuivie alors, dans une langue que j'ignorais et que j'ai supposé être de l'hébreu, une conversation entre les soldats et les fonctionnaires. À l'évidence, ils n'étaient pas d'accord. Le ton est monté, s'est fait plus pressant, jusqu'à ce que la femme lève la main pour mettre un terme à la discussion et se tourne vers moi.

— Pourquoi avez-vous si peu de bagages mais besoin de quinze serviettes ? En quoi sont-elles faites ? Que transportez-vous à l'intérieur ? Vous devez nous dire la vérité.

Soudain, Leila a enfoui sa tête sous mon bras et a commencé à pleurer. Elle ne comprenait pas ce qui se passait et j'étais incapable de la rassurer.

Mon Dieu, voilà qu'à présent ils s'imaginent qu'il y a quelque chose dans les couches. À quoi pensent-ils ? À de l'héroïne ? À des microfilms ? Qu'est-ce que je vais bien pouvoir leur dire ?

J'ai serré Leila contre moi en essayant de ne pas paraître affolée. Et j'ai fini par faire ce que je considérais comme la chose la plus claire et la plus évidente : j'ai soulevé Amira, remonté sa petite robe et montré la couche qu'elle portait en dessous.

— Ces couches sont pour ma fille. Ce ne sont pas des serviettes hygiéniques, ce sont des couches.

— Enlevez-lui celle-ci, a dit la fonctionnaire en montrant la couche d'Amira.

À bout de fatigue, je me suis exécutée. Évidemment, Amira était mouillée et une forte odeur d'urine a envahi la petite pièce si propre. J'ai dû leur demander de l'eau, un sac pour jeter la couche souillée, le talc qui se trouvait dans le sac en éponge et l'une des couches propres posées sur le bureau. Si la situation n'avait pas été si dramatique, nous aurions pu en rire. La femme s'est débarrassée de la couche sale et a montré la pile de couches propres.

— C'est pour elle ? Pourquoi n'utilisez-vous pas de Pampers ?

Ils connaissaient donc les Pampers en Israël ! Je ne pouvais pas lui dire la vérité, à savoir que nous n'avions pas les moyens d'acheter des couches jetables.

J'étais supposé être une femme aisée qui pouvait s'offrir un voyage pour aller voir ses parents.

— Celles-ci sont très appréciées en Angleterre, ai-je finalement répondu. Plus douces sur les fesses des enfants.

La femme a pris alors l'une des couches pour la palper.

— Je pourrais vous en prendre une ?

Je n'en croyais pas mes oreilles. J'étais au milieu de fonctionnaires de l'armée qui venaient de piller mon sac et de détruire mes maigres effets, et voilà que l'un d'eux voulait l'une de mes précieuses couches !

— Bien sûr, je vous en prie, prenez-en une, ai-je répondu en hochant la tête et en la regardant dans les yeux.

Tout à coup, l'un des soldats s'est baissé pour prendre la poupée d'Amira qui se trouvait par terre. Ma fille a crié quand le soldat a arraché la tête du jouet sans la moindre considération pour elle. Ses pleurs ont résonné dans la pièce, stoppant tout, empêchant d'autres questions.

— Elle est fatiguée et elle a faim. Vous pourriez lui trouver quelque chose à grignoter ? ai-je crié pour couvrir les pleurs.

Après avoir examiné la poupée et n'y avoir rien trouvé, le soldat l'a jetée dans la poubelle avant de tout remettre dans mon sac et de le fermer. Puis il a pris ma fille en pleurs et l'a emmenée hors de la pièce.

— Non ! ai-je hurlé en voulant le suivre, avant d'en être empêchée par la femme fonctionnaire.

— Ne craignez rien. Il a pour instruction de s'occuper d'elle et de lui donner à manger.

— Je peux y aller aussi, maman ? a alors demandé Leila à ma grande surprise. Je meurs de faim.

— Bien sûr, suis cet homme, a répondu la femme à ma place avant qu'on accompagne également Leila.

— Bon, à présent, reprenons, a fait le fonctionnaire. Votre fille parle arabe. Pourquoi ne parle-t-elle pas anglais avec vous?

— Elle a l'habitude de s'exprimer en arabe, monsieur. La plupart de ses amis sont égyptiens, tout comme notre famille et nos voisins.

— Mais elle parle aussi anglais, n'est-ce pas?

— Bien sûr, monsieur, ai-je menti.

— Vous avez dit que vous ne vouliez rester que quelques jours. Où travaillez-vous?

— J'enseigne dans une école anglaise, monsieur. Je dois être de retour dimanche.

— Par quel moyen comptez-vous rentrer?

J'ai béni Jill d'y avoir pensé en sortant de mon sac les tickets que mon amie avait achetés pour moi.

— Voici nos tickets pour le retour, monsieur.

Je les lui ai tendus pour qu'il les examine. Satisfait, il a pris un ton plus apaisé et s'est adossé à sa chaise.

— Où avez-vous l'intention de rencontrer vos parents?

— À Tel-Aviv, monsieur. Ils vont visiter Jérusalem la semaine prochaine, mais ils commencent leur périple en Israël par Tel-Aviv.

— Ce sera tout.

Il s'est levé subitement de sa chaise et est parti.

— Ne bougez pas d'ici, a fait la femme officier avant d'emboîter le pas de son collègue.

— Mais mes enfants? lui ai-je demandé.

Ils sont en sécurité, a-t-elle répondu en se retournant. Elle est sortie et a refermé la porte.

— Je me suis retrouvée seule. La tête me tournait. Que se passait-il? J'avais perdu le contrôle de la situation depuis un bon moment et ne voyais vraiment pas comment le reprendre.

4

La panique et le doute

Une demi-heure s'est écoulée.

La porte s'est ouverte lentement et deux hommes en civil sont entrés. L'un d'eux portait un pull de grosse laine gris clair, ras du cou. Ils n'étaient apparemment pas armés.

Instantanément, je me suis levée en criant :

— Où sont mes filles ?

— On s'occupe bien d'elles. Ne vous en faites pas. Vous allez bientôt les retrouver. Voulez-vous une tasse de thé ?

— Non merci, ai-je répondu.

J'avais pourtant la gorge sèche. Je n'avais rien bu depuis la frontière égyptienne. Mais il y avait plus urgent que le thé. Je voulais en finir avec l'interrogatoire et retrouver mes filles.

La porte s'est à nouveau ouverte et on a posé sur le bureau un grand plateau avec du thé, du lait, du sucre et un cendrier. Le deuxième homme a servi une tasse de thé pour chacun de nous et m'a tendu le lait.

Je n'ai rien dit. J'étais fatiguée. J'ai ajouté du lait et j'ai regardé le liquide changer de couleur.

— Vous fumez, madame ?

J'ai fait non de la tête. Ils ont chacun allumé une cigarette avant d'en souffler la fumée vers le plafond. Le thé, en descendant dans ma gorge, m'a redonné vie. Les hommes ont fumé en silence pendant que je rechargeais mes batteries. J'ai senti que mon corps se détendait.

— Nous souhaiterions vous poser quelques questions.

L'homme au pull s'exprimait calmement et poliment, hochant la tête d'une façon rassurante. Il a montré le sac noir.

— C'est à vous ?

Je l'ai regardé, surprise.

— Je l'ai déjà dit à l'autre personne. Oui, c'est à moi.

— Vous n'avez pas d'autres affaires ?

— Mais j'ai déjà répondu à ces questions, ai-je commencé à protester.

— Madame, je vous en prie. Contentez-vous de répondre. Avez-vous fait ce bagage vous-même ?

— Oui, monsieur.

Leurs questions ont été identiques aux autres. Et j'ai soudain compris pourquoi. Les premiers à m'interroger étaient les « méchants ». Maintenant on m'envoyait les « gentils » pour voir si mes réponses seraient différentes. J'ai peu à peu repris confiance en moi. J'allais devoir répondre exactement les mêmes choses. Je me suis redressée et me suis concentrée à fond sur les réponses jusqu'à ce qu'ils en aient terminé.

— Je vous remercie. Ne bougez pas, s'il vous plaît.

Ils se sont levés et ont quitté la pièce. Je n'ai pas eu le temps de penser à quoi que ce soit car le premier fonctionnaire est à nouveau apparu.

— Nous vous souhaitons un excellent séjour dans notre pays avec vos parents. Vos enfants vous attendent dehors. Vous pouvez partir.

Il m'a tendu mon passeport. En le prenant avec reconnaissance, j'ai compris qu'il avait mordu à mon histoire. À la frontière, côté égyptien, l'officier m'avait percée à jour, ne me laissant passer que contre un bakchich. Ici, en Israël, les officiers prenaient leurs responsabilités très au sérieux. Ils n'avaient fait que leur travail en m'interrogeant jusqu'à avoir la certitude que je disais la vérité.

Les filles étaient reposées et à peine contentes de me revoir. Assises sur les sièges qui bordaient le hall principal, les jambes pendantes, Amira avait du chocolat plein le visage et toutes deux suçaient une glace à l'eau.

Je n'avais même pas osé imaginer ce qui pourrait leur arriver quand on les avait emmenées. J'avais été dans l'incapacité de faire quoi que ce soit. J'avais dû m'en remettre aux fonctionnaires, et j'aurais pu ne jamais revoir mes filles. Mais, au lieu de me focaliser sur ma peur, je m'étais concentrée sur l'interrogatoire.

À ce moment, en les retrouvant bien vivantes et souriantes, le soulagement m'a envahie et des larmes ont coulé sur mes joues. Je les ai vite essuyées au profit d'un sourire rayonnant.

— Allez, venez, vous deux. Pourquoi avez-vous été si longues ? Ça fait une éternité que je vous attends. On a un car à prendre.

En riant et en plaisantant, la poupée semblant momentanément oubliée, nous avons quitté cet immense bâtiment blanc et sommes sorties au soleil pour rejoindre le car qui nous attendait.

Alors que nous essayions de trouver des places, les autres passagers faisaient la tête et nous avons eu droit à des commentaires peu amènes. Ils n'avaient guère goûté cet arrêt de deux heures au milieu de leur voyage. Mona est immédiatement venue à nos côtés, vraiment anxieuse.

— Que vous est-il arrivé ? Quel était le problème ?

— Ils nous ont posé des tas de questions. Je suppose que c'est parce que je voyage seule avec les enfants.

Une pensée m'a alors envahie quand le car a démarré.

— Mais vous, Mona, pourquoi ne vous ont-ils rien demandé ? Vous êtes aussi une femme qui voyage seule.

Elle a souri et dit :

— C'est parce que je suis israélienne, que j'ai un passeport israélien et que je rentre chez moi.

Je me suis alors rendu compte que je ne savais rien d'elle. C'était elle qui avait posé toutes les questions. Et moi qui avais cru qu'elle était égyptienne et avais essayé de m'en débarrasser !

— Mais, quand nous nous sommes rencontrées, vous parliez arabe couramment !

Mona a ri.

— Je parle couramment quatre langues. À moins que vous ne pensiez que mon anglais laisse à désirer ?

— Non, bien sûr que non. Votre anglais est excellent. Je suis désolée de ne pas avoir été plus amicale, vous avez été si gentille pour nous.

Nous avons eu une longue et agréable conversation. De mon côté, j'ai fait attention à ne rien dire d'important. Le paysage israélien contrastait avec le désert égyptien que nous avions quitté. Ici, tout était vert : les champs, les arbres, les buissons aux fleurs de couleurs éclatantes. Les routes étaient en bon état, avec des bretelles et des ponts modernes. Dans les faubourgs de Jérusalem, les rues étaient bordées de maisons proprettes et blanches, colorées çà et là par des jardinières de fleurs. Quel soulagement après les immeubles décrépis du Caire que j'avais connus jour après jour !

— C'est le quartier le plus chic de Jérusalem, a dit Mona. Le cœur de la ville est plus traditionnel, avec de vieux immeubles, des ânes et des charrettes, des étals de marché et des femmes habillées de noir. Vous verrez.

Elle avait raison. L'endroit était beau, magique, même vu derrière la vitre d'un autocar. Nous avons traversé le centre-ville pour aller à la gare routière.

Mona s'est penchée vers moi et m'a embrassée.

— Je descends ici. J'habite à Jérusalem. Si vous voulez venir me rendre visite en compagnie de vos charmantes filles, sachez que vous êtes les bienvenues. Voilà mon adresse.

Elle m'a tendu une petite carte.

— Merci pour tout, Mona. Nous ne vous oublierons pas.

Nous l'avons regardée descendre du car et lui avons fait au revoir à travers la vitre.

Au cours du trajet de Jérusalem à Tel Aviv, tellement fatiguée par toutes ces émotions, je me suis profondément endormie, jusqu'à ce que Leila me secoue pour me réveiller. Nous étions arrivées.

Cette fois, je n'ai pas sauté de joie. J'avais appris au cours de la journée à ne rien prendre pour argent comptant, et je me faisais encore bien du souci. J'ai balayé l'endroit du regard à la recherche de soldats, d'armes et d'uniformes.

— Laissons tout le monde descendre. À quoi bon aller se faire écraser ?

D'un côté de la gare se trouvait une rangée de taxis. Certains des passagers se sont dirigés vers eux, d'autres se sont éloignés dans la rue. Aucune trace de représentants de l'ordre d'aucune sorte.

— Allez, les filles, on y va !

Nous avons traversé l'allée centrale du car et sommes descendues. Dehors, j'ai pris la direction d'un taxi en attente. Le chauffeur est sorti de la voiture.

— *Shalom*.

— *Shalom*, ai-je répondu, en espérant que c'était la bonne réponse.

— *Shalom, shalom, shalom*, s'est mise à chanter Amira.

Ça, c'est incroyable, ai-je pensé. *Elle fait des progrès en arabe, mais pas en anglais. Je la sors du pays et la voilà qui salue la première personne qu'elle rencontre dans sa langue.*

— Nous voudrions aller à cet hôtel, s'il vous plaît.

Je lui ai donné le bout de papier sur lequel était écrit son nom. Il a hoché la tête :

— C'est près de l'aéroport. Pas de problème, je vous y conduis.

Au bout d'un quart d'heure de route, le chauffeur a pointé quelque chose par la fenêtre.

— L'aéroport. Regardez. C'est ici.

J'ai hoché la tête et souri. C'était pour cela que nous avions choisi cet hôtel.

Le trajet avait duré à peu près vingt minutes et coûté neuf dollars. J'en laissai dix au chauffeur. Nous nous sommes ensuite dirigées vers la réception.

— *Shalom.*

— *Shalom.* Je voudrais une chambre double pour la nuit, s'il vous plaît.

— Naturellement, madame. Vous pouvez signer ici ?

J'ai signé le registre et la femme m'a tendu une clé.

— Avez-vous des bagages ?

Je me suis figée et ai regardé aux alentours. L'interrogatoire allait-il reprendre ? Mais il n'y avait personne pour m'interroger. J'ai regardé la réceptionniste et me suis aperçue qu'elle souriait.

— Non, seulement celui-là, ai-je répondu. Je vais me débrouiller, merci. J'aimerais vous régler maintenant, parce que nous allons partir tôt demain matin pour l'aéroport.

— Ça fait trente-deux dollars.

— Je souhaiterais qu'on me réveille à 5 h 30. Et si vous pouviez également réserver un taxi pour nous emmener à l'aéroport, à 6 heures... ai-je ajouté en lui tendant l'argent.

— Pas de problème, madame.

Un groom nous a accompagnées jusqu'au deuxième étage. La chambre était dans l'obscurité. Il l'a traversée et a tiré les épais rideaux. La lumière du début de soirée a filtré et envahi toute la pièce. Le porteur a fait une courbette et est parti. Contrairement au chauffeur de taxi, je ne lui avais pas donné de pourboire. J'ignorais de combien j'aurais besoin dans les jours à venir et ne pouvais prendre le risque de dépenser de façon inconsidérée.

J'ai jeté le sac à terre et me suis jetée sur le lit avec un cri de joie, enfouissant mon visage dans les oreillers. Je me suis redressée et j'ai attrapé Amira qui sautillait autour du lit. Je l'ai fait tourner et tourner encore jusqu'à ce que nous nous écroulions en riant.

Il était peu probable que quelqu'un ait pu nous suivre jusqu'ici. Nous pouvions nous reposer. Au moins pendant quelques heures. Nous avons exploré la chambre. Leila a ouvert les tiroirs et les placards un à un. Nous baignions dans le luxe. Près de la porte d'entrée se trouvait celle de la salle de bains, spacieuse et équipée d'une baignoire.

— Regarde, maman. C'est pas une piscine, là-bas ? On peut aller se baigner ?

Leila s'était aventurée sur le balcon et regardait en bas de l'hôtel.

— Allons voir, d'accord ?

Nous sommes sorties. Il était 18 heures. Moins de treize heures plus tôt, je regardais mon mari et son sourire d'autosatisfaction alors qu'il dormait sur notre misérable lit, là-bas, en Égypte. Il s'en était passé des choses depuis ce moment-là.

A-t-il compris que nous sommes parties ? Qu'est-ce qu'il peut être en train de faire en ce moment ? Il ne va jamais imaginer que nous ayons pu partir puisqu'il garde mon passeport sous clé. Il ne va jamais penser que l'ambassade britannique a pu m'en établir un autre. Avec tous ces gens qu'il paie pour qu'ils lui rapportent mes faits et gestes, cela va lui être impossible d'imaginer que j'aie pu faire une telle chose. Cela va nous donner plus de temps. Si nous parvenons à nous enfuir, il lui faudra plusieurs jours pour s'en rendre compte. Il va perdre son temps à nous chercher à l'école, chez les amis, persuadé que nous nous cachons en Égypte.

Nous avons contourné l'hôtel pour aller là où Leila le souhaitait. Elle avait raison, c'était bien une piscine. Mais il n'y avait pas d'eau dedans.

— Tant pis. Mais je sais ce qu'on va faire. Si on rentrait à la chambre prendre un bon bain chaud ? Ça vaut bien la piscine, non ?

— Oui, allons-y.

Leila m'a pris la clé de la main et s'est éloignée en chantant.

Amira s'est jointe à elle en essayant de tenir le rythme : « *Shalom, shalom, shalom.* »

Je n'osais pas acheter quoi que ce soit. Il fallait absolument que je garde quelques dollars. Nous pouvions nous passer de thé pour le soir. La bouteille d'eau suffirait bien. J'étais habituée à ne pas manger, mais ce n'était pas le cas des filles.

Arrivée à la chambre bien après les filles, j'ai dû frapper pour que Leila me laisse entrer.

— Regarde, maman.

Elle dansait autour de la chambre, seulement vêtue d'une serviette autour de la taille.

— Où est Amira ?

— Dans la salle de bains. Je n'ai pas pu tourner les robinets, ils sont trop durs.

Elle a voulu entrer dans la salle de bains mais la porte était fermée. Nous avons tourné la poignée, poussé, mais elle ne s'ouvrait pas.

— Oh mon Dieu ! Il ne manquait plus que ça ! Amira ! ai-je crié. Amira, chérie, tu m'entends ? C'est toi qui as fermé la porte ?

Mais Amira tapait également de son côté. Je me suis doutée qu'il était inutile de lui demander d'essayer de débloquer la serrure.

— Amira, ne touche pas aux robinets. Maman va appeler quelqu'un pour ouvrir la porte.

Je me suis ruée sur le téléphone pour appeler la réception. L'employé qui m'avait ouvert la chambre est venu avec un passe-partout, et le problème a été résolu en quelques minutes, sans panique et sans peine.

Cette fois, je n'ai pas pu le laisser repartir sans pourboire. Mes deux dollars ont semblé lui faire très plaisir.

Nous avons pris du bon temps dans la baignoire à bulles. Amira n'a pas semblé surprise de n'avoir que de l'eau en guise de thé. Après quelques larmes, elle s'est endormie sur le lit, à bout de forces.

— Quand est-ce qu'on va voir mamie?

Leila et moi étions assises sur le balcon. C'était le moment de lui avouer la vérité.

— Leila, et si je te disais que papi et mamie ne viennent pas en Israël en vacances mais que c'est nous qui allons aller les voir en Angleterre, tu dirais quoi?

J'ai retenu ma respiration en attendant sa réponse, qui était finalement une autre question.

— Tu veux dire, pour toujours?

Son acceptation totale du changement de situation m'a paru inespéré. Sa réponse a fait vibrer en moi une corde sensible et m'a convaincue que j'avais fait le bon choix en risquant le tout pour le tout afin de fuir l'Égypte.

— Oui, ma chérie, ai-je dit, pour toujours.

5

La catastrophe

Une fois les filles endormies, il me restait une chose importante à faire. Tranquillement, j'ai pris le combiné et appelé mes parents en Angleterre en PCV.

— Allô?

— Papa? C'est moi. On a réussi. Je t'appelle de l'hôtel que tu avais repéré pour moi à Tel-Aviv.

Silence.

— Papa? Tu es toujours là?

— Oui, il est toujours là, a répondu ma mère. C'est juste qu'il ne peut pas te parler. L'émotion est trop forte pour lui.

Sa voix s'est alors brisée et elle a commencé à pleurer.

— Oh, Jacky, si tu savais... Nous avons tellement attendu que tu passes à l'acte, jour après jour. Et les filles? Elles vont bien?

— Elles vont bien, nous allons toutes bien. Notre avion arrive demain matin à Heathrow, à 11 h 20.

— Nous y serons, ma chérie. Oh, Jacky, je n'arrive pas à y croire. Tu l'as vraiment fait. Tu es si courageuse.

— À demain, papa et maman. Je vous aime.

De grosses larmes coulant sur mes joues, je suis restée longtemps sous la douche chaude pour évacuer le stress et la pression des dernières heures. Ce matin, j'étais encore une épouse et une mère musulmane. Ce soir, j'étais une mère anglaise en Israël ; demain, une mère célibataire en Angleterre.

Je me suis assise pour compter l'argent qui restait. Cela n'a pas pris bien longtemps. Comment avais-je pu me débrouiller pour dépenser tant entre le taxi, la chambre et le garçon d'étage ? Quarante-quatre dollars en tout. Heureusement, il ne nous restait plus qu'à payer le taxi pour rejoindre l'aéroport, une course de cinq minutes pour laquelle seize dollars suffiraient bien.

Je me suis souri à moi-même. Malgré tous les écueils, jusqu'à présent, ça avait marché. Il ne nous restait plus qu'à monter à bord de cet avion pour Londres. Je me suis glissée dans le lit, blottie contre les filles et j'ai fermé les yeux.

Je ne vais jamais pouvoir dormir, je suis bien trop énervée, ai-je pensé.

Je me suis retournée et ai sursauté quand la sonnerie du téléphone a retenti. J'ai prudemment décroché.

— Oui ? ai-je murmuré.

— Bonjour, madame. Vous avez demandé à être réveillée à 5 h 30.

J'ai reposé le combiné et suis allée à la fenêtre. C'était bien le matin. J'avais dormi, finalement.

Le téléphone nous avait toutes réveillées. Leila a allumé la télé. Les yeux pleins de sommeil, sa sœur et elle se sont assises face au poste pendant que je me bagarrais avec leurs cheveux avec la brosse cassée. Avant de quitter ce merveilleux hôtel, nous avons même eu le temps de donner un bain à Amira pour finir de la réveiller.

Le taxi nous attendait. À cette heure, la circulation était quasi nulle, et nous sommes arrivées devant l'aéroport en moins de dix minutes. Le prix de la course s'élevait à quatre dollars.

— On peut avoir quelque chose à manger, maman ?

— Il va falloir attendre d'être à bord de l'avion, Leila. Il y aura plein de choses à manger. Là, il faut que je trouve le bureau où l'on doit récupérer les billets.

— Ça va être long?

— Une demi-heure, pas plus.

J'ai inspecté l'aéroport du regard. Des gens allaient et venaient, mais ils étaient peu nombreux. Malgré cela, je n'arrivais pas à trouver le bureau que je cherchais. Une femme, derrière son guichet d'enregistrement, nous a finalement orientées vers un petit escalier.

En haut, nous avons effectivement trouvé le bureau recherché. Il était étroit mais aéré, avec deux larges panneaux vitrés sur deux côtés, derrière lesquels trois personnes travaillaient.

J'ai frappé à la porte entrebâillée et attendu.

— Bonjour, ai-je osé.

— Bonjour. Je peux vous aider? a répondu l'une des filles en se levant avec un sourire.

Son accent anglais était excellent. Je lui ai retourné son sourire.

— On a dû vous envoyer par fax trois réservations pour le vol de Londres de ce matin. Je viens les chercher.

— Bien sûr. Un moment, je vous prie. Je peux avoir votre passeport?

Je le lui ai donné et elle a disparu avant de revenir, quelques minutes plus tard, accompagnée d'un grand type tout maigre et moustachu.

— Par ici, madame, je vous prie.

Nous l'avons toutes suivi dans un couloir jusqu'à un autre bureau, carré, tout juste meublé d'une table et de chaises éparses.

— Veuillez patienter. Nous recherchons vos billets.

J'ai souri et hoché la tête.

Ils s'occupent bien de nous, ai-je pensé. *Ils nous mettent dans une pièce climatisée pour patienter au lieu de nous laisser debout dans le petit bureau.*

Deux hommes sont alors entrés. Celui qui tenait mon passeport à la main m'a désigné une chaise qui se trouvait près de la table.

— Asseyez-vous ici, je vous prie, madame.

L'autre tenait un grand sac de graines de tournesol qu'il décortiquait à l'ancienne, avec les dents. Il est allé s'asseoir près des filles pendant que je changeais de place. Le premier homme a pris place face à moi, de l'autre côté du bureau, avant d'ouvrir mon passeport.

— Vous êtes mariée à un Égyptien.

C'était une constatation plus qu'une question. Je n'ai rien dit.

— Vous êtes entrée en Israël hier et vous avez passé la nuit dans un hôtel éloigné de la ville, mais proche de l'aéroport. À présent, vous demandez des billets pour vous rendre à Londres.

Il a marqué une pause.

Il a tout deviné. Il ne va jamais me laisser partir avec les enfants. Il va nous renvoyer d'où nous venons.

— Pourquoi êtes-vous venue en Israël pour seulement quelques heures?

— Nous avions prévu d'y passer trois jours, monsieur, pour voir mes parents, mais il y a eu un changement.

Il a fait comme s'il ne m'avait pas entendue. Il a poursuivi en disant:

— À qui avez-vous parlé? Avez-vous rencontré quelqu'un? Passé des appels téléphoniques?

— J'ai parlé au personnel de l'hôtel et j'ai passé un coup de fil en Angleterre, monsieur.

— Parlez-vous l'hébreu?

— Non, monsieur.

— Qui avez-vous appelé?

— Ma mère, monsieur.

— Mais vos parents ne sont-ils pas en Israël?

— Non, monsieur. Ils devaient venir en vacances ici et nous sommes venues pour les rencontrer. Mais il y a eu un problème. Mon père a fait un malaise cardiaque. Il est à l'hôpital. C'est la raison pour laquelle il a effectué les réservations par fax, pour que nous puissions aller le voir en Angleterre.

J'ai croisé les doigts des deux mains en lui jetant un regard candide.

— Où sont vos bagages?

— Je n'ai que ce sac, monsieur. Il n'était pas prévu que j'aille en Angleterre. C'était tout ce dont nous avions besoin pour quelques jours en Israël.

— Ouvrez ce sac.

En l'ouvrant, pour lui permettre de le fouiller, je me suis félicitée de ne pas avoir emporté plus d'effets. Ce sac, à lui tout seul, attestait de la véracité de mon histoire.

— Alors, comme ça, votre père est souffrant. Je comprends que vous deviez vous rendre à son chevet. J'espère qu'il va se remettre rapidement.

Il s'est levé, m'a redonné le sac et s'est retourné comme pour partir.

— Votre passeport, madame. Les billets vous attendent dans le bureau d'à côté. Je vous souhaite un agréable voyage.

— Merci, monsieur.

L'autre homme s'est levé en même temps que les filles. Il leur avait déjà offert de ses graines de tournesol mais, à présent, il était en train de leur en verser dans les mains. Les filles étaient ravies et ont commencé à les décortiquer.

Nous avons pris possession des billets dans le bureau voisin avant de retourner dans le hall de l'aéroport.

— Par ici, Leila. Filons à l'enregistrement. Nous y sommes presque.

Le sac est passé aux rayons X sans problème. Je l'ai repris de l'autre côté de la machine et me suis dirigée vers la salle d'embarquement.

Nous avons réussi ! Malgré toutes ces questions, ils ont fini par nous laisser partir. Personne ne nous posera de questions, à présent. Nous sommes enfin en sécurité. Le soulagement m'a envahie. Bientôt, nous allions prendre place dans l'avion. La salle d'embarquement n'était plus qu'à deux pas. J'ai esquissé un sourire.

Un fonctionnaire qui se trouvait là s'est tout à coup mis en travers de notre chemin.

Étonnée, j'ai crié et ai reculé. Que pouvait-il bien nous vouloir ?

— Je vous demande pardon, madame, mais vous devez vous acquitter des taxes d'aéroport. Veuillez me suivre par ici.

Je me suis rendu compte que j'aurais dû aller régler ces taxes avant d'enregistrer les bagages.

— Ah oui, bien sûr.

Nous sommes allés vers un comptoir. J'ai donné mes billets et mon passeport.

— Cela vous fait seize dollars, s'il vous plaît.

J'ai secoué la tête, ne pouvant le croire.

— Combien avez-vous dit ?

— Seize dollars.

Une larme solitaire a coulé sur ma joue et a atterri sur le comptoir. J'ai senti la petite main de Leila se serrer dans la mienne. J'avais risqué nos vies, surmonté les interrogatoires, réussi à ne pas perturber les filles. Papa et maman nous attendaient à Londres… Mais un dernier obstacle se dressait devant nous. J'ai regardé l'employé.

— Je suis désolée, je n'ai pas assez.

— Si vous ne pouvez pas payer, a-t-il dit, vous ne pourrez pas monter à bord.

J'ai enfoui mon visage dans mes mains. Avions-nous fait tout cela en vain ?

6

Comment tout a commencé

« Bonjour, mesdames et messieurs. C'est votre commandant de bord qui vous parle. Nous approchons de l'aéroport du Caire, où nous nous poserons dans une dizaine de minutes. Il est 6 h 50, heure locale. J'espère que vous avez effectué un excellent voyage et je vous remercie d'avoir choisi KLM. »

La chaleur m'a assaillie dès la descente de l'avion. La température était pourtant normale pour Le Caire en cette heure matinale. Devant moi, des vagues d'air suffocant créaient une impression de flou, faisant vaciller les bâtiments de l'aéroport et les silhouettes de ceux qui s'y pressaient. Quel contraste avec la veille au soir, quand nous avions quitté un Londres obscur, humide et balayé d'un vent mordant...

J'étais enthousiaste à l'idée de ces vacances de rêve : dix longs jours dans ce superbe pays, chaud et désertique. Dave ne semblait pas aussi emballé que moi, mais je savais qu'il dissimulait toujours ses passions et son enthousiasme. Pour lui, ce court séjour en Égypte permettrait de briser la routine, de ne rien faire, de se reposer et de se soûler quand bon lui semblerait – tâche à laquelle il s'était déjà attelé dans l'avion.

J'avais vingt-trois ans et nous vivions ensemble depuis environ trois ans. Si rien ne clochait vraiment dans notre relation, la petite étincelle du début s'était tout de même éteinte. À l'origine, nous avions décidé d'entreprendre ce voyage pour raviver la flamme. Mais, depuis, les choses étaient allées de mal en pis.

Plus nos vies semblaient prendre des directions opposées et plus notre relation subissait une pression grandissante. Je travaillais de 9 heures à 17 heures dans un bureau, chez Kodak, entourée de collègues qui faisaient sans cesse de nouvelles connaissances. Pour me suivre, Dave avait accepté de quitter le nord de l'Angleterre pour le sud. Il avait trouvé un travail de livreur de lait qui l'obligeait à se lever chaque matin à 4 heures. Un travail où il était de plus confronté à la solitude, sauf lorsqu'il collectait l'argent de sa tournée.

Peu à peu, les chemins de nos vies avaient commencé à se séparer. Alors, nous avions fait ce que font la plupart des gens en mal de communication : nous avions pris dix jours de vacances, un aller-retour pour Le Caire. Une sorte de quitte ou double...

Mais, à mesure que le départ approchait, j'avais compris au fond de moi que nous allions vers la rupture. Comment allais-je faire pour la lui annoncer ? J'avais de toute façon résolu d'attendre la fin du séjour pour me décider.

J'étais alors loin d'imaginer la folle tournure que prendrait la situation.

7

Pourquoi le bus est si peu cher

Le bruit nous a assaillis de toutes parts. Les rues grouillaient de monde, de femmes habillées de noir de la tête aux pieds, d'autres portant le voile, de filles au visage caché d'un foulard, de bébés qui hurlaient et d'hommes en djellaba. Si tous criaient, s'invectivaient et gesticulaient de façon désordonnée, personne ne répondait aux questions.

— Taxi, madame? Taxi?

— Vous vouloir acheter ça? Très beau, pas cher, pas beaucoup dollars.

Les marchands harcelaient tout le monde. Des jeunes filles mendiaient; des mères, les pieds nus, la main tendue, étaient assises à même le sol avec leurs enfants en criant:

— Une petite pièce, une petite pièce.

Certains enfants présentaient de façon ostensible d'atroces difformités, des jambes tordues ou des pieds bots. Naturellement, notre instinct nous poussait à avoir pitié et à ouvrir notre porte-monnaie.

— Qu'est-ce qu'on fait maintenant?

Dave a posé son sac à dos et a regardé alentour.

— On prend un taxi ou un bus? Les taxis sont de l'autre côté. L'arrêt du bus est juste là.

— Ça serait plus pittoresque de prendre un bus. Il y en a justement un qui arrive.

— D'accord, c'est parti.

Ce fut notre première grosse erreur. Des étrangers ne prennent pas le bus. C'est aussi bête que ça.

Un vieux bus en sale état s'est arrêté. Il était vide. Dave est monté le premier.

— Vous allez au Caire, dans le centre ?

Le chauffeur a souri de toutes les dents marron qui lui restaient. Il a commencé à nous parler dans une langue étrange.

— *El Kohera, El Kohera.*

Toujours souriant, il nous a fait signe de monter en hochant la tête.

Dave a semblé douter.

— Qu'est-ce qu'il raconte ? C'est quoi, *Kohera* ?

— Comment veux-tu que je le sache ? Ça veut peut-être dire Le Caire, ai-je suggéré.

Dave a offert quelques livres égyptiennes au chauffeur qui en a pris une pour lui rendre soixante piastres. Il n'en coûtait donc que vingt piastres par personne pour gagner la ville en bus ? C'était étonnant.

Au cours des minutes qui ont suivi, nous avons eu l'impression que la population entière du continent africain s'était donné rendez-vous dans ce bus. Les sièges se sont remplis peu à peu, les mères se tassant avec les enfants, les nouveau-nés et leurs emplettes. Une femme, tout de noir vêtue, portait sur la tête un grand panier contenant six poulets. Elle l'a posé sur le dossier d'un fauteuil. Des gens debout prenaient place dans le moindre interstice vacant.

— Ce coup-là, c'est bourré à craquer, m'a murmuré Dave. Oh, mince, regarde-moi ça.

Des hommes et de jeunes garçons avaient grimpé sur le toit. D'autres avaient pris d'assaut les pare-chocs en s'agrippant les uns aux autres. Je ne voyais vraiment pas comment le bus allait pouvoir démarrer. Mais il a démarré. Le moteur s'est ébroué et, dans une épaisse fumée noire, le véhicule s'est ébranlé. À travers un minuscule morceau de vitre laissé libre par les voyageurs, j'ai aperçu un autre bus identique au nôtre qui s'arrêtait. Il était bondé d'hommes, de femmes, d'enfants, de poulets, qui tous ont crié ou piaillé quand ils en sont sortis.

— Notre bus doit ressembler à ça, ai-je lancé à Dave.

— Au moins, pour eux, le voyage est terminé. D'après toi, quelles sont nos chances de survie ?

— Je te dirai ça plus tard, ai-je répondu en souriant.

La chaleur était intenable et il était difficile de respirer. Le bus roulait à vive allure, prenant les virages à la corde. Dave s'est levé pour laisser sa place à une vieille femme au visage ridé et aux poignets couverts de bracelets en or. Drapée de noir, elle a allongé un bras décharné pour saisir le fauteuil de devant afin de rester en équilibre. J'ai vu qu'elle avait un tatouage bleu pâle au-dessus des bracelets.

Deux enfants se sont mis à rire à la vue de mes cheveux blonds. L'un d'eux s'est même penché pour essayer de les toucher. Il n'arrêtait pas de répéter la même chose dans une langue gutturale au débit rapide et incompréhensible. J'ai tourné la tête vers la vitre. Le paysage changeait, les villages et les vaches faisant place aux immeubles, aux hautes palissades, aux mosquées et aux minarets.

— Jacky ! Viens, on descend ici. Je vais forcer le passage. Allez, viens !

— D'accord.

Je me suis levée rapidement, prête à jouer des coudes. Mais, serrée contre la vieille femme, je ne pouvais pas passer.

Le bruit de la foule a soudain monté crescendo quand des paniers sont tombés et que deux poulets s'en sont échappés. J'ai essayé désespérément de garder un œil sur Dave, mais il s'est ensuivi une grande panique, chacun tentant de mettre la main sur les poulets devenus hystériques. Les femmes ont lancé des cris aigus, les hommes ont formé une sorte de mêlée. Quant aux volatiles affolés, ils battaient des ailes d'un bout à l'autre du bus. À cause de la poussière et des plumes, des gens se sont mis à tousser, à postillonner et à se moucher dans leurs manches ou dans leurs robes. Une femme a hurlé quand un poulet s'est mis à lui gratter la tête, lui ôtant son foulard et dévoilant sa chevelure noire et luisante. J'ai eu un mouvement de recul quand des mains sortant de partout ont commencé à me toucher.

— Dave! Au secours! ai-je crié aussi fort que possible.

Le bus a fait une embardée quand il s'est arrêté, projetant les passagers les uns sur les autres. J'ai réussi à rester debout, mais je ne voyais plus Dave. Serrant mon sac à dos et mon sac à main, je me suis retrouvée propulsée vers l'arrière du bus quand le chauffeur est reparti, gagnant rapidement de la vitesse, faisant des embardées.

J'essayais de m'extraire de cette marée humaine. Comme le bus ralentissait, j'ai réussi à atteindre la porte de sortie arrière et, enfin, la première marche. Mais le bus a accéléré de nouveau. Je savais que c'était le moment ou jamais, alors j'ai fermé les yeux et j'ai sauté!

Dave n'était pas sorti. Il n'a pas surgi de l'ombre pour me prendre dans ses bras. Il n'était même pas à quelques pas de là. Il avait tout simplement disparu.

J'avais atterri en boule dans le caniveau. Le soleil tapait fort, j'avais la bouche sèche et pâteuse, la sueur coulait sur mes joues et dans mon corsage. Je me suis sentie soulagée d'avoir pu descendre du bus, mais aussitôt la panique m'a envahie quand j'ai pris conscience de ma situation.

J'ai cherché Dave du regard. Il devait bien être quelque part. Il avait dû descendre à l'arrêt précédent.

Il devait sûrement me chercher, j'en étais sûre. J'ai mis la main en visière au-dessus de mes yeux et j'ai scruté l'avenue. Dave était très reconnaissable, avec ses cheveux qui lui tombaient sur les épaules et sa moustache, son jean miteux et son tee-shirt.

Toujours assise sur le bord du trottoir où j'avais atterri, j'ai finalement décidé de me lever pour pouvoir repérer plus facilement mon compagnon. C'est à ce moment-là que je me suis aperçue que quelque chose clochait. Dès que j'essayais de mettre mon poids sur mon pied droit, une sorte de brûlure envahissait ma cheville. Je me suis assise à nouveau pour regarder. Mon pied enflait à vue d'œil et la douleur était terrible.

J'ai retiré ma basket et l'ai posée sur le dessus de mon sac. Je me suis levée sur l'autre pied et j'ai regardé aux alentours à la recherche de Dave. Aucun signe de lui.

8

Thé et compassion

Très rapidement, assise sur ce trottoir, en plein soleil, j'ai compris que j'étais désormais seule. La peur, et bientôt la panique, ont remplacé la tristesse.

Je me trouvais dans un quartier plutôt résidentiel, avec de modestes boutiques ici et là. Il y avait seulement beaucoup de circulation et donc, forcément, beaucoup de bruit. Les gens allaient et venaient. J'ai compris qu'il s'agissait d'un faubourg du Caire ou de sa banlieue.

Une Peugeot blanche s'est arrêtée près de moi. Deux hommes en sont sortis et ont commencé à me parler en arabe. Leur attitude et leurs gestes ne me faisaient pas peur, et ils ne cherchaient pas, de leur côté, à me toucher. Je n'ai pas essayé de fuir. De toute façon, même si je l'avais voulu, j'en aurais été bien incapable. Ma cheville continuait à enfler et la douleur s'amplifiait.

— Vous, parler anglais ? m'a demandé l'un d'eux.

J'ai levé et hoché la tête.

— Vous, venir ici, a fait l'homme en désignant l'ombre que faisait l'immeuble. Là-bas, pas soleil.

Il m'a aidée à me traîner jusqu'au mur. Son ami a pris mon sac à dos, puis il a violemment frappé dans les volets verts au-dessus de sa tête.

Une femme a ouvert les persiennes en criant de façon peu aimable. Ils ont eu une conversation très animée, l'homme me désignant sans arrêt. La femme a gardé son ton peu commode. Pourtant, l'homme resté à mes côtés a hoché la tête et dit en souriant :

— Vous, entrer là. Elle, s'occuper de vous.

J'ai à nouveau regardé les volets mais ils s'étaient déjà refermés. J'ai hésité. C'était peut-être une femme formidable qui paraissait simplement inamicale. Et ces hommes auraient pu me laisser dans mon désarroi, alors qu'ils s'étaient arrêtés pour proposer leur aide.

À ce moment-là, la douleur a redoublé. Tous mes repères avaient disparu. Je sentais la panique me gagner à la pensée de rester seule. Les hommes, quant à eux, attendaient calmement que j'accepte d'entrer dans l'immeuble.

Je leur ai fait comprendre que j'étais d'accord et ils m'ont aidée à gravir les cinq ou six marches de béton du hall de l'immeuble. La femme se tenait sur le pas de sa porte, du côté droit. Elle nous a fait signe d'entrer.

Nous sommes arrivés dans un salon meublé d'une table basse, d'un tapis et de fauteuils recouverts de tissu, disposés le long de deux murs. Un ventilateur, posé sur une télé en noir et blanc allumée, répandait de l'air frais dans toute la pièce. On m'a aidée à m'asseoir sur un fauteuil et on m'a allongé la jambe. J'ai relevé la tête pour profiter du ventilateur.

Le visage fermé, la femme s'est approchée de moi et a examiné ma cheville. Elle a tâté ma jambe sans ménagement jusqu'à ce que je crie. Comme si elle ne m'avait pas entendue, elle a aboyé quelques ordres vers le couloir obscur avant de replacer ma jambe sur le fauteuil.

Au bout de quelques minutes, une fille d'une quinzaine d'années est arrivée avec de la glace enveloppée dans un torchon, qu'elle a délicatement placée sur ma cheville. Ses cheveux noirs étaient attachés, mettant en valeur un visage qui exprimait la gentillesse et accentuait des pommettes bien marquées. Grande et mince, des lunettes sur le nez, c'était une belle fille. Elle m'a regardée et a souri.

— Vous êtes anglaise ?

J'ai fait oui de la tête.

— Je m'appelle Salma. J'apprends l'anglais à l'école. J'adore cette langue.

J'en ai été étonnée et ravie. Au fil de la conversation, son anglais est apparu beaucoup moins parfait qu'au premier abord, mais nous avons néanmoins pu nous comprendre avec des gestes et l'aide d'un dictionnaire. J'ai réussi à lui faire comprendre que je venais d'arriver en Égypte avec un ami que j'avais perdu et que je souhaitais vivement retrouver.

Les deux hommes étaient toujours debout à nous regarder. Ils portaient des vêtements ordinaires, jean et tee-shirt, alors que Salma et sa mère, la femme qui m'avait accueillie, arboraient des djellabas.

Il est apparu dans la conversation qu'il existait une auberge de jeunesse à proximité. Dave et moi étions tombés d'accord pour en chercher une quand nous avions préparé nos vacances. Je disposais donc d'un début de piste pour le chercher, ce qui m'a quelque peu soulagée.

Une autre fille est arrivée avec un verre de jus de citron sur un plateau d'argent. À la différence de Salma, elle avait un visage plus ouvert, un sourire rayonnant et sympathique. Elle aussi portait une djellaba. Elle m'a présenté le plateau de façon enthousiaste.

Je me suis tournée vers Salma.

— Comment dit-on merci en arabe ?

— *Shokran.*

— *Shokran,* ai-je répété avec application en prenant le verre.

Le visage de la fille s'est illuminé. Elle s'est mise à parler de façon volubile avec de grands gestes dramatiques. Je me suis concentrée, essayant de grappiller la plus petite chose qui aurait pu m'éclairer sur ce qu'elle disait. Mon expression d'incompréhension ne l'a pas gênée. Les autres personnes présentes ont entamé une discussion passionnée en arabe. Tout le monde a alors semblé m'ignorer.

Je suis restée dans mon coin à siroter mon verre. Soudain, Salma s'est levée et a quitté la pièce. Je me suis tenue sur mes gardes, me sentant bien vulnérable au milieu de si nombreux étrangers. Un grand silence s'est alors installé, et Salma est revenue dans la pièce accompagnée d'un vieil homme en pyjama. Il s'est approché de moi et s'est penché pour me serrer la main.

— *Ahlan, ahlan.*

On a alors apporté, toujours sur un plateau d'argent, deux verres de thé noir, très sucré. J'ai alors compris qu'un des verres était pour le vieil homme et l'autre pour moi. Je ne pouvais pas refuser. Le goût très sucré me donnait envie de vomir, j'aurais préféré boire ce thé avec du lait, mais je me gardais bien de dire quoi que ce soit.

Les autres nous ont regardés boire, tranquillement. J'ai avalé à petites gorgées, de façon à ne pas paraître mal élevée, tout en me forçant à ne pas faire de grimaces chaque fois que le liquide touchait mes lèvres et coulait dans ma gorge. Je m'étais tellement concentrée que, lorsque j'ai triomphalement reposé le verre vide, je me suis aperçue qu'il ne restait dans la pièce que Salma, le vieil homme et moi-même.

Il a posé son verre vide sur le plateau, s'est levé et m'a à nouveau serré la main. Montrant ma cheville, il a dit quelques mots à Salma et est parti.

— Mon père dit que vous devez rester ici jusqu'à ce que votre jambe aille mieux.

Ma cheville avait doublé de volume.

— Merci. Il est très gentil, mais je dois aller à l'auberge pour essayer de retrouver mon ami. Pouvez-vous me dire comment m'y rendre ? C'est loin ?

— Trop loin pour y aller à pied. Je vais demander à mon frère, Omar, de vous conduire en voiture, d'accord ?

— Complètement d'accord, ai-je répondu en souriant.

Elle s'est éclipsée. Je me suis adossée au fauteuil et j'ai fermé les yeux. Malgré leurs coutumes un peu bizarres, les gens de cette famille étaient très gentils avec moi.

Salma est revenue un quart d'heure plus tard. Elle n'était plus en djellaba et en sandales mais avait passé une ravissante jupe marron, un corsage crème et des escarpins. Elle avait ramené ses cheveux en hauteur sur sa tête et s'était soigneusement maquillée. Elle était suivie de l'un des hommes qui m'avaient abordée dans la rue. Elle m'a présenté son frère avec cérémonie :

— Voici Omar.

Quand il m'a serré la main, j'ai gardé la sienne plus longtemps que je ne pensais le faire. Il m'a souri et regardée droit dans les yeux.

— Bonjour. Mon anglais pas bon. Pardon.

J'ai ri et répondu :

— De toute façon, bien meilleur que mon arabe.

Il avait un regard attirant. Je le trouvais même franchement superbe.

— On peut y aller à présent, a dit Salma.

Ils m'ont aidée à marcher jusqu'à la Peugeot blanche. Comme je prenais place sur la banquette arrière, j'ai entendu beaucoup de bruit, une espèce de bourdonnement tout autour de nous. J'ai regardé par la fenêtre mais n'ai pas pu identifier leur provenance. Le bourdonnement a dominé tous les autres.

— Salma, c'est quoi ce bruit ?

J'ai dû me couvrir les oreilles pour la comprendre.

— Ah oui, le bruit... C'est *deen*. L'homme appelle et nous allons pour parler à Allah.

— Pour prier? C'est l'appel à la prière?

— Oui, oui, a-t-elle répondu quelque peu excitée. Vous êtes chrétienne?

J'ai hoché la tête.

— Ma famille est musulmane, a-t-elle poursuivi. Nous, nous avons l'islam et Mahomet. L'homme appelle et nous prions.

Sur le siège du conducteur, Omar a levé la main, les doigts écartés.

— Cinq, a-t-il précisé. Cinq prières.

— Nous, nous allons à l'église le dimanche, ai-je dit.

Cela l'a étonné. Je me suis penchée pour apercevoir le sommet du minaret, là d'où provenait la plainte qui durait et durait encore.

— Mais je ne vois personne, Salma. Où est-il?

— Pas d'homme là-haut. C'est une cassette. Il y a un homme à la grande mosquée du Caire. Ici, c'est une cassette.

J'ai souri en espérant que la bande se déchire. Cet appel sonnait à mes oreilles comme un épouvantable vacarme.

Nous sommes arrivés à l'auberge en quelques minutes. Une volée de marches conduisait à la porte. Salma est d'abord entrée pour se renseigner au sujet de Dave et est ressortie presque immédiatement.

— Pas ouvert maintenant, a-t-elle dit. Ouvrir cet après-midi. Vous rester chez nous cette nuit. Vous dormir avec moi.

— Comment?

— Omar retournera demander pour votre ami. Vous venir avec nous.

Ils me connaissaient à peine, mais Salma avait décidé que je resterais chez eux. Une telle chose ne serait jamais arrivée en Angleterre. L'hospitalité que ces étrangers m'offraient était bien tentante. Je me suis dit que je pourrais écrire un mot qu'Omar laisserait à l'attention de Dave, afin qu'il sache que j'allais bien et que nous puissions nous retrouver le lendemain. Je me suis tournée vers Salma avec un sourire reconnaissant.

— Merci, Salma. Oui, je vais rester chez vous cette nuit.

Nous sommes retournés à l'appartement. Cette fois, j'ai été conduite dans un obscur couloir qui desservait la cuisine, la salle de bains et trois chambres.

— C'est celle-là.

Salma m'a aidée à entrer dans la pièce du fond. Tous les membres de la famille s'y trouvaient, en djellaba, allongés sur les deux lits doubles répartis de chaque côté de la pièce. J'ai reconnu les persiennes vertes que la femme avait ouvertes alors que j'étais encore dans la rue. Un ventilateur sur pied diffusait de l'air dans toute la chambre.

— *Housh*, Mohamed, *housh*, a fait la femme en poussant l'homme avec vigueur hors du lit pour que je m'y installe.

Salma m'a présenté la femme comme étant sa mère, Mama, et les deux garçons comme ses frères : Mohamed et Tarek. Celle qui parlait beaucoup était sa sœur Magda. Papa, son père, était présent également. Ils ont paru contents de me voir, se sont amusés à prononcer mon nom, Jacky, dont ils avaient du mal à dire le J. Le père m'a appris les chiffres en arabe. J'ai réussi à les répéter sans pouvoir les mémoriser.

Puis la mère a expédié les hommes dans la pièce voisine pour la sieste. Elle m'a laissée seule avec Salma pendant qu'elle et Magda allaient dans la cuisine préparer le dîner.

— Tu as du papier et un crayon pour que j'écrive à mon ami ?

— Tiens !

Elle a arraché une page d'un cahier d'école, sur laquelle j'ai écrit rapidement :

« Mon cher Dave. Me suis foulé la cheville. Rencontré des gens gentils qui m'ont offert de passer la nuit chez eux. Viendrai à l'auberge de jeunesse demain. »

J'ai marqué un temps d'arrêt :

— Salma, à quelle heure pourrons-nous aller à l'auberge demain ?

— Mes frères auront besoin de la voiture, demain matin. C'est mieux si on attend l'après-midi.

J'ai continué ma lettre :

« Essaie d'être à la réception pour 17 h 30. Prends soin de toi. À bientôt. Jacky. »

Puis j'ai plié le papier et l'ai glissé dans ma poche.

Salma s'est remise en djellaba et s'est allongée sur son lit pour lire *Les Trente-Neuf Marches* en anglais. Je l'ai aidée à prononcer les mots et j'ai essayé de lui expliquer les plus difficiles. L'activité a vite dégénéré en amusement. Nous avons beaucoup ri jusqu'à ce que Mama et Magda arrivent et s'allongent sur l'autre lit pour faire la sieste. Il a paru évident que Mama espérait le silence. Elle a coupé le ventilateur, éteint la lumière et complètement fermé les persiennes. J'ai senti la présence du corps de Salma à mes côtés. Je n'étais pas habituée à une telle promiscuité qui ne semblait aucunement la déranger.

À 17 heures, des bruits de casseroles m'ont réveillée. Une odeur de tomate et d'ail m'est parvenue de la cuisine. J'étais seule dans la chambre.

— Jacky, nous allons manger, maintenant. Tu as faim ?

Je me suis levée en me frottant les yeux.

— Oui, je meurs de faim.

Salma a pris un air étonné.

— Ça veut dire quoi « mourir de faim » ?

— Excuse-moi, ai-je répondu. Je voulais dire que j'avais très faim.

Je me suis frotté le ventre et elle a souri.

— Je comprends.

Mohamed et Omar sont arrivés avec des journaux qu'ils ont dépliés sur le sol de la chambre. Mohamed était le plus jeune des trois frères. Il était grand, avait des cheveux noirs et des lunettes. Il avait une apparence d'étudiant américain et gardait son jean et son tee-shirt quand les autres se mettaient en djellaba. C'était un garçon bien élevé. Il parlait d'une voix douce qui contrastait avec celle de son aîné, Tarek.

Grand et gros, celui-ci portait une épaisse moustache tombante qui allait de pair avec ses sourcils. Il avait une voix bourrue et des yeux sombres qui lui donnaient un regard sournois. Il est entré dans la pièce avec des cuillers et de grandes galettes de pita brune qu'il a posées sur le papier journal. Papa est arrivé et s'est assis à sa place, en tailleur. Mama, Magda et Salma ont apporté de grandes poêles remplies de riz, de légumes, de viande et de poulet à la sauce tomate.

Omar est venu vers moi et m'a dit en souriant :

— J'aide toi.

Comme il m'aidait à m'asseoir par terre devant les journaux, j'ai lancé un regard interrogateur à Salma.

— C'est moi qui lui ai appris, a-t-elle fièrement répondu.

— *Shokran*, ai-je dit à Omar.

Ce qui a semblé l'impressionner. Du moins, c'est ce que j'ai cru lire dans ses yeux. J'ai soutenu son regard une fraction de seconde avant qu'il ne le détourne.

Toute la famille s'est retrouvée assise par terre, prête à manger. Papa a arraché un morceau de grosse galette de pain et l'a trempé dans l'une des poêles. Pour éviter que la sauce ne coule, il a tordu le pain tout en attrapant un morceau de viande. Il a tenu le tout en l'air avant de le faire disparaître dans sa bouche.

C'était le signe que chacun attendait pour commencer. J'ai cherché une assiette, un couteau ou une fourchette autour de moi. Il n'y en avait pas. Ici, on mangeait avec du pain ; la cuiller ne servait que pour le riz. J'ai décidé de me lancer. Après tout, c'était un excellent moyen de faire l'économie d'une table, de chaises et de vaisselle.

Je mourais de faim. J'ai commencé par le poulet, qui était délicieux. J'ai regardé Mama et lui ai dit, en lui montrant la poêle :

— Bon. Très bon.

Un grand sourire a illuminé son visage, adoucissant ses traits. Elle a paru plus jolie, plus conviviale.

— *Hellwa*, a-t-elle répondu.

— Ça veut dire « c'est gentil », m'a dit Salma en se penchant à mon oreille.

— *Hellwa*, ai-je répété.

Ils se sont tous mis à rire, en hochant la tête. Papa semblait ravi. Les choses se passaient bien.

J'ai décidé de me servir en riz. À l'aide de la cuiller, j'ai commencé à remplir un morceau de galette que j'avais arraché. La conversation, qui était animée et enthousiaste, s'est arrêtée d'un coup. J'ai levé les yeux. Papa s'était levé, le poing serré. Il a commencé à vociférer en levant les bras au ciel avant de remettre sa nourriture dans l'une des poêles.

Le reste de la famille s'est levé. Ils se sont tous mis à crier en même temps. Mama est devenue agressive et a montré Papa du doigt en lui tapant sur la poitrine. Il lui a répondu en la giflant du plat de la main et a quitté la pièce.

Mama s'est effondrée sur l'un des lits. Elle a sorti un mouchoir de coton du col de sa djellaba et a commencé à pleurer et à geindre, en faisant beaucoup de bruit. Magda l'a réconfortée. Mohamed et Tarek se sont remis à manger. Le moment de crise était passé.

Omar s'est penché vers moi. Il m'a pris la cuiller de la main et m'a aidée à gagner une autre chambre. Salma nous a suivis avec un dictionnaire et a tenté de m'expliquer ce qui s'était passé.

— Manger toujours avec main droite, m'a-t-elle dit. La gauche, c'est pour s'essuyer le derrière.

9

Le désir

— Donne-moi la lettre, s'il te plaît. Mon frère va la porter maintenant à l'auberge de jeunesse.

Salma a tendu la main pour prendre le bout de papier. Comme je fouillais dans ma poche, Omar est entré dans la pièce et mon cœur a fait un bond. J'ai rougi quand il s'est adressé à moi.

Il a pris le papier des mains de Salma et est parti.

— Est-ce que tu regardes *Tamsalaya*? m'a-t-elle demandé.

Nous avons cherché le mot dans le dictionnaire, mais sans succès.

— C'est pas grave. Viens. Tu vas regarder avec moi. Nous, on regarde ça tous les jours, a-t-elle ajouté.

J'ai accepté, curieuse de voir à quoi pouvait ressembler cette activité. J'ai boitillé jusqu'à la chambre du fond et suis passée devant celle de Papa. Le bruit de la télévision résonnait derrière la porte fermée.

Salma a traversé la pièce et allumé un autre poste. Un homme et une femme surjouaient une pièce de façon très dramatique. On aurait dit des amateurs.

— C'est ça, *Tamsalaya*. Vous avez ça en Angleterre?

— Oui, nous avons des programmes de ce genre. On appelle ça des feuilletons à l'eau de rose.

Salma a éclaté de rire.

— Feuilletons à l'eau de rose, a-t-elle répété. Ta langue est marrante.

Elle s'est allongée sur le ventre, le menton entre les mains, totalement captivée.

L'écran est devenu flou et je me suis mise à rêver. Je ne pouvais rien comprendre à ces feuilletons égyptiens. Les acteurs paraissaient empruntés et statiques. Je me suis demandé ce qu'Omar était en train de faire, et quand il reviendrait. Je ne pensais plus vraiment à retrouver Dave.

Quand Omar est revenu en m'apprenant que Dave ne s'était toujours pas inscrit à l'auberge de jeunesse, j'ai éprouvé des sentiments mêlés. D'un côté, je me faisais du souci pour mon ami ; mais j'étais secrètement soulagée, car je pouvais prendre le temps de mieux connaître cette famille si accueillante et généreuse, malgré le violent accès de colère de Papa. *Je pourrais rester avec vous,* ai-je pensé. *Pour toujours. Mais cette nuit a suffi.*

— Il y a quelqu'un pour toi.

Nous nous étions détendus en regardant un film indien à la télé, sous-titré en arabe, quand on a sonné à la porte. Salma s'est levée pour aller ouvrir.

Comment Dave pouvait-il savoir que j'étais ici ?

Quand Omar a pris mon bras pour m'aider à gagner le salon, la proximité de son corps, son bras qui me soulageait de mon poids m'ont fait un effet très surprenant.

Il n'y avait personne dans le salon. Je me suis assise et j'ai allongé ma jambe. Le bruit d'une discussion s'est fait entendre dans la chambre de Papa, puis j'ai entendu des pas. J'ai levé les yeux. Ce n'est pas la silhouette de Dave qui m'est apparue, mais celle d'une jolie petite femme, la tête couverte d'un voile blanc. Elle a traversé la pièce et m'a vigoureusement serré la main.

— Bonjour. Je suis tante Fatma. La sœur d'Ibrahim.

Elle s'est penchée et m'a embrassée sur les deux joues avant de les prendre dans ses mains et de les presser gentiment.

— *Assal, assal.*

— Ibrahim, c'est le prénom de Papa. Tante Fatma dit que tu es douce comme du miel. Elle va s'occuper de ta jambe, m'a précisé Salma.

Toute la famille est arrivée, à l'exception de Papa, pour embrasser la tante. Ils se sont assis. Mohamed a allumé la télé.

J'ai retourné son sourire à tante Fatma quand elle s'est assise pour examiner ma cheville. Elle l'a massée avec douceur, puis a pris un tube et une bande dans son grand sac à main. Elle a mis de l'onguent sur la cheville. C'était froid et relaxant à la fois. Puis elle a placé la bande avec des gestes de professionnelle. J'ai ressenti un soulagement immédiat. Elle a noué les deux extrémités de la bande et a doucement reposé ma cheville.

— Ça fait beaucoup de bien. Je vous remercie.

Tante Fatma est allée discuter avec son frère dans sa chambre, et nous avons continué à regarder la télé dans le salon. À nouveau, nous avons perçu des bruits de voix. Au bout de dix minutes, tante Fatma est revenue et a regardé la fin du film avec nous en sirotant du thé noir et sucré. Elle s'est assise à mes côtés, me tapotant le genou pour me rassurer. Omar, de son côté, n'a cessé de me lancer des regards. Chaque fois, je lui ai répondu par un sourire. S'il parlait anglais, nous aurions tant de choses à nous dire…

Dès que le générique de fin a défilé, Fatma s'est levée pour partir. Elle m'a regardée et dit quelque chose en arabe.

Salma a souri et traduit :

— Elle a parlé à Papa. Elle lui a demandé de ne plus être fâché après toi. Elle lui a dit que tu ne connaissais pas nos coutumes et que tu étais une gentille fille. Elle a dit que son frère l'avait entendue.

Elle est adorable, ai-je pensé en l'embrassant pour lui dire au revoir.

Mohamed a éteint la télé, a dit bonsoir et a regagné sa chambre. À ma grande surprise, Tarek est arrivé, habillé d'un pantalon et d'une chemise. Il a embrassé sa mère et s'est éclipsé.

— Mon frère Tarek a une femme, Mervette. Il va aller la voir.

— Il vit ici ou avec sa femme ?

— Il vit avec Mervette. Il vient ici un jour par semaine pour être avec son père, m'a expliqué Salma.

Omar s'est alors penché vers moi et m'a regardée droit dans les yeux.

— Bonne nuit.

— Bonne nuit, ai-je répondu en soutenant son regard.

— Viens dormir avec moi, a dit Salma.

Nous sommes allées à la chambre du fond.

— Repose-toi. Je dois faire ma prière.

Elle est partie se laver et est revenue avec un voile très fin sur la tête. Elle avait les pieds nus et je me suis aperçue qu'elle venait aussi de les laver. Elle a pris un tapis, l'a déroulé face à elle devant la commode et s'est placée à une extrémité pour commencer à dire ses prières.

Je l'ai regardée faire, fascinée ; elle s'est agenouillée, a touché le tapis de la tête à plusieurs reprises avant de se relever et de se courber en murmurant ses prières.

Pour finir, elle est allée jusqu'au placard d'où elle a sorti, enroulé dans une serviette, un gros livre avec des lettres en relief sur la couverture.

— C'est le Coran. Mes prières sont dedans. Regarde.

Elle a posé le livre sur mon genou. Avec précaution, j'ai essayé de l'ouvrir.

— Non, non. Comme ça.

Salma a ouvert le livre par la fin. Je l'ai regardée faire, très étonnée qu'un livre si important s'ouvre du mauvais côté.

— L'arabe s'écrit comme ça, de droite à gauche. C'est notre livre saint.

— Nous, nous avons la Bible, ai-je répondu. Mais qu'est-ce que tu fais de ça ? ai-je demandé en tenant la serviette.

Elle a feuilleté le dictionnaire.

— Nous devons respecter le Coran. Nous devons nous laver les mains après l'avoir touché ou lu. Il faut le garder propre.

J'ai refermé le livre et ai regardé Salma l'envelopper avant de le remettre sur l'étagère du haut. Puis elle a ramassé le tapis resté par terre.

— C'est un tapis de prière. Je l'utilise cinq fois par jour. Je dois me laver avant de prier. On appelle ça le *wudu* ; ça veut dire « se faire propre pour Allah ».

— Pourquoi pries-tu face à la commode ?

— Non, Jacky, je ne prie pas face à la commode, je prie tournée vers La Mecque, là où est né le prophète Mahomet. C'est vers l'est. Il se trouve que la commode est à l'est.

Salma avait mis du temps à m'expliquer tout cela en anglais et elle a paru fatiguée. Elle a pris une djellaba sur l'étagère et me l'a donnée.

— C'est l'heure de dormir, à présent.

Je suis allée me laver, j'ai passé la djellaba et me suis couchée à ses côtés.

Ici, même les lits étaient différents. En lieu et place de draps ou de couette, on utilisait un édredon posé sur le matelas et une couverture, si vous aviez envie de vous couvrir. Il n'y avait pas de climatisation, mais les ventilateurs parvenaient à repousser la chaleur. À peine éteints, une chaleur moite et étouffante s'est installée dans la pièce.

— Tu vas être malade si tu dors avec ça sur toi, m'a expliqué Salma.

J'étais allongée, les yeux fixés au plafond, l'esprit encombré par les événements de la journée écoulée. Que m'arrivait-il ? J'avais oublié Dave et ne pensais qu'à Omar. Je rêvais de lui en plein jour. Constamment. Quand il entrait dans la pièce où je me trouvais, je retenais mon souffle. Quand il la quittait, je m'inquiétais de savoir où il allait.

J'ai fermé les yeux pour essayer de trouver le sommeil. Était-il en train de penser à moi en ce moment ?

J'ai été réveillée par un coup sec à la porte. C'était Mama, tout sourire, qui apportait un plateau. Un énorme coquard s'était développé sur une de ses joues et s'étendait à présent jusqu'au menton, tout marbré de noir et de bleu. J'ai remarqué qu'elle ne faisait rien pour le dissimuler.

Elle a posé le plateau au pied du lit et m'a regardée.

— Bonjour. Je t'apporte le thé. Nous disons *shay bi lebban.*

Elle m'a tendu le verre de thé allongé de lait.

— *Eshrebby.* Bois !

Elle parlait assez bien anglais mais, se sentant peu sûre, elle ajoutait des mots d'arabe. Elle s'est tournée vers Salma pour lui parler dans sa langue natale.

— Papa a dit que tu devais prendre le petit déjeuner avec nous dans une heure. Nous comptons sur toi, a dit Salma.

Le *shay bi lebban* était en fait du thé au lait très sucré. Mama avait apporté deux verres, l'un pour moi et l'autre pour Salma, avec deux grosses parts de gâteau. C'était typique du petit déjeuner, et la seule occasion où ils mettaient du lait dans le thé.

— Je ne prends pas de sucre dans le thé, Mama.

— Si, tu en as besoin. C'est très bon, ça te rendra forte.

74

J'ai compris que j'aurais peu de chance de boire du thé sans sucre dans cette maison.

Ma cheville allait beaucoup mieux, même si je ne pouvais toujours pas m'appuyer dessus. Mais la sale douleur de la veille avait disparu.

Après la toilette, on m'a aidée à gagner la chambre de Papa où je me suis assise sur le lit, avec lui, Mama et Magda. Mohamed est arrivé. Il portait un jean bien coupé et une chemise sans col, d'une façon très décontractée. Il tenait deux paquets enveloppés de papier, qu'il venait d'acheter.

Nous avons déplié le papier journal sur l'édredon. L'un des paquets contenait une assiette remplie de haricots marron, semblables aux nôtres, mais plus gros, qui baignaient dans une sauce brune. L'autre paquet renfermait des pois chiches, petits, ronds et frits. Omar est arrivé avec du pain frais, encore chaud, tout juste sorti du four.

— Bonjour. Mangeons, a dit Papa en anglais.

J'ai attendu pour savoir comment procéder. Je ne voulais pas gâcher cette seconde chance.

Ils ont mis les haricots dans des morceaux de pain, les pois chiches étant pris directement avec les doigts ou dégustés dans du pain. À l'intérieur, ils étaient vert clair, avec un goût qui ne ressemblait à rien de ce que j'avais pu goûter jusqu'alors.

Salma a essayé de me faire la traduction, mais n'a pas trouvé le mot dans le dictionnaire. Le mot pour haricots était *foul*; pour les pois chiches frits, c'était *tarmayer*.

Ils ont mangé jusqu'à la dernière miette, en buvant beaucoup d'eau. Puis les hommes se sont préparés pour la prière, qu'ils sont allés dire ensemble dans une autre pièce. Les filles et Mama se sont lavées après les hommes et sont allées prier dans une chambre.

Les rayons du soleil envahissaient le salon. En sautillant, je suis allée m'asseoir sur une chaise pour regarder l'activité au-dehors.

C'est tout juste si j'ai vu passer les cinq jours suivants. Nos recherches à l'auberge de jeunesse ont fait chou blanc. Comme nous n'avions pas de nouvelles de Dave, la famille a pris la décision de me garder. Ils étaient tous très accueillants, se mettant en quatre pour que je me sente à l'aise et que j'apprécie leur pays. Omar m'a servi de chauffeur pour les excursions, ce qui les a rendues encore plus intéressantes. Le premier jour, Salma et lui m'ont emmenée dans le centre du Caire, là où se trouvent les supermarchés et les grands immeubles que j'avais aperçus depuis le bus. Le bruit était assourdissant, notamment à cause des klaxons des voitures venant de toutes les directions et voulant à tout prix se frayer un chemin.

Nous avons fait une halte au marché aux puces de Khanin Khalili. Ce n'était qu'un dédale de boutiques et d'échoppes qui proposaient des djellabas, des sacs, des chameaux en peluche, des pyramides miniatures et des bijoux en or.

— Salut, ma belle. Tu veux entrer visiter? Je te fais un bon prix.

— C'est vraiment très cher, m'a murmuré Salma en secouant la tête face au vendeur et en m'entraînant dehors. Tu sais, si tu veux acheter quelque chose, nous pouvons t'emmener dans un autre endroit moins cher et marchander pour toi.

On aurait juré la caverne d'Ali Baba. On y trouvait des bijoux qui brillaient de mille feux, des meubles fantaisie sculptés et des babioles. Une musique arabe au son métallique s'échappait des haut-parleurs. Ici et là, on tombait sur de minuscules cafés aux terrasses desquels des hommes fumaient le narguilé et jouaient au backgammon.

Comme j'avançais très lentement, à cause de ma cheville, nous sommes retournés à la voiture pour nous rendre dans un café situé sur une grande place.

— Ici, c'est réputé pour le pudding au riz.

De grandes affiches vantaient le produit : *Roz bi lebban.* C'était servi froid, dans un petit pot, et carrément infect. Je me suis retrouvée devant un plat, à picorer du riz froid avec une cuiller à thé à la propreté douteuse. Décidément, les mets égyptiens étaient spéciaux.

Après une sieste à l'appartement, toute la famille s'est entassée dans la voiture pour m'emmener aux pyramides de Gizeh. C'était la première fois que je voyais Mama et Papa habillés normalement. Elle était très chic, dans une robe bleue sous un léger voile blanc transparent. Lui portait une chemise et un pantalon qui lui donnaient l'air d'un homme d'affaires.

Je m'attendais à trouver les pyramides au milieu du désert, comme on les voit généralement sur les photos ou dans les livres. Elles se trouvent en fait au sommet d'une colline située dans les faubourgs de la ville de Gizeh, un simple quartier du Caire. La route qui y mène, très longue et rectiligne, s'appelle *Shera el Haram,* la route des Pyramides.

Le sphinx était vraiment impressionnant, immense, montant la garde devant les trois pyramides. Les touristes allaient et venaient. De petits Égyptiens montaient des chevaux à cru et des hommes proposaient des balades à dos de chameau.

La nuit, d'énormes projecteurs illuminent les pyramides. Pour l'instant, elles rougeoyaient dans la lumière de cette fin d'après-midi. Nous nous sommes approchés du premier des monuments, la pyramide de Khéops, d'une taille incroyable et extraordinaire de majesté. L'entrée se trouvait du côté qui nous faisait face.

— Mais comment ont-ils pu construire un monument aussi gigantesque à cette époque? me suis-je exclamée.

— Je n'en sais rien, a répondu Salma. Comme tu dis, c'est un mystère. Viens, grimpons.

Elle m'a donné la main pour m'aider à monter sur la première pierre, qui m'arrivait à hauteur de poitrine. Après ce petit exercice, j'ai levé les yeux vers le sommet de la pyramide. La précision géométrique était impressionnante. Au pied de cette merveille du monde, je me suis sentie minuscule.

Sur ce plateau, on se trouvait vraiment dans un autre monde, un royaume en plein désert. Les boutiques et la civilisation, derrière ces arbres, au pied de cette pente, semblaient à des kilomètres de là. Le sable s'étendait à perte de vue, avec les trois pyramides qui s'élevaient majestueusement au beau milieu.

— On peut entrer à l'intérieur? ai-je demandé à Salma.

— Je ne crois pas que ta jambe soit assez solide pour ça.

— Oh, je t'en prie, je veux vraiment essayer.

J'avais une folle envie de voir les chambres intérieures.

— Omar!

Salma a appelé son frère qui a aussitôt accouru. Pour m'aider à descendre, il a levé les bras et je me suis baissée vers lui. Il m'a ensuite pris fermement la main.

— Viens! a-t-il murmuré.

J'étais aux anges. Nous étions dans l'endroit le plus romantique de la planète et le plus attirant des hommes me tenait la main.

La visite s'est révélée bien plus facile que je ne l'avais escompté car il y avait des rampes en bois auxquelles se

cramponner pour monter et descendre les étroits cou-
loirs, tous très bien éclairés.

À certains endroits, nous avons dû nous plier en
deux car le plafond était très bas. Puis le couloir rede-
venait droit avant d'arriver à une chambre. Nous avons
continué jusqu'au cœur de la pyramide, qui se trouva
être la partie la plus difficile d'accès. La descente avait
été relativement facile pour ma cheville, mais monter
accentuait la pression sur ma cheville et la douleur
refaisait son apparition à chaque pas.

— Je n'y arrive pas, ai-je grommelé en rentrant dans
la chambre. Si je ne peux plus remonter, je ne sortirai
jamais d'ici. Comment va-t-on faire ?

J'avais oublié qu'Omar ne pouvait me comprendre.
Mais il a tout de même passé son bras autour de moi
pour m'attirer à lui. Il a dégagé mes cheveux de ma
figure. Je me suis alors blottie contre lui. Il a doucement relevé mon visage et m'a embrassée.

Je n'ai plus pensé à ma cheville. J'avais l'impression
de fondre en lui rendant son baiser.

— Désolé, a-t-il dit en se mettant à distance.

— Non, il ne faut pas être désolé, ai-je répondu en
caressant sa joue et en souriant.

Ce baiser m'a redonné force et courage et m'a décidée à grimper. Nos mains fermement enlacées, nous
avons attaqué l'escalade de l'étroit passage qui débouchait dans la chambre de la Reine, aux murs doux et
polis. Nous l'avons traversée pour atteindre le Grand
Couloir, encore bien plus impressionnant. Ça montait
toujours mais il y avait de l'espace ; les plafonds
étaient beaucoup plus hauts, ne diminuant qu'à l'extrémité du couloir. Le Grand Couloir débouchait dans
la chambre du Pharaon, une pièce majestueuse, aux
murs de granit noir et poli. Dans un coin se trouvait le
sarcophage, lui aussi fait de granit, mais rugueux sur
tout son pourtour.

La sortie de la pyramide s'est accomplie comme dans un rêve, fermement tenue comme je l'étais par Omar. Nous avons retrouvé les autres et sommes restés assis dans cet endroit merveilleux jusqu'au coucher du soleil avant de reprendre le chemin de la maison.

Plus tard, alors que Salma était dans la salle de bains et que j'étais allongée sur le lit, Omar est entré et m'a embrassée.

— Bonne nuit, *habibti*, a-t-il murmuré.

Il faudra que je demande à Salma ce que ça veut dire, ai-je pensé, bien que j'aie compris le sens général du mot.

10

Attirance fatale

Le lendemain, Salma est partie à l'école. Omar nous a conduits, Papa, Mama et moi, chez Tante Fatma. Ses deux filles ont pratiqué leur anglais avec moi pendant qu'elle mettait mon pied à tremper dans une bassine d'eau et d'huiles essentielles. Puis elle a entouré ma cheville d'une bande neuve. L'hématome diminuait vraiment.

Le soir, après le retour de Salma, Omar nous a emmenées sur les bords du Nil pour nous montrer les grands hôtels chics comme le Shepherds, le Méridien, le Hilton ou le Sheraton. Les superbes felouques aux voiles blanches et carrées allaient et venaient, passant devant les cars bondés de passagers. Nous nous sommes arrêtés au bord de l'eau. Les rires des couples dans les restaurants glissaient sur le fleuve et leurs visages brillaient à la lueur des bougies.

Je m'étais jetée à corps perdu dans cette expérience d'immersion totale dans une famille égyptienne, et je ne pensais plus à Dave. Omar était vraiment gentil de passer chaque soir à l'auberge de jeunesse car il n'y a jamais rien appris.

Le lendemain, Papa ne s'est pas senti très bien. Salma est partie pour l'école, laissant Mama et Magda pour s'occuper de lui. Omar a essayé de parler anglais, mais en intercalant des mots en français.

— Tu parles français? lui ai-je demandé, également en français.

Il a écarquillé les yeux.

— Oui, pas très bien, mais un peu, a-t-il répondu dans un français acceptable.

— Mais alors, nous pouvons communiquer !

Ç'a été un véritable soulagement. Je me défendais en français, l'ayant longtemps étudié à l'école et ayant passé plusieurs étés chez ma correspondante française.

— Jacky, je t'aime.

— Tu veux dire que tu m'aimes bien ?

— Non, je veux dire que je t'aime, Jacky. Sortons. Rien que toi et moi.

Nous avons pris la voiture pour aller au zoo. J'arrivais à marcher presque normalement. Omar a négligemment passé son bras autour de mes épaules et m'a poussée, tantôt dans les buissons, tantôt derrière les cages des animaux, pour m'embrasser. Nous nous sommes arrêtés pour boire un Coca et en avons profité pour nous poser toutes sortes de questions.

— Comment dit-on pour demander de l'eau en arabe ?

— Facile. Tu dis au garçon *Fi maier, min fadleck*.

J'ai essayé de répéter le plus exactement possible ces mots. Le garçon s'est approché et nous a apporté l'eau. C'était bon d'être comprise. J'ai continué à demander à Omar comment dit-on ceci, et cela, décidée à utiliser l'arabe à la première occasion. Il se montrait attentif, prévenant, intéressé, et ne cessait de me répéter qu'il m'aimait.

Il était si beau avec sa peau plus claire que celle de ses frères, ses délicates taches de rousseur sur le front et les joues, avec ses cheveux auburn bouclés qui entouraient un visage aux pommettes marquées et aux lèvres sensuelles. Ses yeux, marron foncé, pleins d'un désir ardent, de passion et d'adoration pour moi, transperçaient littéralement mon âme. Quand Omar souriait, ils se plissaient aux extrémités, et me faisaient fondre.

Je ne pensais pas qu'il m'aimait vraiment, mais ça faisait tellement de bien d'y croire quand il me le disait... Je voulais que ces vacances ne s'arrêtent jamais. Quand nous sommes rentrés à l'appartement, en riant, Salma est venue vers nous, les traits tirés, l'air soucieux. Elle s'en est prise violemment à la chemise d'Omar en parlant très vite en arabe. J'ai supposé qu'il s'agissait là d'un banal conflit familial. Je commençais à être habituée à leurs démonstrations exubérantes et à leurs cris. Il demeurait impossible, sans comprendre la langue, de faire la part des choses entre une querelle et une discussion animée.

Salma semblait cependant très énervée. Elle m'a retrouvée dans la chambre quelques minutes plus tard.

— Mon frère s'est mal conduit, Jacky. Je suis très en colère après lui. Ici, en Égypte, une fille ne sort pas seule avec des hommes. Elle doit être accompagnée de ses frères ou de ses sœurs et ne jamais être seule. Sinon, sa famille est fâchée.

Papa allait mieux et nous avons pris le dîner tous ensemble, à l'exception d'Omar, introuvable. Je me suis rendu compte qu'il avait commis une grosse bêtise en m'emmenant en promenade et qu'il devait en payer le prix.

Papa n'a cessé de me regarder, ce soir-là, sans m'adresser la parole. C'est tout juste si j'ai pu avaler quoi que ce soit. J'étais très malheureuse, presque paniquée à l'idée de ne jamais revoir Omar.

Est-ce que c'est ça, l'amour ? me suis-je demandé.

Je n'avais jamais cru au coup de foudre, mais quelle autre explication pouvais-je fournir ? Mes sentiments étaient bien réels et très forts.

J'ai dormi par intermittence, me retournant dans le lit jusqu'au matin. Je me sentais aussi dépitée que la veille au soir.

— Bonjour, Jacky. Aujourd'hui, je ne vais pas à l'école. Nous partons tous à Port Saïd et à *Iskandrayer*[1]. En ton honneur. Je suis si heureuse, a dit Salma en m'apportant le thé et les gâteaux. J'aime voir la mer.

Son enthousiasme m'a contaminée et je me suis mise à sourire et à parler en m'habillant. Ma cheville était presque guérie, je pouvais remettre ma basket, ce qui tenait mieux mon pied que la sandale plate que je portais depuis plusieurs jours.

J'ai voulu demander des nouvelles d'Omar mais n'ai pas osé. Mon moral est remonté au beau fixe quand il est arrivé pour nous conduire à Port Saïd et à Alexandrie.

La route était longue, rectiligne et ennuyeuse. Les villages ont fini par s'effacer devant le désert. Les camions et les voitures roulaient à des vitesses folles. Deux accidents ont marqué notre voyage, les deux mettant en cause des Peugeot blanches. Rien d'étonnant : tous les taxis qui se chargeaient des longues courses étaient des Peugeot, c'était donc la marque la plus répandue dans le pays.

Sur les lieux du premier accident, les passagers étaient assis dans la poussière. Ils geignaient. Il y avait des blessés sur l'accotement, les bagages étaient tombés du toit surchargé et nous avons failli rouler sur des oranges échappées d'un sac. Un homme nous a fait signe de ralentir. Omar ne l'a même pas regardé. Il a évité les fruits et a continué sa route.

— Pourquoi ne s'arrête-t-on pas ? ai-je demandé à Salma.

— On ne peut rien faire. Notre voiture est pleine.

Omar était concentré sur la conduite, mais parvenait à me lancer quelques regards complices dans le rétroviseur.

Alexandrie est un port immense. Les routes longent les plages au sable fin et blanc. Nous nous sommes

---

1. Alexandrie. *(N.d.T.)*

promenés sur le front de mer et sommes allés voir le grand obélisque : l'Aiguille de Cléopâtre. Après le pique-nique, nous sommes repartis vers Port Saïd, un port franc, où nous avons dû nous acquitter d'une taxe pour entrer. Beaucoup plus petit qu'Alexandrie, ses rues étaient étroites avec de nombreux marchands et échoppes. La famille a dépensé beaucoup d'argent dans l'achat de vêtements, de chaussures, de parfums et d'accessoires pour la maison. Il y avait énormément de biens importés, notamment des contrefaçons de sacs Gucci, de foulards Versace, de maillots de foot ou d'imitations de baskets Nike.

Nous nous sommes arrêtés pour boire du *ahwa*, un café très sucré servi dans de minuscules tasses et manger du *baclava*, une pâtisserie douce gorgée de sirop. Le café était épais et très fort et la pâtisserie écœurante mais je l'ai cependant mangée sans rien dire. Je commençais à avoir l'habitude de me forcer pour ne pas offenser Papa.

La journée avait été éreintante, et je me suis endormie durant le voyage de retour. Arrivés à la maison, Omar m'a fait signe de le rejoindre dans sa chambre pendant que tous les autres regardaient la télévision.

— Jacky, ça ne peut plus continuer comme ça. Je veux rester près de toi. J'ai besoin de toi. Je t'aime tant, a-t-il dit en me caressant la joue et en me regardant droit dans les yeux.

— Moi aussi, j'ai envie d'être avec toi, mais c'est impossible, je ne veux pas froisser Papa.

— Jacky, mon amour, je ne veux pas que l'on soit séparés, jamais. Veux-tu m'épouser ?

Il m'avait déjà surprise en me disant qu'il m'aimait ; cette fois, l'émotion a été trop forte, et je n'ai pu m'empêcher de rire.

— Omar. Il faut être sérieux. Nous n'avons pas beaucoup de temps. Quelqu'un pourrait se mettre à nous chercher.

— Je n'ai jamais été aussi sérieux de ma vie. Jacky, est-ce que tu m'aimes ?

— Oui, Omar, je t'aime, ai-je répondu sans hésitation.

Il m'a attirée à lui.

— Alors, épouse-moi. Reste avec moi ici, pour toujours. Sois ma femme, la mère de mes enfants. Ne me laisse jamais.

— Tu es complètement fou. Nous ne pouvons pas nous marier. Que fais-tu de ma vie en Angleterre ? De ma famille ?

J'ai pensé à Dave, bien qu'il ne fasse plus partie de l'équation. J'étais passée à autre chose. Il n'appartenait plus au présent.

J'ai soupiré et hoché la tête.

— Non, Omar, je ne peux pas t'épouser. Il faudra trouver un autre moyen pour que l'on se voie. Retournons avec les autres à présent, quelqu'un va finir par trouver ça louche.

Le lendemain matin, Omar est sorti. Salma et moi sommes allées chez une autre tante en nous promenant. Sur le chemin du retour, je me suis arrêtée à un kiosque pour acheter des cartes postales, des timbres et des enveloppes. Salma avait bien insisté :

— Il faut mettre la carte dans une enveloppe si tu veux être sûre qu'elle arrive.

À notre retour, il n'y avait nulle trace d'Omar. Il est rentré dans le milieu de l'après-midi, alors que j'étais seule à écrire mes cartes. Il s'est agenouillé près de moi et a pris ma main pour l'embrasser.

— Jacky, sans toi, je ne suis rien. Je ne veux pas vivre si nous ne devenons pas mari et femme. S'il te plaît, accepte de m'épouser.

— Mais, Omar, ce n'est pas possible. Il ne faut même plus y penser.

Il m'a interrompue.

— Tu ne me crois pas, n'est-ce pas? Tu crois que je ne suis pas sérieux? Je vais te montrer à quel point c'est sérieux. Viens avec moi.

Il m'a aidée à me lever et m'a emmenée dans le salon.

— Attends-moi ici. Je vais aller parler à Papa et régler cette affaire sans tarder.

Il m'a laissée seule, complètement abasourdie. Comment allait-il s'y prendre? J'avais déjà assisté à une colère de Papa et la chose n'allait sûrement pas l'amuser.

Le salon était agréable. La télévision n'était pas encore allumée, un tapis à prière la recouvrait. J'entendais le son des autres postes dans les chambres. C'était l'heure de *La petite maison dans la prairie,* sous-titrée en arabe.

La tranquillité ambiante a été interrompue par le *adhan,* l'appel à la prière. À présent, j'arrivais presque à répéter les paroles, avec le bon roucoulement dans la voix : *Allahhhhhh akbar,* Allah est grand.

Pouvais-je vivre ici, adopter de nouvelles coutumes, recommencer une nouvelle vie au milieu de ces gens? Voulais-je vraiment épouser Omar? Je savais seulement que je ne voulais pas m'éloigner de lui. Mais, une fois rentrée en Angleterre, nos destinées ne se croiseraient jamais et tout cela finirait en banal amour de vacances.

Après le *adhan,* le calme est revenu. Mes pensées m'ont rattrapée.

En supposant que je dise oui, comment ferons-nous, avec ma famille quasiment à l'autre bout de la terre? Non, c'est de la folie d'y penser. Dans le fond, que sais-je de lui?

Je savais qu'il était musulman et qu'il prenait sa religion très au sérieux. Toute la famille faisait ses prières et apprenait les sourates du Coran par cœur, véritable fondement de leur vie quotidienne. Pourrais-je m'adapter à cela?

Pendant qu'Omar argumentait auprès de Papa à mon sujet, j'en faisais autant avec moi-même dans le salon. *Papa n'acceptera jamais que son fils épouse une chrétienne, étrangère par-dessus le marché. Il n'y a rien à trancher, c'est déjà tranché. Bien sûr, c'est Papa qui a raison. Qu'ai-je bien pu imaginer? C'est stupide de vouloir épouser un homme que je connais à peine. J'ignore tout de sa culture, de sa langue, de son passé. Comment pourrais-je expliquer ça à mes parents? Je suis leur fille unique. Ils en seront très affligés. Ils ne comprendront jamais. Non, c'est tout à fait impossible.*

Deux heures plus tard, Omar est revenu avec un air conquérant. Je me suis levée pour l'accueillir.

— Je vais t'épouser, Jacky, a-t-il dit. Avec ou sans le consentement de mon père.

Nous nous sommes enlacés. J'étais enivrée par son parfum.

— Tu vas m'épouser? a-t-il chuchoté.

— Oui, oui, oui, ai-je répondu, séduite par l'intensité du moment.

Mais ça ne se fera jamais, a murmuré une petite voix au fond de moi.

11

Des propositions

Fermement déterminé, Omar est retourné parler à son père. Je ne l'avais jamais vu comme cela avant. Il y a eu des coups de gueule, suivis de silences, eux-mêmes suivis de nouveaux coups de gueule. Tendue, je suis restée assise à écouter. Le temps m'a paru long. J'ai fini par m'apercevoir que je m'étais rongé les ongles d'une main jusqu'au sang, quelque chose que je ne faisais jamais.

Les membres de la famille ne se sont pas mêlés à la discussion. Mama, Magda et Salma ont passé des vêtements de ville et m'ont entraînée dehors pour passer une soirée sur les quais du Nil, bordés de restaurants, de cafés et de cinémas en plein air. Nous avons flâné sur le large trottoir et nous sommes assises sur le muret qui le longeait.

Les felouques traversaient langoureusement le fleuve, leurs hautes voiles blanches penchées par la brise. Le ciel vespéral multicolore offrait un magnifique arrière-plan à ces curieux bateaux aux formes anguleuses dont les lumières scintillaient sur l'eau. Je les ai regardés glisser au milieu des autres embarcations, bateaux de pêche et navettes, et je nous ai imaginés, Omar et moi, en partance pour notre lune de miel.

Tous les cinquante mètres, sous les petits palmiers, des marchands ambulants vendaient des graines de tournesol, des patates douces frites ou des épis de maïs cuits à la braise. Magda en a commandé pour nous trois. Nous avons regardé le vieil homme retourner les épis sur les charbons ardents jusqu'à ce que le jaune vire au noir. Je me suis attardée sur le visage ridé du marchand, tout craquelé comme une vieille noix, et sur le morceau de tissu, aux couleurs passées et noirci de fumée, qui lui servait de turban. Avec ses mains calleuses et sales, il a brossé les charbons à plusieurs reprises, sans jamais sourciller. Les épis de maïs ont été prêts en dix minutes. Le vieux les a retirés du feu et a enveloppé leurs extrémités dans du papier journal pour que nous puissions les manger.

— Hum, c'est vraiment délicieux, ai-je dit en soufflant sur mon épi pour le refroidir plus rapidement. En Angleterre, on les met dans une gamelle d'eau et on les fait bouillir.

Salma a éclaté de rire et a traduit aux autres. Mama a refusé de croire ce que je venais de dire.

— Elle dit que ce n'est pas possible que les Anglais soient si bêtes.

Mama s'est levée et est allée jusqu'au marchand suivant. Comme nous la rattrapions, le marchand était en train de faire des cônes de papier journal pour les remplir de graines de tournesol. Mama en a acheté trois et nous sommes rentrées à la maison. J'ai pensé qu'ils étaient destinés à un animal, mais je n'en avais vu aucun dans l'appartement.

— Vous avez un animal? Un hamster, peut-être?

Salma a fait la grimace en entendant ma question.

— Beurk! Surtout pas. Ce serait comme avoir des rats. On n'a pas d'animaux comme ça, en Égypte. On va seulement les voir au zoo.

— Mais alors, pour qui sont les paquets de graines de tournesol?

— Les *lib*? C'est pour nous. Vas-y, essaie.

Elle a couru jusqu'à sa mère qui lui a donné l'un des cônes. Salma a pris plusieurs graines dans sa main, les a mordues et a recraché les enveloppes en les poussant avec sa langue. Ça paraissait enfantin, mais ça ne l'était pas. J'ai eu beau essayer, je ne suis pas arrivée à extraire la graine de son enveloppe. Quand Salma m'en a donné une, gentiment décortiquée, j'ai trouvé cela bon.

Nous étions toutes en train de prendre du bon temps quand Omar est sorti de l'immeuble comme une furie et a couru vers nous aussi vite qu'il pouvait. Il nous a rejointes en quelques secondes. Il m'a soulevée de terre, secouée dans tous les sens tout en parlant en arabe.

— Omar !

Sa mère l'a contraint à reprendre ses esprits et il m'a reposée par terre avant de l'embrasser.

Le visage de celui que j'aimais s'est illuminé quand sa mère l'a pris entre ses mains, l'embrassant à deux reprises sur chaque joue. Elle s'est mise à parler à toute vitesse.

— Qu'est-ce qu'elle dit ? ai-je demandé à Salma.

— Elle dit : *Mabroul ebni, elfe mabrouk.* Félicitations, mon fils, toutes mes félicitations.

Magda m'a soudain embrassée tout en parlant en arabe. Et j'ai enfin compris. Un poids énorme m'est tombé dessus. Papa venait d'accepter. Omar avait su y faire. J'ai senti mes genoux fléchir et j'ai dû me cramponner à Salma. J'ai cru que j'allais m'évanouir. Ma tête s'est mise à tourner, j'avais la bouche sèche. Incapable d'y croire, j'ai d'abord regardé Mama, puis Omar. Que s'était-il passé pour que Papa change d'avis ? Quelques heures plus tôt, il n'y avait pas la moindre chance qu'il accepte ce mariage.

J'ai pris peur. Tout était allé beaucoup trop vite. J'aurais dû sauter de joie face à cette entière liberté qui me permettait d'épouser un Égyptien que je ne connaissais que depuis une semaine. Mais les émotions se mélangeaient dans mon esprit, m'empêchant de réagir.

On m'a fait rentrer dans l'appartement au milieu de l'excitation générale. Papa a daigné sortir de sa chambre pour venir me serrer la main, m'embrasser sur les deux joues et me féliciter. Mohamed m'a timidement serré la main et embrassée.

— Oui, il peut le faire maintenant. Tu vas devenir sa sœur, a dit Salma que cette idée a beaucoup fait rire.

Mohamed a rougi et a disparu dans sa chambre. Papa et Mama ont commencé à discuter des arrangements avec Omar. Comme je ne pouvais comprendre un traître mot de ce qu'ils disaient, Salma et moi les avons laissés. Après toutes ces émotions, une bonne nuit de sommeil me ferait le plus grand bien.

Couchée dans mon lit, j'ai essayé d'imaginer le reste de ma vie en terre musulmane. Jusqu'à présent, les choses, si elles avaient été très différentes de ce que je connaissais chez moi, n'avaient pas été pires. Il fallait voir cela comme un véritable défi. J'avais confiance en Omar, qui serait toujours à mes côtés pour m'aider.

Je vais y arriver. Et c'est dans ce pays que lui et moi allons vivre la plus belle des vies.

L'imminence de notre mariage a réduit à néant les prévisions que la famille avait faites pour les jours à venir. Mama et les deux sœurs se sont emparées de moi, prenant mes mesures, choisissant mes sous-vêtements, mes chaussures, essayant une foule de coiffures et de maquillages différents.

Omar était partout. Il allait chercher des choses, portait des choses, tout en trouvant le temps de me faire croire que j'étais la fille la plus chanceuse de la terre, m'expliquant tout ce qui se passait.

— Nous devons nous marier ici. Dans cet appartement. Je vais aller chercher des chaises, à manger et à boire. Je dois aller rendre visite à des parents et à des amis pour les inviter. Je veux que le monde entier soit au courant. Je suis si heureux. J'ai tant à faire en si peu de temps. Nous nous marions dans deux jours.

Deux jours après la noce, ai-je pensé, *je reprends l'avion pour Londres.*

— Nous en avions parlé : je devais rentrer à Londres pour tout expliquer moi-même à ma famille et revenir en Égypte après avoir réglé mes problèmes.

La porte d'entrée a claqué sur Omar, puis Mama m'a entraînée dans sa chambre. Je me suis assise sur le lit. Quand elle est venue vers moi, je me suis sentie tout intimidée. Le doute m'a balayée comme une vague. Chaque fois qu'Omar s'absentait, elle prenait ce ton de confidence.

Non, pas ici. Viens.

Elle a eu du mal à trouver les mots, alors elle m'a prise par le bras et m'a entraînée dans la cuisine où bouillaient du sucre et du jus de citron dans un petit pot.

— *Hellewa.* C'est pour toi, a dit Salma en souriant.

L'odeur était forte et prenante. Quand elle a retiré le pot du feu pour en remuer le contenu, la texture liquide a changé et s'est transformée en une pâte élastique, gluante, qui puait affreusement.

— C'est pour moi ? Merci, je n'ai vraiment pas faim. Je crois que je ne pourrai rien avaler aujourd'hui, lui ai-je dit.

Salma a rigolé en traduisant à Mama et à Magda, qui toutes deux ont éclaté de rire.

— Tu es très drôle, Jacky. J'ai très envie qu'on devienne sœurs.

Mama a versé le *hellewa* dans un récipient de plastique.

— Il faut que tu viennes dans la chambre avec nous à présent, a dit Salma en me prenant la main. Et déshabille-toi, s'il te plaît, enlève tout.

L'*hellewa* devait donc être quelque chose pour le corps, comme une sorte de masque pour le visage. C'était merveilleux. Je sentais que j'allais apprécier chaque seconde des événements à suivre. J'ai ôté mes vêtements, me suis allongée sur le lit, détendue, et j'ai fermé les yeux.

J'ai alors ressenti une soudaine brûlure sur le bras, comme si on m'avait renversé dessus une théière d'eau bouillante. Je me suis levée d'un bond. Mais, au lieu d'eau bouillante, il s'agissait d'un morceau de cette substance collante.

— Assieds-toi, Jacky. Magda va te le retirer, à présent, a murmuré Salma. Ça ne va pas te faire mal.

Magda a tendu la main et, d'un mouvement sec du poignet, elle a ôté le *hellewa*. Une douleur intense m'a envahie, me remplissant de peur et de détermination. Je suis sortie du lit et j'ai cherché à quitter la pièce, mais je me suis heurtée à Mama qui en bloquait l'accès. Je me suis mise à trembler et me suis assise à nouveau entre Salma et Magda qui m'ont enlacée.

— Jacky, tu vas devenir l'épouse d'un Égyptien, a expliqué Salma. Avant le mariage, une fille n'a pas à faire cela. Mais, quand elle devient une femme, elle doit apparaître la plus pure possible aux yeux de son mari. Il faut tout épiler, a-t-elle dit en me touchant le bras et la jambe pour que je comprenne bien ce qu'elle voulait dire. Chaque poil de ton corps doit disparaître si tu veux que ton époux te désire et t'aime. Tu as bien envie qu'Omar soit heureux, non ?

Je suis restée assise entre elles deux, abasourdie. C'était trop me demander. Et pourquoi était-ce seulement aux femmes de s'épiler ?

— Non, Salma, je ne comprends pas comment Omar pourrait être heureux de me voir faire ça. Il est tombé amoureux de moi avec mes poils, il peut m'épouser avec !

J'ai senti la tension monter au fil de la traduction. Qu'allaient-elles faire si je ne me conformais pas à leurs exigences ? Mama a répondu en criant, puis Salma a traduit :

— Elle dit que les poils, c'est très laid, et qu'ici c'est comme ça que ça se passe. Elle dit que son fils est amoureux de toi mais qu'il ne sera pas heureux, au fond de lui, s'il te découvre avec des poils lors de la nuit de noces.

J'ai dénoué mes longs cheveux blonds et fins et les ai laissés descendre sur mes épaules.

— Salma, j'ai eu les cheveux longs toute ma vie, comment peux-tu me demander de les couper ? Ça me fait peur.

Elle m'a regardée, incrédule.

— Mais tu n'as pas à te couper les cheveux. C'est juste les poils du corps qu'il faut épiler !

Mama et Magda se sont mises à rire tellement fort qu'elles en ont pleuré. Nous n'avions décidément pas le même humour.

J'ai regardé leurs mains. Celles de Mama étaient plus lisses qu'aucune main que j'avais connue jusqu'alors. Et leur peau était plus sombre que la mienne et paraissait plus résistante. J'ai regardé la partie de mon bras, rouge et irritée, où on avait étalé de l'*hellewa*. J'ai soudain pris une décision.

— Arrache-le d'un coup sec, comme un sparadrap, ai-je dit à Salma en me rallongeant, résignée à subir l'opération.

La douleur apparaissait par vagues. Lorsqu'elles se sont attaquées aux aisselles, celles-ci se sont mises à saigner. Alors, Magda s'est arrêtée.

— Va prendre une douche, ça va te faire du bien, a dit Salma, contente de mes progrès.

J'ai fait ce qu'on me demandait, sans rechigner cette fois. Je suis restée sous le jet froid de la douche jusqu'à ce que mon corps me picote et que la douleur s'apaise. Enroulée dans une serviette, je suis retournée dans la chambre et me suis écroulée sur le lit. J'avais le corps couvert de marbrures.

On m'a écarté la jambe gauche et, avant que j'aie le temps de dire quoi que ce soit, Magda a versé une bonne dose d'*hellewa* entre mes cuisses.

J'ai essayé de me redresser, mais en vain. Mama tenait mes jambes écartées et Salma pesait sur mes épaules. Magda s'est penchée sur moi pour arracher l'*hellewa*. Cette fois, ce sont mes hurlements qui les ont stoppées. J'ai alors saisi ma chance et me suis levée du lit, avec un regard si menaçant qu'elles se sont écartées de moi et ont quitté la pièce. J'ai trouvé une chaise que j'ai calée fermement sous la poignée de la porte et me suis jetée en sanglots sur le lit.

Elles étaient donc sérieuses lorsqu'elles parlaient de tout épiler sauf les cheveux! Jamais je n'aurais pu imaginer qu'elles aillent si loin.

Quelques heures plus tard, j'ai ouvert la porte et j'ai vu apparaître Omar, bouleversé.

— Qu'y a-t-il? Qu'est-ce qui s'est passé?

— Deux fois rien. Un petit problème, c'est tout, ai-je répondu calmement en fixant le sol. Pourrais-je avoir une paire de ciseaux? Et après, j'aimerais que tu me laisses seule un moment.

— Mais je veux t'aider. Je t'en prie, dis-moi ce qui ne va pas.

— C'est une affaire de femmes que les hommes n'ont pas besoin de savoir, d'accord?

— Tu n'as pas changé d'avis? Réponds-moi au moins là-dessus.

— Non, je n'ai pas changé d'avis.

Nous nous sommes embrassés et il m'a apporté une paire de ciseaux avant de me laisser, à contrecœur.

— Maintenant, passons à l'opération nettoyage, ai-je murmuré, tout en me demandant quelle était la meilleure façon de m'y prendre.

J'ai trouvé un miroir de poche dans le tiroir d'une table de chevet et je l'ai calé de façon à avoir la meilleure vue possible. Une heure durant, je me suis attaquée aux poils de mon pubis, avec les ciseaux et l'*hellewa,* qui à présent était redevenu compact. Cela a été un véritable calvaire. Malgré le minuscule miroir, j'ai pu clairement voir le terrible résultat de mon intervention, un résultat final bien pire que si je n'avais rien fait.

Mon Dieu ! Mais qu'est-ce que je vais faire, maintenant ? Ma nuit de noces, c'est dans quarante-huit heures ! Je voudrais être belle, sexy, attirante et la plus féminine possible. Et j'ai l'air d'un monstre !

Je ne pouvais pas me faire à l'idée d'avoir des poils d'un côté du pubis et plus aucun de l'autre.

12

Oui

Le soleil descendait, la lumière du jour faiblissait. Le muezzin a lancé le *adhan* qui m'était devenu familier, appelant tous les musulmans à la prière. La famille, de l'autre côté de la porte de la chambre, semblait avoir une discussion très animée tout en se préparant à la prière. J'ai alors ressenti une grande solitude. Ne trouvant plus aucun moyen de résoudre mon problème si embarrassant, j'ai fait la seule chose qui me restait à faire : je me suis jetée sur le lit et j'ai pleuré jusqu'à ce que le sommeil m'emporte.

Quand je me suis réveillée, Salma était à mes côtés et j'étais en djellaba. Les événements de la veille me sont précipitamment revenus en mémoire, et je me suis demandé si je n'avais pas rêvé. J'ai levé ma main vers la lumière qui filtrait entre l'interstice des persiennes.

— Douce comme de la soie, ai-je murmuré, levant et baissant la main. Alors, voyons voir...

J'ai délicatement levé la couverture et glissé une main entre mes cuisses, sous la djellaba. Mon cœur a chaviré. D'un côté, c'était collant, court et raide, et de l'autre très doux. Je n'avais donc pas rêvé.

Il faut absolument que je fasse quelque chose, que je trouve un moyen de m'épiler totalement sans douleur.

Ma cheville avait retrouvé de la force. J'ai pu aller à la salle de bains pour me laver, et j'ai réussi à me débarrasser de ce qui restait d'*hellewa*.

Au petit déjeuner, Omar a été très prévenant et merveilleux. Il m'a tellement fait rire que j'en ai oublié un instant mes problèmes.

— Es-tu heureuse ?

— Seulement quand je suis avec toi. Tu as beaucoup à faire aujourd'hui ?

— Il faut que je règle le problème du costume. Je dois acheter les alliances, trouver un photographe... Oui, il reste beaucoup à faire.

— Quelqu'un pourrait-il m'accompagner chez le pharmacien ? Tu aurais le temps ?

— Salma ira avec toi un peu plus tard. De quoi as-tu besoin ? Je ne peux pas te le rapporter ?

— Non, je préfère y aller moi-même. Occupe-toi de ton costume.

Il est parti s'habiller. J'ai alors bondi sur Salma pour la supplier de m'emmener chez le pharmacien.

— Mais, on doit livrer ta robe, ce matin, a-t-elle protesté.

— On ne peut pas y aller avant ? Je t'en prie, j'ai absolument besoin que tu m'accompagnes.

Nous avons marché d'un bon train dans la rue poussiéreuse. J'ai dû protéger mes yeux de la lumière aveuglante, qui tranchait avec le sombre confinement de l'appartement.

La pharmacie se trouvait au coin de la rue voisine. On avait dessiné des graffiti en arabe sur la poussière qui recouvrait les portes vitrées. À l'intérieur, derrière son immense comptoir, un type tout maigre servait une jeune femme. Sa fille nous a regardées, à moitié cachée derrière la jupe longue de sa mère. Un ventilateur électrique nous soufflait dans la figure de l'air légèrement parfumé à la menthe. Je me suis tenue à l'écart pour les laisser sortir pendant que Salma achetait la crème dont j'avais tant besoin. Sur le chemin du retour, elle a sorti le tube du sac et a examiné la boîte en manifestant sa mauvaise humeur.

— Quatre livres et soixante-quinze piastres ! C'est horriblement cher. Et sûrement pas aussi bien que l'*hellewa*. Il n'y a que les étrangères pour utiliser des trucs comme ça.

— Salma, je *suis* une étrangère, ai-je répondu calmement.

Moins d'une demi-heure plus tard, nous étions de retour à l'appartement. Je me suis enfermée dans la salle de bains, tenant dans la main mon précieux tube de crème d'épilation express. S'il y avait une chose dont j'étais sûre, c'était que chaque piastre qu'il avait coûté se justifiait.

La fébrilité des préparatifs s'est poursuivie toute la journée. On m'a présenté deux robes de mariée pour déterminer la bonne taille. La première appartenait à Mervette, la femme de Tarek, l'aîné d'Omar. C'est lui qui l'a apportée en me présentant ses félicitations.

J'en suis restée le souffle coupé. La robe était fantastique, mais d'une taille trop petite. Je l'ai rendue avec regret, pensant qu'aucune autre ne pourrait mieux m'aller.

J'avais tort, car Mohamed est arrivé avec la robe de mariée de sa cousine, qui m'allait à merveille. Elle n'avait ni volants ni plusieurs épaisseurs, elle était taillée simplement et mettait le corps en valeur aux bons endroits, seyante, de bon goût et élégante. J'avais été très surprise quand Mama m'avait sorti un dossier qui contenait des photos de robes de mariée de styles différents. Elles avaient été rassemblées par une couturière, une parente qui fabriquait tous les vêtements de la famille. Aucune ne faisait dans la simplicité : des volants, des mètres de dentelle, des jupons, des cols montants… La robe que l'on venait de m'apporter était à l'opposé de cette esthétique. En fait, elle aurait même très bien pu être anglaise.

On l'a envoyée au *maquaggi*, le repasseur. Quand nous étions allées à la pharmacie, j'avais remarqué cette minuscule échoppe, située sous le niveau du trottoir, et ces marches qu'il fallait descendre pour y entrer. Le repasseur se servait d'un vieux fer qu'il chauffait sur un brasier. J'ai eu peur qu'il ne brûle ma robe et ai confié mes craintes à Salma :

— C'est un excellent *maquaggi*. Il a fait ce métier-là toute sa vie, a-t-elle répondu.

— En Angleterre, nous avons des fers à la maison et nous repassons nos vêtements nous-mêmes, sur des planches spécialement faites pour ça, ai-je expliqué.

— Ici, en Égypte, le repassage est un travail d'homme. Nous ne repassons jamais nos affaires nous-mêmes.

Au cours de la journée, nous avons fait le tri dans les chaussures pour en trouver à ma taille. On m'a épilé les sourcils et fait les ongles. J'ai insisté pour avoir un vernis clair. Comme je ne voulais surtout pas me retrouver peinturlurée comme une poupée, nous avons procédé à des essais de coiffure et de maquillage.

Prise dans le tourbillon des préparatifs, mon humeur s'est mise au diapason de celle des autres. Je n'ai pas eu le moindre moment pour réfléchir et, ce soir-là, je me suis couchée complètement morte de fatigue.

À l'aube du jour du mariage, Mama m'a gardée dans la chambre pour la séance de coiffure et de maquillage. Nerveuse, je suis restée assise sur une chaise en buvant du thé pendant qu'on s'affairait autour de moi. Salma est allée voir comment cela se passait du côté des hommes. Elle est revenue très excitée, quelques minutes plus tard.

— Omar est dans un bel état d'énervement, Jacky. Il s'est changé, il est prêt. Il est très beau.

On a frappé à la porte. Mama et Magda se sont précipitées pour l'ouvrir et m'apporter la robe fraîchement repassée. Elles m'ont aidée à l'enfiler par-dessus ma tête et à fermer la fermeture Éclair. J'étais prête.

— Tu ne bouges surtout pas d'ici, m'a dit Salma en agitant son doigt sous mon nez. Nous allons toutes les trois nous changer et nous préparer.

Je me suis levée et me suis mise devant la fenêtre pour me voir dans le reflet.

Hé ! Tu n'es pas si mal que ça, après tout !

J'ai tourné sur moi-même, goûtant le contact avec la soie. Même la douleur à la cheville s'était envolée. Mama et les filles sont revenues. Elles étaient prêtes. Salma m'a apporté une tiare, des épingles et un voile blanc.

— Tu vas faire la connaissance de beaucoup de gens, aujourd'hui, m'a-t-elle dit en fixant la tiare à l'aide des épingles. Les femmes vont t'embrasser sur chaque joue. Tu feras la même chose. Les hommes vont te serrer la main. Tu ne devras pas les regarder dans les yeux. Ils vont te dire *Mabrouk*, et tu répondras *Shokran*. Voilà, j'ai terminé.

Elle s'est reculée pour voir le résultat de son travail.

— *Mabrouk*, ça veut dire quoi ?

— Ça veut dire félicitations. Es-tu prête ?

J'étais prête.

Suivie de Magda et Salma, j'ai traversé l'étroit couloir qui menait au salon. Omar m'y attendait, les bras tendus pour me souhaiter la bienvenue.

— Tu es très belle, a-t-il murmuré, en chassant une larme de son œil, avant de m'aider à prendre place dans l'une des deux grandes chaises.

Mohamed a appuyé sur le lecteur de cassettes et de la musique romantique arabe a envahi la pièce. Les invités ont commencé à arriver, tous vêtus de leurs plus beaux vêtements.

— *Mabrouk, mabrouk.*

— *Shokran.*

J'ai fini par me calmer et prendre du plaisir à ce rituel. Les invités étaient véritablement très contents de faire ma connaissance et de me présenter leurs félicitations. Leur bonne humeur a déteint sur moi et je me suis vite retrouvée à sourire et à acquiescer de façon enthousiaste à tous leurs commentaires auxquels je ne comprenais rien.

Au bout d'une heure, l'imam est arrivé pour nous bénir. Il portait un chapeau blanc fait au crochet et une djellaba de même couleur par-dessus son pantalon. Sa moustache grise et des lunettes à grosse monture noire lui donnaient un air très inquiétant.

Puisque je n'étais pas musulmane, il ne pouvait pas nous marier officiellement. Après avoir bu le thé, il m'a pris la main et m'a parlé, puis il a parlé à Omar en lui tenant la main. Papa a présenté les alliances sur un coussin de velours mauve. Nous avons chacun passé l'alliance au doigt de l'autre. Ensuite, assis en tailleur sur le sofa, l'imam a fait un long discours avant de se lever et de venir nous serrer la main. Il est resté pour boire du *ahwa*, puis nous a à nouveau félicités et s'en est allé.

Les invités sont alors sortis pour se répartir dans de nombreuses voitures. Nous avons pris la Peugeot blanche pour faire le tour de la ville en convoi, klaxons hurlant, chacun agitant la main à la vitre.

Nous sommes revenus à l'appartement et les événements suivants se sont déroulés comme dans un brouillard. Il y avait beaucoup de monde, beaucoup de musique, et même une danseuse du ventre. Elle portait des clochettes autour des chevilles et des poignets, ainsi qu'un minuscule costume à paillettes qui dévoilait son profond décolleté et son ventre bronzé. Elle s'est trémoussée, faisant cliqueter ses breloques tout autour de la pièce et regardant les hommes dans les yeux de manière provocante. Tout le monde a frappé dans les mains au rythme de la danse pour l'encourager. Il n'y avait pas d'alcool : rien que du sirop très sucré, du Coca, du Seven Up, du thé et du café turc. Mais les invités se sont rapidement comportés comme s'ils avaient bu de l'alcool toute la soirée.

Les festivités ont touché à leur terme lorsque les derniers invités sont partis. J'ai à nouveau dormi avec Salma, car il fallait devenir officiellement mari et femme avant de partager le même lit. Et cette cérémonie était prévue pour le lendemain.

Une fois allongée, en me repassant mentalement le film des festivités, une pensée m'a longtemps occupé l'esprit avant que je ne puisse trouver le sommeil :

Je suis mariée et je ne connais même pas mon nouveau nom.

13

Une fin en quenouille

La cérémonie officielle du mariage m'est complètement passée au-dessus de la tête. Du début à la fin,
elle s'est tenue en arabe et je n'en ai pas compris le
moindre mot.

On m'a demandé de répéter un charabia sans
queue ni tête qu'un fonctionnaire impassible pronon-
çait avant moi. Voyant que je ne pouvais ni comprendre ni parler la langue, il n'a pas montré la
moindre compassion à mon égard, parlant à vitesse
normale, ce qui à mes oreilles sonnait comme un
brouhaha. Son espoir de me voir répéter les phrases
avait beau être totalement irréaliste, j'ai compris qu'il
ne fallait surtout pas que je me plaigne. Je me suis
pourtant énervée et ai fini en larmes. Ce devait être le
grand jour de notre vie et cet horrible petit bon-
homme, avec son fez marron, ses dents de cheval et
sa mauvaise haleine, était en train de tout faire virer
au cauchemar.

À bout de nerfs, j'ai levé les bras pour qu'il cesse de
me harceler et me suis retournée.

— Je n'y arrive pas, ai-je dit à Omar. Il est en train
de tout gâcher. Je fais tout ce que je peux, mais il ne
me laisse aucune chance d'y arriver.

Papa s'est alors redressé. Levant les bras au ciel, il
est allé injurier l'homme, me montrant d'abord du doigt,
puis se tournant à nouveau vers lui. Le fonctionnaire

était bien plus grand que Papa, mais il semblait complètement dépassé par la furie de mon beau-père.

— Il est désolé, m'a finalement expliqué Omar, il va recommencer la cérémonie pour nous.

Je me suis tournée vers Papa qui m'a décoché l'un de ses trop rares sourires.

Nous avons donc eu droit à une deuxième cérémonie, et j'ai pu cette fois-ci répéter les phrases une à une. Je ne comprenais toujours pas, mais j'ai néanmoins eu le sentiment d'avoir droit à un mariage en bonne et due forme. Nous avons signé le registre, ainsi que nos témoins, Mohamed et Magda. Et ç'a été terminé.

C'était mon dixième jour en Égypte, le dernier de mes vacances. Il semblait évident qu'à notre retour à l'appartement, Omar et moi n'aurions aucune intimité. Alors, nous sommes partis nous promener le long du fleuve, main dans la main, comme mari et femme. Nous sommes entrés dans un café tranquille et Omar m'a fait part des projets qu'il avait pour nous.

— D'abord, nous allons devoir vivre à l'appartement. Mohamed va quitter la chambre que je partage avec lui, ce sera la nôtre. Mon père est entrepreneur. Il est en train de construire un nouvel immeuble qui devrait être très joli. Le premier appartement terminé sera pour Tarek et Mervette, et le deuxième pour nous. Nous serons voisins.

— Ça s'annonce très bien. Combien de temps cela va-t-il prendre ?

— Trois, quatre mois, pas plus.

Le temps allait me paraître long tellement j'étais excitée.

Nous avons apprécié chaque minute de cette journée passée ensemble. Mais Omar voyait d'un mauvais œil mon retour en Angleterre fixé au lendemain.

— Annule ton vol. On peut le reporter de quelques semaines.

— C'est impossible. Il faut que je rentre et que j'explique ce qui m'arrive.

— Si tu pars maintenant, tu ne vas jamais revenir. Je ne te reverrai plus, a-t-il dit en se détournant.

— Omar, rien ne m'a obligée à t'épouser, j'aurais pu dire non et rien ne serait arrivé. Mais ça s'est fait. Je t'aime et je veux vivre toute ma vie à tes côtés.

Il m'a à nouveau regardée. J'ai pris son visage entre mes mains.

— Mais il faut que je rentre maintenant en Angleterre, ai-je poursuivi. Tu imagines la peine de mes parents, si je ne rentrais pas? Nous ne pouvons pas, comme au cinéma, simplement disparaître dans le soleil couchant.

Je ne suis pas certaine qu'il ait compris ce que je venais de dire, mais il a hoché la tête.

Nous avons déjeuné à l'hôtel Méridien, dans un luxe qui m'a étonnée. Nous avons eu droit à de grandes assiettes richement décorées, des couverts étincelants, des tasses et des soucoupes de porcelaine, à un décor somptueux et même à l'air conditionné.

— C'est merveilleux, ai-je murmuré.

— Pourquoi dis-tu ça en murmurant? a dit Omar en souriant.

Et là, j'ai littéralement fondu. Je l'ai regardé. J'étais si heureuse. J'avais enfin rencontré l'homme de mes rêves. C'était juste un peu dommage qu'il vive si loin de l'Angleterre.

À notre retour à l'appartement, Mohamed avait déménagé de la chambre et l'avait préparée pour nous. Il y avait un drap d'une blancheur immaculée sur le lit, en coton égyptien, finement brodé.

— Regarde, Omar, comme cela s'accorde bien.

Je me suis penchée pour sentir le drap.

— Il est apprêté et neuf. Superbe, tout comme toi. Tu es sûr que personne ne va venir nous déranger ?

Il a fait non de la tête en riant avant que nous nous jetions sur le lit. Enfin seuls.

Il m'a embrassée fougueusement, avec avidité, glissant ses mains avec douceur sous mon corsage. Il a promené ses doigts de la base de mon dos au creux de ma nuque et a recommencé. J'ai tressailli et baisé son cou. Je suis remontée vers son visage, le couvrant de petits baisers, pressant mon mari contre moi, jusqu'à ce que nos lèvres se rencontrent et que nous nous embrassions avec passion.

C'était un amant plein de douceur, exquis, prêt à faire ce qu'il fallait pour me plaire. J'aimais déjà tellement cet homme avant de faire l'amour avec lui que j'ai adoré chaque parcelle de son corps, l'odeur de ses cheveux et celle de sa peau. Je voulais le posséder et être à lui. J'étais comme une braise incandescente.

Ça n'a jamais été comme ça avant, ai-je pensé, alors que nous étions étendus sur le lit.

Après être allés nous doucher ensemble, nous sommes revenus sur le lit et nous sommes allongés, enlacés.

— Je t'aime pour toujours, *habibti,* a-t-il murmuré. Tu es toute ma vie, mon cœur, mon âme. Je n'arrive pas à me faire à l'idée que tu doives repartir en Angleterre.

— Je vais vite revenir. Garde ma place au chaud, lui ai-je répondu.

Omar s'est assis, devenant soudainement sérieux.

— Ce Dave, lui et toi... tu étais sa petite amie ?

— Oui.

— En Angleterre, les choses sont différentes. Vous avez...

Il n'a pas terminé sa phrase mais je comprenais ce qu'il voulait dire. J'ai longuement réfléchi avant de répondre :

— Je suis restée presque trois ans avec Dave. Nous devions nous marier, mais je savais que ce n'était pas l'homme avec lequel je voulais faire ma vie. Oui, nous avons couché ensemble. Je voulais mettre un terme à notre relation, mais je ne savais pas comment le lui annoncer.

— Il n'y a eu que Dave ?

— Oui.

J'ai attendu pendant qu'il digérait l'information. Puis il s'est soudainement mis à m'embrasser à nouveau.

— Oh, Jacky, mon amour, tu es à moi à présent, seulement à moi, pour toujours et à jamais.

Le matin de mon départ, je me suis réveillée la première. Omar m'enlaçait d'un bras, l'autre posé sur la tête du lit. Il semblait détendu, gentil, innocent. Tout doucement, avec mon doigt, j'ai suivi le contour de son visage, avant de quitter le lit pour aller me doucher. Sur le chemin de la salle de bains, j'ai rencontré Salma.

— Ça va, Jacky ?

— Oui, Salma, je suis très heureuse.

Nous nous sommes embrassées.

— C'est toi qui prépares le thé pour ton mari, ce matin. Je vais te montrer comment faire.

Une serviette enroulée autour de la tête, je l'ai suivie à la cuisine. Avant d'allumer le gaz, Salma a pris un torchon et a tapé plusieurs fois sur la plaque de la gazinière pour en chasser les cafards. Elle a réussi à en tuer trois mais deux ont pu prendre la fuite. Elle a alors allumé le gaz et posé la théière dessus. J'ai trouvé un plateau, deux verres et du sucre pour Omar, ainsi que du lait dans un pot en aluminium. Salma a versé le thé d'un paquet dans une théière métallique grise et j'ai ensuite préparé la boisson. Il n'y avait pas de filtre, beaucoup de feuilles sont donc restées au fond du verre. J'ai ajouté quelques morceaux de gâteau sur le plateau. Je venais de remplir mon premier devoir de femme musulmane.

J'ai entendu Mama qui s'entretenait avec Omar dans notre chambre.

Moi qui voulais le réveiller... J'espère qu'elle ne va pas se mettre entre nous, à présent que nous sommes mariés.

Lorsque je suis arrivée avec le plateau dans la chambre, Mama était partie et Omar était en djellaba, assis sur une chaise.

— Ta femme t'apporte le petit déjeuner. Mais ne compte pas que je fasse ça tous les jours. Demain, ce sera ton tour, ai-je dit en plaisantant à moitié. Reviens au lit, ai-je ajouté en l'embrassant.

J'ai alors remarqué que le drap avait disparu. On avait remis le vieil édredon à la place, avec une couverture sur le pied.

— Où est passé le drap ?

— Mama l'a emporté. Il faut qu'elle vérifie le sang.

— Il faut qu'elle vérifie quoi ?

— Quand une fille se marie et dort pour la première fois avec un homme, m'a calmement expliqué Omar, il y a du sang. Mama veut s'assurer que, pour toi, c'était bien la première fois.

— Oh, mon Dieu ! Mais que va-t-il arriver quand elle s'apercevra qu'il n'y a pas de sang sur le drap ?

J'ai fermé les yeux, paniquée, quand il a répondu :

— Le mariage sera annulé et tu seras renvoyée.

— Qu'est-ce qu'on va faire ?

Je l'ai regardé droit dans les yeux avant d'enfouir mon visage dans sa poitrine.

— D'abord, mangeons du gâteau. Ensuite...

J'ai relevé la tête et vu qu'il avait un grand sourire.

— Fais-moi confiance et mange ton gâteau.
Je l'ai harcelé de questions mais il a continué à sourire sans rien vouloir me dire.

Deux heures plus tard, j'avais fait mes valises et j'étais prête à partir. À ma grande surprise, Mama s'est montrée très amicale et causante. Elle a failli m'étouffer en me serrant dans ses bras pour me dire au revoir. Magda a pleuré et même Papa a dû essuyer une larme.

— *Maasalam, benti.*
— Il t'a dit : « Au revoir, ma fille », m'a traduit Salma.
J'ai embrassé Papa.

— *Maasalam, Papa.*
J'ai quitté la maison au milieu des larmes. Et tous m'ont accompagnée jusque dans la rue pour me dire au revoir. Dans la voiture, un grand silence s'est installé. Omar conduisait, Salma et moi étions perdues dans nos pensées.

Mon estomac a commencé à faire des nœuds. J'ai glissé la main dans mon sac à la recherche des billets. J'avais toujours le billet et le passeport de Dave ! Qu'allais-je en faire s'il ne se présentait pas à l'aéroport ? Il lui était peut-être arrivé quelque chose. Il avait peut-être été agressé, ou même assassiné. Ou alors, il avait rencontré une fille et l'avait épousée ! Mes pensées se sont bousculées dans mon esprit, et l'anxiété a commencé à monter en moi. J'ai prié en silence :
Dave, je t'en prie, il faut que tu sois à l'aéroport !

Je l'ai tout de suite repéré, grâce à ses longs cheveux qui contrastaient avec la coiffure traditionnelle égyptienne. Son visage s'est détendu à vue d'œil quand il m'a vue, et il s'est empressé de venir vers nous.

— Mais où étais-tu passée ? Je me suis fait un sang d'encre. Je t'ai cherchée dans quatre hôpitaux et deux auberges de jeunesse, mais tu n'étais nulle part. Je suis même allé à la police.

— Ça a l'air d'aller, on dirait. Pourquoi n'es-tu pas descendue du bus ? a-t-il demandé. Je n'arrivais pas à croire, quand le bus est reparti, que tu étais encore à l'intérieur. J'ai essayé de courir après... Mais eux, c'est qui ?

Il a regardé Omar et Salma. Pendant qu'il parlait, nous étions restés calmes et silencieux.

— Dave, j'aimerais te présenter des amis. Omar et sa sœur Salma. Ils se sont occupés de moi. Tiens, voilà ton billet et ton passeport. Va à l'enregistrement pendant que je leur dis au revoir. J'arrive tout de suite.

Il y a eu un long silence inconfortable. Je lui ai tendu son passeport et me suis retournée vers Omar et Salma, très gênés par la situation. J'en avais assez appris à présent sur la culture égyptienne pour savoir qu'il était inacceptable pour moi de parler si familièrement à un autre homme. C'était pour cela que j'avais dû éloigner Dave : pour éviter une scène.

— Ce serait mieux que tu partes maintenant, ai-je dit à Omar. Je suis déjà énervée et je ne voudrais pas pleurer. Ça va aller.

Je lui ai donné un baiser et l'accolade à Salma.

— Merci pour tout.

J'ai levé les bras pour embrasser Omar qui a enfoui sa tête dans mon cou et m'a serrée fortement.

— N'oublie pas combien je t'aime, lui ai-je murmuré. Va, à présent. On se revoit dans trois semaines. Aie confiance en moi. Il n'y a que toi.

Il a été incapable de répondre quoi que ce soit. Après un léger hochement de tête, il a tourné les talons et s'est éloigné, désespérément triste.

J'ai regardé Omar et sa sœur s'en aller. Parvenus à la porte, ils se sont retournés pour me faire de grands signes. Je leur ai fait des signes moi aussi et j'ai pris la direction de la salle d'embarquement. Il était presque l'heure de monter à bord. J'étais étrangement calme et résolue. Ce qui arrivait devait arriver.

14

Les adieux

— Alors, raconte-moi ce que tu as fait, ces derniers jours.

Dave et moi étions côte à côte à bord de l'avion. Installé dans son fauteuil, il a attaqué son premier verre avant de s'intéresser à moi.

— Quel bonheur de retrouver mon petit ami alcoolique, celui qui devait s'occuper de moi, lui ai-je sèchement renvoyé. Tu te fous de moi, Dave? Je te rappelle que c'est toi qui m'as plaquée. L'excuse du bus a bon dos.

— Dis donc, si je me souviens bien, c'est toi qui as voulu qu'on le prenne, ce bus, parce que c'était plus pittoresque.

— Si ça te dérangeait à ce point, pourquoi n'as-tu rien dit sur le moment?

— Je m'en foutais, en fait, a-t-il ricané avant de vider son verre d'un trait.

— À part l'alcool, qu'est-ce qui a de l'importance pour toi? Le problème est peut-être là.

— De quel problème parles-tu? Bois un coup, ma petite, ça va passer.

— Pas cette fois, Dave.

J'ai attendu qu'il commande un autre verre avant de lui demander:

— Alors, dis-moi ce que toi, tu as fait sans moi. Tu as passé de bonnes vacances? Où es-tu allé?

— À la grande auberge de jeunesse. Il y en a plusieurs, à ce qu'il paraît. J'ai rencontré des mecs du Yorkshire, dès le premier soir. Nous nous sommes pris quelques bonnes cuites, tu peux me croire. Ils sont repartis il y a trois jours. Depuis, je t'ai cherchée.

Il m'a fallu plusieurs minutes pour encaisser le choc.

— Corrige-moi si je me trompe. Tu as passé une semaine à te soûler avec des mecs du Yorkshire, et c'est seulement après leur départ que tu t'es soucié de moi, c'est bien ça ?

— On n'a pas fait que boire. Ils savaient où trouver de la bonne herbe. Il doit m'en rester quelque part, d'ailleurs, a-t-il dit en fourrageant dans sa poche.

J'ai failli le frapper.

— Eh bien non, j'ai dû tout fumer, a-t-il ajouté avant d'incliner le dossier de son fauteuil et de fermer les yeux.

— Alors, c'est comme ça que ça s'est passé ? Et tu ne me demandes même pas ce qui m'est arrivé ?

— Puisque tu vas me le dire, de toute façon…

— C'est vrai. Mais, avant, j'ai quelque chose de plus important à te dire. Entre nous, c'est terminé. D'ailleurs, c'est terminé depuis des mois, mais je n'avais pas le cœur de l'admettre.

Il a reposé son verre et s'est redressé pour m'écouter. J'ai poursuivi :

— Je suis venue avec toi parce que nous avions réservé ce voyage. Je n'ai pas voulu l'annuler, alors j'ai fait comme si tout allait bien entre nous pour voir à quoi ressemblait l'Égypte.

— Charmant, tout ça, a-t-il dit.

— Pendant ces vacances, j'ai rencontré quelqu'un qui prend soin de moi, qui m'aime et qui ne m'abandonnerait pas dans un bus. Sa famille m'aime aussi énormément.

— Dans le genre rapide… a-t-il répondu, comme s'il prenait à la légère ce que je venais de lui raconter.

— À notre arrivée en Angleterre, je vais faire mes valises et tu ne me reverras plus. Mais tu ne sais pas tout. Cet homme et sa famille, eux, vont me revoir, et dans pas longtemps.

J'ai marqué une pause pour reprendre mon souffle. J'étais très en colère et blessée.

— Parce que je l'aime de tout mon cœur, ai-je ajouté. Et tu ne sais pas ce que j'ai fait d'autre au cours de ces vacances ? J'ai assisté à un mariage.

Dave a bu une lampée.

— Comme ça a dû être passionnant !

— Surtout que le mariage, c'était le mien.

Tout en se rendant compte de ce que je venais de dire, Dave m'a jeté un regard effaré.

— Tu ne me crois pas, n'est-ce pas ? Tiens, regarde ça.

J'ai sorti les deux photos noir et blanc de notre mariage et les lui ai mises sous le nez. Il les a regardées, tantôt l'une, tantôt l'autre. Il m'a regardée dans ma jolie robe de mariée aux côtés d'Omar, dans le costume de velours marron qu'il avait emprunté. Dave n'a pas dit un seul mot. Puis il a regardé ma main.

— Si tu es mariée, où est ton alliance ?

— Nous n'avons pas pu nous en offrir. Nous en avons emprunté pour la cérémonie, et les avons rendues après. Nous en achèterons à mon retour.

Dave m'a regardée droit dans les yeux et a demandé :

— Tu plaisantes ! C'est pas vrai !

J'ai fait non de la tête. Ma colère avait disparu.

À partir de cet instant, il est resté calme et muet. Il n'a pas essayé de me faire changer d'avis, ou de demander ce qui n'avait pas été entre nous, ou encore si nous pouvions tout recommencer. Dans le bus qui nous ramenait à la maison, il est resté seul dans son coin, son visage de marbre tourné vers la fenêtre. Je me suis assise à quelques places derrière lui et j'ai pleuré en silence pour le mal que je venais de lui faire.

J'ai eu beaucoup de choses à régler, ce qui m'a empêché de trop réfléchir. J'ai pris contact avec des agences de fret, mis des annonces dans le journal pour vendre mes affaires, trouvé quelqu'un pour me remplacer dans la chambre que je louais et j'ai démissionné de mon travail. J'ai mis les deux photos dans une grande enveloppe avec une lettre d'accompagnement et je les ai postées à mes parents. Puis j'ai pris le téléphone et les ai appelés.

— Salut, papa. Je suis rentrée. Comment ça va?

— Salut, ça fait du bien de t'entendre. Nous, ça va bien.

— J'ai quelques nouvelles assez étonnantes, mais ce n'est pas très facile à dire. Maman est là?

— Oui, elle est à côté. Une seconde. Si c'est important, autant lui dire à elle.

— Bonjour, Jacky. Comment vas-tu, ma chérie? Et ces vacances?

— En fait, maman, ç'a été un peu plus que des vacances.

— Qu'est-ce que tu veux dire?

— Tu sais, Dave et moi, nous ne nous entendions plus très bien et ça faisait un certain temps que je voulais rompre.

— Ne me dis pas que tu as profité des vacances pour rompre?

— Pas exactement.

— Bon, alors, vous êtes toujours ensemble, oui ou non?

J'ai fermé les yeux quand les mots se sont mis à sortir.

— Nous ne sommes plus ensemble, parce que nous nous sommes perdus de vue dès le premier jour. Et que j'ai rencontré quelqu'un d'autre. Il est égyptien.

Maman, il est si doux, et si gentil... Je suis restée dans sa famille. Nous sommes tombés amoureux l'un de l'autre au bout d'une semaine. Il m'a demandé de l'épouser et j'ai refusé, au début. Et puis, quand je me suis rendu compte que je ne le reverrais jamais, j'ai dit oui. Nous nous sommes mariés il y a deux jours et je suis en train de tout trier pour retourner là-bas vivre avec lui. Je repars dans trois semaines

— Tu plaisantes? Attends, ne bouge pas. Il faut que je dise ça à ton père. Tu es bien en train de me dire que tu t'es mariée, mais pas avec Dave?

— Oui, c'est ça, maman.

Il y a eu un blanc avant que papa ne prenne le téléphone.

— Jacky, tout cela est très perturbant. Je n'arrive pas à y croire. Je préfère ne pas parler pour l'instant, je risquerais de dire des choses que je regretterais demain. Je vais te rappeler quand je serai calmé.

Et il a raccroché. J'ai regardé le combiné. J'avais oublié de leur dire que les photos arrivaient par courrier.

Deux jours plus tard, papa a rappelé.

— Jacky? Viens à la maison pour Noël. Nous avons reçu les photos et ta lettre, ce matin. Nous ne pouvons pas accepter ce que tu as fait. Nous sommes profondément choqués, mais nous t'aimons toujours.

J'ai senti qu'il luttait pour garder une voix calme.

— Viens à la maison dès que tu peux.

— J'en ai pour une semaine, à tout ranger ici.

— Nous reparlerons de tout ça quand tu seras là.

— D'accord. Je vous aime. À bientôt.

Et il a raccroché.

J'ai démissionné de chez Kodak. En guise de cadeau d'adieu, l'un des techniciens a réalisé quelques tirages des photos du mariage à partir des négatifs. J'ai vendu ma moto au garçon qui a récupéré ma chambre. Une semaine plus tard, j'étais prête à partir.

— Voilà, c'est fait, je m'en vais.

— Tu t'entêtes toujours dans ton projet fou ?

— C'est donc à ça que ça ressemble ?

Depuis notre retour, Dave avait évité de se trouver dans la même pièce que moi. Il a pris mes mains dans les siennes.

— Tu sais que je t'aime toujours ?

— Non, Dave, je t'en prie, c'est assez pénible comme ça. Je suis désolée de te faire tant de mal, mais je dois partir.

Je me suis levée, l'ai embrassé sur la joue et j'ai dit :

— Joyeux Noël.

Il n'a rien répondu.

À la maison, j'ai dû affronter un barrage de questions de la part des amis et de ma famille. Tous pensaient que j'étais devenue folle. Mes parents n'étaient plus eux-mêmes. Dans leur recherche d'arguments pour me faire entendre raison et pour que je retourne vers Dave, ils en avaient oublié les préparatifs de Noël.

— Jacky, que pouvons-nous faire pour te faire changer d'avis ?

— Tu es en train de faire la plus grosse bêtise de ta vie.

— J'ai perdu ma fille unique.

— Tu es irresponsable, immature, il serait temps que tu grandisses un peu.

Naturellement, tous ces arguments n'ont fait que renforcer mes positions, mon amour pour Omar et ma décision de l'épouser.

La veille de Noël, j'étais assise dans le living à regarder les décorations jetées en désordre sur la cheminée et les étagères. J'ai mesuré combien la situation rongeait mes parents. D'habitude, maman adorait décorer la maison pour Noël et était très fière de tout disposer de façon originale pour donner un air de fête.

Dans toute la maison, on trouvait des photos de moi à différents âges de ma vie. Mes parents étaient si fiers de moi… Ils n'avaient que moi. Mais, si je prenais la décision de rester, ce qui était assez tentant à présent que j'avais retrouvé mon petit confort anglais, je ne pourrais m'empêcher de me demander ce qu'aurait pu être ma vie ailleurs, et ne serais jamais satisfaite avec ce que l'Angleterre pourrait m'offrir.

C'est dans une ambiance chargée d'émotion et de tension que, le jour de Noël, nous avons déballé les cadeaux et pris le repas traditionnel de fête. J'ai vu mon père se servir un deuxième brandy, ce que je ne l'avais jamais vu faire auparavant.

— Maman, papa, je sens bien toute la peine que vous avez. Je ne m'attends pas à ce que vous occultiez ce qui se passe. Mais, si vous essayiez au moins d'accepter la situation, elle deviendrait plus supportable.

— Nous nous ferons toujours du souci pour toi, en Égypte ou en Angleterre. Jacky, je t'en prie, dis-nous que tout cela n'est pas vrai. Ton père a le cœur brisé.

— Maman, j'aime Omar et je veux vivre avec lui. Il faut que je le fasse, que je suive l'appel de mon cœur. Omar sait me combler de bonheur.

— Jusqu'à présent peut-être, m'a coupée papa, mais que va-t-il arriver quand les premiers élans du cœur vont disparaître? Que te restera-t-il? Rien qu'un affreux cauchemar, fais-moi confiance. Tu es en train de commettre une grosse erreur, Jacky. Tu as toujours été une fonceuse, une qualité que ta mère et moi avons toujours appréciée chez toi, mais ce…

Sa voix s'est brisée et il est resté la tête entre les mains, incapable de terminer sa phrase. Il a tout de même murmuré:

— Ta mère et moi, nous t'aimerons toujours.

— Moi aussi, je vous aime, et je suis désolée de vous faire tout ce mal. Je suis certaine que nous trouverons les moyens de venir vous voir et que vous pourrez nous rendre visite. Qui sait? Peut-être déciderons-nous de nous établir en Angleterre?

— Jacky, je t'en prie, ne nous abandonne pas, a fait ma mère en éclatant en sanglots. Réfléchis, ma chérie. Il doit y avoir une solution.

Elle m'a embrassée et j'ai vu mon père détourner le regard, le corps secoué de sanglots.

— Sans toi, notre vie perd tout son sens, a-t-il dit en pleurant avant de se moucher bruyamment.

— Papa, je t'en prie, ne pleure pas. J'écrirai souvent. Nous pourrons nous téléphoner. Ce sera comme si je travaillais encore chez Kodak, sauf que je serai plus loin.

— Ça fait une sacrée différence, a-t-il grommelé, peu convaincu.

Il était inutile de vouloir les rassurer, je m'en suis bien rendu compte. Tout comme, de leur côté, c'était peine perdue d'essayer de me faire changer d'avis.

Une semaine plus tard, je les ai embrassés à l'aéroport.

— Ça va aller, vous allez voir. Vous serez fiers de moi, leur ai-je assuré avant de les embrasser pour la dernière fois.

Quand je me suis retournée pour pousser mon chariot à bagages, ma mère a étouffé un sanglot et je l'ai entendue murmurer :

— Mais nous sommes déjà fiers de toi.

Je les ai regardés à nouveau. Ils avaient toujours été heureux ensemble, depuis le jour de leur rencontre. Tout ce que je désirais, c'était vivre la même chose avec Omar. Ils ignoraient à quel point je les admirais et leur faisais confiance, probablement encore plus que je ne pouvais moi-même m'en rendre compte.

On a appelé les passagers à destination du Caire. Je me suis retournée. Une grande aventure allait commencer, après toutes ces larmes. Au fond de moi, j'étais heureuse et excitée.

15

Retour sur terre

Quand l'avion a touché le sol du Caire et qu'il a fallu descendre, une grande impatience m'a envahie. J'avais hâte de revoir Omar pour être avec lui. Pour des jours, des semaines, des mois. J'essayais d'imaginer son visage mais les détails étaient flous. Seuls ses yeux s'étaient fixés dans ma mémoire.

— Excusez-moi, *shokran, shokran,* merci.

J'ai joué des coudes en me frayant un chemin vers la sortie de l'appareil, en me servant de l'unique mot d'arabe que j'avais appris. Comme je dévalais l'escalier métallique qui menait à l'intérieur de l'aéroport, l'appréhension, et même la peur, ont soudain remplacé l'impatience. Ma confiance en moi est tombée en chute libre. Et s'il avait oublié les traits de mon visage? Et s'il avait oublié nos promesses? Allait-il être là pour m'accueillir? N'avait-il pas changé d'avis nous concernant?

J'ai franchi le contrôle douanier et c'est les idées très confuses que je me suis dirigée vers le tapis déversant les bagages. Pourquoi n'avais-je pas envisagé cela avant? Nous étions le premier de l'an et j'avais quitté l'Égypte depuis trois semaines. Nous n'avions passé que quinze jours ensemble, Omar et moi. Peut-être avait-il eu le temps de repenser à l'énormité de ce que nous avions fait et qu'il ne voulait plus de moi?

En voyant mes trois grosses valises et mon bagage à main entassés sur le chariot, le douanier m'a fait signe de passer sans me poser la moindre question. En me frayant un chemin dans la foule, j'ai imaginé un plan d'action.

OK, s'il n'y a personne pour m'accueillir, je vais attendre une demi-heure, puis je mettrai ces bagages à la consigne et essaierai de trouver un vol pour rentrer en Angleterre. Et cette fois, je n'en partirai plus.

— Jacky! Jacky! Par ici!

— Jacky, *habibti, habibti,* bienvenue au pays.

J'ai levé les yeux, interloquée. M'appelant, me faisant des signes, toute la famille m'attendait à l'extrémité de la salle, derrière le cordon de sécurité. J'ai aussitôt reconnu le visage souriant d'Omar et ses beaux yeux bruns. J'ai couru vers lui pour enfouir mon visage dans ses cheveux et lui murmurer des mots d'amour à l'oreille, reconnaissant l'odeur familière de ses vêtements imprégnés de Paco Rabanne.

Mama m'a attirée à elle de façon un peu brutale pour me couvrir de baisers, puis nous nous sommes tous entassés dans la Peugeot. Je me suis assise sur les genoux d'Omar, un bras autour de son cou. Succombant à l'enthousiasme collectif, j'ai souri et fait un signe de tête à chacun.

Eh bien voilà, j'y suis. C'est ici que j'habite à présent, me suis-je dit.

Par la fenêtre de la voiture, j'ai regardé deux femmes habillées de *millaya* noires, qui, pieds nus, portaient d'énormes bouteilles de gaz sur la tête. D'autres femmes étaient assises sur le bord de la route et vendaient des légumes. Certaines, assises dans la poussière, discutaient en allaitant leur bébé. Un gamin, qui devait avoir dans les trois ans, allongé sur sa mère, suçotait un sein alors qu'un nouveau-né tétait le second. Cela m'a paru étrange. Ces femmes, auxquelles on demandait d'être couvertes de noir de la tête aux pieds, dévoilaient leur poitrine en public pour donner le sein à leur progéniture.

Je me suis à nouveau intéressée aux bavardages qui se tenaient dans la voiture, sans en comprendre le moindre mot. J'ai souri et serré la main d'Omar. J'avais hâte de l'embrasser mais il fallait attendre d'être seuls. J'ai à nouveau regardé par la fenêtre pour me perdre dans mes pensées. En Angleterre, j'aurais pu embrasser mon mari où bon me semblait, mais nous étions en Égypte. Il me fallait respecter les coutumes de mon pays d'adoption.

Je vais m'y habituer, la vie ne peut pas être si différente, c'est impossible.

Je n'aurais pas pu me tromper davantage.

La famille était de toute évidence ravie et excitée de me revoir. Ils ne m'avaient pas oubliée, au contraire : je leur avais manqué. À notre arrivée à l'appartement, j'ai été l'objet de toutes les attentions. On m'a serrée, embrassée, gavée de Seven Up et de gâteaux. Ils ont harcelé Salma pour qu'elle traduise toutes leurs questions sans jamais attendre mes réponses. Ils ont même éteint la télévision : un véritable honneur.

L'appel du muezzin a mis un terme aux effusions : tous les membres de la famille se sont préparés à la prière, et sont ensuite restés dans leurs chambres pour faire une sieste. Omar et moi pouvions enfin nous retrouver seuls.

Mohamed avait été relégué dans la chambre de Salma et hérité du lit d'appoint. Nous avions une chambre pour nous tout seuls. Une djellaba m'attendait, posée sur le lit. Elle était d'un très joli bleu pâle, couleur de ciel de beau temps, avec de fines mailles blanches sur les manches et le col. À l'intérieur de la maison, les femmes peuvent oser tout ce qu'elles veulent en matière de couleur, au contraire des hommes, qui ne portent que du blanc.

Omar m'a serrée dans ses bras et m'a embrassée, passant ses mains dans mes cheveux, enfouissant son visage dans mon cou, tout en me parlant à la fois gentiment et avec précipitation. J'étais aux anges. C'était l'homme le plus fabuleux que j'avais jamais vu, et il était là, à me dire qu'il m'aimait, m'ôter ma djellaba et me faire l'amour. Ç'a n'a pas été bon ; ça a été incroyable. Nous étions vraiment faits l'un pour l'autre.

— Viens, allons nous doucher.

— Vas-y, toi. J'irai plus tard.

— Non, ma chérie. Il est écrit dans le Coran que l'on doit se laver immédiatement après avoir fait l'amour. Il faut aller se doucher et se laver, maintenant.

— Excuse-moi, je ne savais pas.

— Allons-y ensemble, sans faire de bruit.

Enveloppés dans des serviettes, nous avons traversé le sombre couloir jusqu'à la salle de bains qui se trouvait à l'extrémité. La cascade d'eau froide m'a réveillée. Omar a pris le savon et a commencé à me laver. J'ai tressailli et me suis tendue pour l'embrasser, lui prenant le savon des mains pour lui faire la même chose.

Nous sommes vite retournés dans notre chambre. Il a pris une cigarette, une Cléopâtre, la marque locale. Je me suis allongée sous le dessus de lit, radieuse de bonheur.

J'ai vraiment trouvé mon âme sœur, ai-je pensé. Je l'aime tellement, je suis tellement en harmonie avec lui que j'en ai des papillons dans l'estomac rien que d'y penser.

Ce premier soir, des oncles, des tantes et des cousins nous ont rendu visite, pressés de me souhaiter la bienvenue au sein de leur famille. Ils semblaient tous contents de me voir, chacun essayant de s'asseoir à mes côtés pour m'apprendre tel ou tel mot d'arabe. Magda a mis de la musique orientale et les convives ont commencé à taper en rythme dans leurs mains. Les épouses et les filles ont attaché une ceinture de coton autour de leur taille et ont commencé à danser en se déhanchant, à l'orientale. Elles ont levé les bras et tourné les mains dans tous les sens, parfois en se penchant pour agiter leur poitrine en cadence avec la musique. La scène me fascinait, mais je n'ai pas voulu y participer quand elles m'ont invitée.

La soirée, qui avait été un grand succès, s'est terminée vers minuit. Je m'étais vraiment amusée, leur accueil était vraiment chaleureux.

De retour à notre chambre, Omar et moi nous sommes glissés sous le dessus-de-lit. On avait ôté les draps.

— Que vas-tu faire demain ? Et moi, que vais-je faire à présent que je suis ta femme ?

— Demain ? Je vais aller à l'université. Puis j'irai à l'atelier de mon père pour me faire un peu d'argent. Toi, tu vas rester pour aider Mama. Quand je reviendrai, nous irons nous promener jusqu'au pont et nous irons prendre un verre.

Il m'a embrassée gentiment pour me rassurer.

— Ne t'en fais pas, *habibti*. Nous sommes ensemble, à présent. C'est tout ce que je voulais, pouvoir rentrer chaque soir à la maison auprès de ma charmante épouse, *marati*. Tu vas être bien ici, avec Mama.

J'étais là, à écouter le brouhaha permanent de la circulation pendant qu'Omar dormait paisiblement en m'enlaçant.

C'est le début de ma nouvelle vie, ai-je pensé.

16

Premiers accrocs

La famille m'avait accueillie chaleureusement, mais s'attendait à ce que je m'adapte automatiquement au mode de vie local, sans le moindre compromis. Au début, cela n'a pas été un problème, parce que j'avais soif d'apprendre et envie de prouver à tout le monde, y compris à moi-même, que je pouvais y arriver. Je voulais absolument me fondre dans le moule.

J'ai fini par apprendre que toutes les excursions auxquelles j'avais été invitée n'avaient rien d'habituel. Salma et Magda, par exemple, n'étaient jamais allées visiter les pyramides auparavant. Une sortie d'une journée, pour des filles, demeurait l'exception, ce qui expliquait l'enthousiasme qu'elles avaient montré. Leur quotidien était très ordinaire et, si elles n'avaient pas dû aller à l'école et à l'université, elles seraient restées entre les quatre murs de l'appartement des semaines entières.

Il m'est apparu que, si on avait besoin de quoi que ce soit et qu'un homme se trouvait à la maison, c'était lui qui sortait faire la course. Comme l'appartement se situait au rez-de-chaussée, les fenêtres qui donnaient sur la rue s'ouvraient juste au-dessus de la tête des passants. Il était donc hors de question de prendre le soleil. De toute façon, ils l'avaient tous en horreur et les persiennes étaient maintenues fermées ou ouvertes au minimum, de façon à ne laisser pénétrer qu'un mince rayon. Ils vivaient dans la pénombre permanente.

En tant que femme égyptienne, je devais faire ma part de travail : par exemple, laver le sol avec les pieds et de vieux sacs à patates trempés dans un seau d'eau, puis enlever le surplus d'eau avec une lame de caoutchouc équipée d'un long manche à balai, comme on en utilise pour laver les vitres.

La salle de bains possédait une baignoire, un lavabo, des toilettes et une douche. C'est dans le lavabo que la famille se lavait les pieds avant de prier. La baignoire n'était en fait qu'une machine à laver. On ne l'utilisait que pour tremper et laver les draps et les serviettes. Personne n'y avait jamais pris le moindre bain.

Un jour qu'il faisait tout particulièrement chaud et moite, j'ai fait une tentative auprès de Salma et abordé ce sujet sensible.

— Salma, crois-tu que je pourrais prendre un bain aujourd'hui ?

— Bien sûr, Jacky. Pourquoi poses-tu la question ? Tu peux te doucher quand tu veux.

— Non, je voudrais prendre un vrai bain.

Il y a eu un bref silence pendant lequel Salma a réfléchi. Puis elle m'a prise par la main et emmenéE dans la chambre de Papa, qui regardait la télé avec Mama et Magda.

— Vous n'allez jamais le croire, mais Jacky vient de me demander si elle pouvait prendre un bain.

Ils en ont oublié la télé. Magda se tenait les côtes et hurlait de rire tandis que Mama, hilare, se penchait contre Papa qui me regardait en gloussant.

Ce n'est plus la peine de regarder les comédies à la télé, me suis-je dit, *vous avez votre propre comique à la maison. Tout ce que j'ai à faire pour les rendre hystériques, c'est de demander si je peux prendre un bain.*

— Mais quelle idée de vouloir t'asseoir dans ton eau souillée quand tu peux prendre une douche pour te laver ? a dit Salma, tout sourire, en quittant la pièce.

Bien sûr, c'était là une question idiote, une pensée délirante que d'imaginer que la baignoire ait pu servir à prendre un bain ! Il me faudrait montrer plus de discernement, à l'avenir.

La douche se trouvait dans le fond de la salle de bains. Il y avait un gros robinet situé à bonne distance du sol, mais pas de porte ou de rideau d'aucune sorte, et un tuyau d'évacuation. Ce qui signifiait que, à chaque fois qu'on utilisait la douche, on éclaboussait tout le carrelage. Et il n'y avait pas d'eau chaude. Les hommes utilisaient également la salle de bains mais ne la nettoyaient pas. Il incombait aux femmes d'éponger et d'essuyer derrière eux avec les deux sacs puants qui pendaient sur un fil au-dessus de la baignoire. L'odeur nauséabonde d'humidité qu'ils dégageaient ne quittait jamais la pièce.

Les toilettes : il n'y avait pas de siège, seulement un trou au milieu d'un périmètre blanc et carrelé équipé de deux emplacements pour poser les pieds. C'était extrêmement difficile d'utilisation.

Un mince tuyau commandé par un robinet mural sortait de la cuvette. Il produisait un jet d'eau dont on se servait pour se laver – avec la main gauche – quand on avait terminé ses besoins. La famille d'Omar trouvait que les Européens étaient des gens sales qui s'essuyaient les fesses avec du papier. Ils considéraient la méthode égyptienne comme beaucoup plus hygiénique.

Mais la véritable corvée, pour les femmes, restait la préparation des repas. C'était un travail énorme qui pouvait prendre des heures.

Pour aller acheter des provisions dans les petites boutiques du quartier, il fallait s'habiller avec soin, se coiffer et se maquiller. Mais, pour se rendre au souk, il était d'usage d'enfiler une djellaba noire et de mettre un foulard à fleurs sur la tête, afin de passer pour une miséreuse, une *baladi*, et de cette façon pouvoir marchander et acheter les légumes à bon prix.

La nourriture était toujours recouverte de poussière et devait être rincée plusieurs fois. On ne mettait jamais les légumes à bouillir, ce qui aurait été trop simple. Il fallait les éplucher, les trancher et les relever d'une purée de tomate, de jus de citron ou d'ail. On pliait les feuilles de chou, et on enduisait les choux-fleurs de beurre avant de les faire frire.

Tout cela était nouveau pour moi et le résultat final peu probant. Je ne parvenais pas à me faire au goût de la nourriture, tout particulièrement à ce légume à feuilles vertes supposé être l'un des préférés des Égyptiens, le *mollogheya*. Après l'avoir copieusement rincé, on devait le trancher sur une planche à découper, à l'aide d'un couteau à deux manches et à la lame courbe, pour en faire une bouillie collante. Il fallait une éternité pour arriver à ce résultat. Quand je m'y suis essayée, j'ai eu l'impression que j'allais y laisser mes poignets. Mama a pourtant semblé satisfaite du travail. Ensuite le *mollogheya* devait être cuit dans une casserole avec de l'ail et de l'eau, jusqu'à ce qu'il devienne un brouet vert et visqueux. On le mangeait avec du riz ou simplement enveloppé dans des morceaux de pain.

Mais le travail le plus fastidieux, et de loin, demeurait le lavage du riz. Les sachets, faciles à cuire, étaient inconnus ici. Chaque jour, il fallait verser la quantité souhaitée dans une grande passoire et le tamiser afin d'en séparer les cailloux, les cuticules et les insectes morts. Cela prenait au moins une heure. Puis le riz était rincé, entre dix et douze fois, jusqu'à ce que l'eau reste claire. Là, seulement, il était prêt à être cuit. C'était une tâche éreintante, fastidieuse et ingrate, que je haïssais.

Certes, préparer les repas cassait le rythme des journées interminables. Mais j'aurais aimé pouvoir m'habituer au goût de la nourriture.

Omar partait pour la journée. Il semblait content que la famille m'ait prise sous son aile. Très occupé entre l'université et l'atelier de son père, il faisait des études de bibliothécaire à l'issue desquelles il avait prévu d'aller travailler avec son père et ses frères. Je me suis donc demandé à quoi lui servirait son diplôme. Sans doute parce que les femmes ne sont pas autorisées à poser des questions à leur mari, je ne le lui ai jamais demandé. En Égypte il n'existait pas de bourses d'études, ce qui signifiait que l'étudiant, avant son entrée dans la vie active, dépendait des membres de sa famille jusqu'à la fin de son cursus.

La nouveauté du quotidien a vite cessé de me passionner. Omar me manquait terriblement. De plus, nous n'étions jamais seuls.

— Omar, est-ce que cela va être long avant que nous ayons notre propre appartement? On ne pourrait pas aller le visiter? C'est loin d'ici?

Je le pressais constamment de questions. Je voulais qu'il me dise que nous allions déménager dans un endroit à nous. Et puis, un jour, il est rentré tout sourire, a pris mes mains et y a déposé une petite boîte.

— J'ai travaillé dur pour ça. Essaie la tienne; après, nous nous changerons. Je veux t'emmener voir notre appartement.

Avec lenteur, j'ai ouvert la boîte rouge foncé. Deux alliances s'y trouvaient nichées.

— Elles sont belles, n'est-ce pas?

J'ai glissé la bague à son doigt, puis il a fait de même pour moi. Quelques minutes plus tard, je m'étais changée et nous roulions vers notre appartement d'Embaba.

— Quand nous habiterons là-bas, quand tu sortiras, tu devras te couvrir les cheveux d'un foulard. La plupart des gens du quartier n'ont jamais vu de blonde. Tiens, mets ça.

Il m'a donné un foulard noir que j'ai mis sur la tête et le cou pour masquer chaque pouce de mes cheveux blonds.

La route était loin d'être aussi bonne que celle qui passait devant l'appartement de la famille. Bosselée, poussiéreuse, il y circulait de nombreuses charrettes tirées par des ânes, pauvres créatures faméliques que les conducteurs frappaient régulièrement. Nous avons ensuite quitté cette route sans nom pour prendre un chemin de traverse qui avait tout d'une piste de terre, avec des maisons faites de bric et de broc et des immeubles à peine terminés auxquels il manquait des briques et dont la peinture s'écaillait. C'était donc ça, Embaba, à coup sûr le quartier le plus déshérité du Caire qu'il m'avait été donné de voir.

Pieds nus, en pyjama, des enfants, sales, aux dents jaunes, couraient ici et là. La plupart d'entre eux avaient des mouches dans les yeux et sur le visage, qu'ils ne prenaient pas la peine de chasser. Quand nous sommes arrivés, ils ont entouré la voiture, portant un intérêt à tout ce qui pouvait casser l'ennui de la journée.

À ma grande surprise, au lieu de leur sourire et de leur parler, Omar a pris un regard dur et leur a hurlé de dégager. Il a en même jeté un à terre. Ils ont tous déguerpi de l'autre côté de la rue, certains se réfugiant dans l'obscurité des immeubles pour mieux observer.

— Viens, montons, m'a dit Omar en anglais en me montrant un escalier poussiéreux.

— Pourquoi les as-tu traités ainsi? Ce ne sont que des gosses. Ils ne faisaient rien de mal.

Omar s'est arrêté et s'est retourné pour me regarder.

— Jacky, tu ne connais rien à ces gens-là. Ce sont des moins-que-rien. Il faut leur apprendre le respect. Ils doivent m'écouter. Je sais ce que je fais en leur parlant comme ça. Et ne me pose plus jamais ce genre de question.

Je l'ai regardé en ayant très envie de rire, mais mon sourire a disparu en même temps que son regard s'est assombri. Omar était on ne peut plus sérieux.

Nous sommes montés au quatrième étage. Il y avait deux portes de chaque côté de l'escalier.

— Ici, ce sera l'appartement de Tarek et Mervette, a expliqué Omar. Et là, ce sera le nôtre, a-t-il ajouté en tournant la clé dans la serrure.

J'avais été un peu choquée de sa réaction envers les enfants. En entrant dans l'appartement, l'impression a disparu.

La porte ouvrait sur une grande pièce au fond de laquelle se trouvait un renfoncement. C'était le salon, ou la pièce de réception, comme l'appelait Omar. Sur la gauche, deux portes donnaient dans les chambres, la plus petite disposant d'un minuscule balcon. Des briques, des planches et des pierres étaient entassées ici et là, et aucune des fenêtres n'avait encore été installée.

Tout était poussiéreux et il faisait incroyablement chaud. Mais ça n'avait pas d'importance. J'étais très excitée de voir enfin ce qui serait notre demeure, après avoir passé tout ce temps dans l'appartement de famille, à imaginer à quoi elle pouvait bien ressembler. D'un coup, je me suis sentie regonflée d'espoir dans l'avenir.

— C'est merveilleux, Omar. Plus grand que je ne pensais. Et qu'y a-t-il par là ?

Il s'agissait d'un minuscule couloir qui prenait naissance dans le fond du salon. Il conduisait à une petite salle de bains sur la droite et à une pièce sur la gauche.

— Ce sera la cuisine. En bas, Papa a construit un petit atelier où ses ouvriers vont fabriquer des placards de cuisine pour tous les appartements. Mais il faudra garder de la place pour le frigo et la gazinière.

J'ai acquiescé et inspecté la petite salle de bains : un lavabo, des toilettes et une douche, ainsi qu'une fenêtre ouvrant sur le centre du bâtiment.

— Si tu le souhaites, je peux faire ajouter une baignoire sous la douche.

— Oh oui, j'adorerais ça. Merci.

Je me suis levée sur la pointe des pieds pour l'embrasser avant de demander :

— Quand crois-tu que ça sera fini ?

Bientôt, *habibti*, bientôt.

Je suis allée sur le balcon de la deuxième petite chambre.

— Rentre à l'intérieur. Immédiatement ! a crié Omar.

En un éclair, il a été près de moi. Il m'a serré le bras et entraînée à l'intérieur de la pièce.

— Mais tu veux que tout le monde te voie, c'est ça ? Tu veux qu'on sache ce qu'on fait ici ? Je t'interdis de te montrer comme ça.

Il m'a arraché le foulard noir que je tenais à la main pour me le lancer à la figure. Le foulard est tombé par terre. Je me suis baissée tout doucement pour le ramasser. Omar me regardait, les yeux emplis de colère. J'ai soudain changé d'avis et décidé de laisser le foulard par terre.

— Écoute, c'est stupide. Nous sommes dans notre futur appartement et tu me demandes de porter ça, ai-je dit en montrant le foulard. D'abord, il fait trop chaud. Et qu'est-ce que cela fait si les voisins me voient, je te le demande ? Allez, ne monte pas sur tes grands chevaux, calme-toi et reprenons la visite.

J'ai tourné les talons en laissant le foulard là où il l'avait jeté, me dirigeant vers la pièce voisine.

— Viens, Jacky, allons-nous-en, a-t-il dit depuis l'entrée.

— Mais je n'ai pas terminé.

— Nous partons. Maintenant !

Le voyage de retour a été très tendu. Aucun de nous deux n'a parlé.

Je l'ai vraiment fâché. Je devrais faire plus attention. Tout ce que j'avais à faire, c'était de mettre ce foutu

135

foulard. Qu'est-ce qui m'a pris de me rebeller ? J'ai réussi à tout gâcher.

Il m'a déposée à l'appartement de ses parents mais n'est pas monté. J'ai entendu les pneus crisser quand il a redémarré. Il ne m'a même pas dit au revoir. Je suis allée dans notre chambre et me suis jetée sur notre lit, en sanglotant.

Lorsque Omar est finalement rentré, il m'a enlacée et dit :

— Jacky, ma Jacky, je t'aime de tout mon cœur. Pourquoi te rebelles-tu ainsi contre moi ?

— Tu me pardonnes ? ai-je demandé en m'appuyant contre lui. Je ne voulais pas te mettre en colère. Je vais faire des efforts pour être une bonne épouse. Je suis vraiment désolée.

Ce soir-là, au lit, je me suis montrée beaucoup plus passive que d'habitude. J'ai laissé Omar me faire l'amour. J'avais l'esprit encombré d'émotions contradictoires : mes sentiments pour lui, la culpabilité de l'avoir énervé, la colère contre mon manque de tact, le regret de constater que l'on se disputait déjà alors que nous venions tout juste de nous marier. Après sa douche, Omar est venu s'allonger et fumer à mes côtés. Il semblait à nouveau heureux.

— Tu sais, chérie, je me sens vraiment bien. Ça n'a jamais été aussi bien pour moi. Tu es si belle.

Alors qu'il s'était endormi, je suis restée allongée, à repenser aux événements de la journée.

Tu vas devoir faire de plus gros efforts, me suis-je dit. *Et n'oublie pas qu'au lit, tu ne dois plus être aussi dominatrice.*

17

Retour à l'école

Les jours se sont rapidement enchaînés les uns aux autres pour créer la routine de la vie. J'ai fourni de gros efforts pour apprendre l'arabe, écrivant chaque jour de nouveaux mots et les utilisant à la première occasion. L'alphabet était totalement différent et j'écrivais les mots phonétiquement, privilégiant la prononciation. Cela m'a beaucoup aidée et, au bout de quelques semaines, j'ai pu faire des phrases simples et poser les questions de base, utiles à la vie de tous les jours.

Cela a beaucoup plu au reste de la famille. L'anglais les intéressait aussi et j'ai commencé à le leur apprendre, de la même façon qu'ils m'apprenaient l'arabe. J'ai souvent aidé Salma à faire ses devoirs du soir et elle m'a montré des livres présentant l'alphabet arabe. Chaque lettre est écrite différemment suivant qu'elle se trouve au début, au milieu ou à la fin d'un mot. Pour couronner le tout, la langue des livres et des journaux est celle de l'arabe classique, totalement différente de la langue de la rue. Ainsi, même si j'arrivais à déchiffrer les lettres d'un mot dans le journal, je n'avais pas la moindre idée de sa signification.

Environ un mois après que nous fûmes allés visiter l'appartement, Omar est entré dans la chambre pendant que j'écrivais une lettre à mes parents.

— Mais que fais-tu, Jacky ? Pourquoi n'es-tu pas assise avec les autres à regarder *Tamsalaya* à la télé ?

— J'écris à mes parents. Je me sens fatiguée. J'ai appris à préparer le *koshari* aujourd'hui. Et puis j'ai lavé les carrelages et j'ai très mal au dos.

— Ça t'embête si je vais voir la télé ?

— Bien sûr que non. Je viendrai vous retrouver quand j'aurai fini.

J'ai soupiré. Je me sentais vraiment fatiguée, crevée de vivre jour après jour sans rien avoir d'intéressant à raconter à Omar quand il rentrait à la maison. L'ennui s'était installé en moi. Je ressentais le besoin de remplir ma vie avec autre chose que des tâches ménagères. Et puis ça m'est venu. Je me suis souri à moi-même en allant dans la chambre du fond pour demander à Omar d'en sortir.

— On ne pourrait pas aller se promener ? J'ai besoin de prendre l'air et de parler.

Assis sur le muret près du fleuve, nous mangions du maïs en buvant un Coca.

— Ça avance, les travaux à l'appartement ? Ils ont posé les fenêtres ?

— Pas encore, mais ils vont le faire… bientôt.

— Tu travailles beaucoup, nous nous voyons à peine. Et, quand tu rentres, tu es crevé.

— Nous avons besoin d'argent. C'est pour nous que je fais ça. Un jour, nous aurons tout ce qu'il nous faut.

— Que dirais-tu si je cherchais un emploi pour compléter ta paye ? Je pourrais enseigner l'anglais dans une école anglaise, ou dans une école privée. C'est interdit aux Égyptiennes de travailler ?

Là, Omar s'est raidi, visiblement surpris de ma suggestion. J'ai pris ma respiration et ajouté :

— Évidemment, si ça ne te plaît pas, je n'en parlerai plus. Je veux être une excellente épouse.

Quand j'ai dit ça, son visage s'est détendu. Il a réfléchi avant de donner sa réponse.

— Tu es la meilleure épouse du monde. Ton idée est excellente. Je vais en parler à mon ami Hesham, il connaît quelqu'un dont le fils fréquente une école anglaise.

J'étais aux anges. Je l'ai embrassé.

Pas mal joué, me suis-je félicitée, *il faut lui donner l'impression qu'il contrôle la situation. Ainsi, je pourrai arriver à mes fins.*

Le lendemain, nous sommes donc partis voir Hesham. C'était lui qui m'avait aidée à me relever dans la rue avec Omar, lorsque j'étais tombée du bus. C'était bon de le revoir après ces quelques mois en Égypte, qui me semblaient des années. Il nous a reçus dans son salon. Content de nous voir, il m'a serré la main :

— *Mabrouk.*

— *Shokran, Hesham,* ai-je répondu en souriant.

Quand sa mère est apparue, la tête voilée, je me suis levée pour la saluer d'un : *Alhan, alhan, ezayik.*

Son visage s'est éclairé. Elle m'a retourné le salut, a apporté le thé, les gâteaux et les douceurs. Elle s'est assise à côté de moi et m'a pris la joue en souriant tellement que j'ai remarqué ses trois dents en or.

Quand elle nous a laissés, Hesham m'a expliqué que ce qu'elle m'avait dit était un compliment, qu'elle m'avait appelée « ma jolie » et m'avait comparée à de la crème, une autre façon de dire qu'elle m'aimait bien. J'ai avalé le thé noir et sucré sans broncher alors que les deux hommes discutaient de mon projet.

— Hesham va nous accompagner à l'école pour nous présenter. La directrice est anglaise. Ça te va comme ça, chérie ?

— Bien sûr que ça me va. Quand y allons-nous ?

— Maintenant.

La mère de Hesham m'a vigoureusement embrassée sur les deux joues et fermement serré le bras. Elle avait la peau ridée et elle sentait légèrement l'ail. Elle n'avait guère plus de quarante ans mais semblait déjà usée par la vie.

— *Maasalam benti, maasalam.*

L'école était installée dans une ancienne villa, et la directrice semblait contente de me voir. Après que Hesham nous a brièvement présentés, elle a serré la main d'Omar et nous sommes partis nous installer dans son bureau.

— Alors, depuis combien de temps êtes-vous au Caire?

Cela faisait si longtemps que je n'avais pas parlé avec une compatriote!

Mme Sellar et son mari, Georges, vivaient au Caire depuis cinq ans. Ils y étaient venus pour être plus près de leur fille, qui avait épousé un Égyptien. Ils avaient acheté la villa et ouvert une école un an après leur installation. Les élèves étaient, pour la plupart, des enfants de riches familles égyptiennes. Des professeurs locaux enseignaient la géographie, l'histoire et la religion en arabe tandis que des Britanniques enseignaient leur propre langue, les maths et les sciences dans leur langue natale.

En faisant le tour de l'école, j'ai expliqué à Omar ce qui se disait. Quand elle nous a entendus parler français, la directrice s'est soudainement retournée.

— Vous parlez français? J'ai un poste vacant de professeur de français. Si vous étiez d'accord, j'aimerais beaucoup que vous enseigniez cette langue.

Nous sommes retournés à son bureau où elle a demandé à ce que l'on nous apporte le café. Ma réaction face à une tasse de café au lait sucrée l'a amusée.

— C'est du Nescafé d'Angleterre. Une ancienne institutrice qui nous envoie des produits de chez nous. Je suppose que vous apprécierez cette tasse de café instantané.

— Vous ne pouvez pas savoir à quel point.

Je n'avais jamais été très portée sur le café, mais cette dégustation, après tant de tasses de thé trop sucré, a été un pur délice.

Ç'a été un choc lorsque nous avons finalement parlé du salaire. En tant que citoyenne britannique, si j'avais été mariée à un Anglais travaillant pour une compagnie du Caire, j'aurais gagné trois cents livres égyptiennes par mois. En tant qu'épouse d'un Égyptien, mon salaire ne s'élèverait qu'à cinquante-quatre livres, car tel était le statut de la femme en Égypte. Je me suis demandé comment, avec un tel salaire, nous parviendrions à nous débrouiller quand nous aurions déménagé.

Après avoir discuté de l'emploi du temps, Mme Sellar m'a concrètement offert le poste, et Omar a semblé satisfait de me voir l'accepter. On m'a prié d'assister à une réunion dès le lendemain. Fort heureusement, le car de ramassage scolaire passait devant l'appartement.

Le lendemain, j'ai vu arriver le minibus à l'heure prévue. C'était M. Sellar qui conduisait. Il y avait déjà des enfants à bord, qui ont souri et m'ont montrée du doigt.

— Bonjour, les enfants, bonjour, monsieur Sellar.

— Bonjour. Appelez-moi Georges, tout le monde m'appelle comme ça, a-t-il dit en souriant et en désignant les enfants de la tête. Ils sont trop timides pour s'adresser à vous pour l'instant. Mais vous verrez, quand vous les connaîtrez, que ce sont de charmants gamins.

Il s'est arrêté à plusieurs reprises pour prendre des groupes d'élèves qui tous me fixaient en passant à mes côtés avant d'aller s'asseoir. J'ai remarqué qu'ils étaient bien différents des autres enfants que j'avais pu voir en Égypte. Ils portaient de jolis cartables et des boîtes qui contenaient leur déjeuner. Leurs ongles étaient propres, ils sentaient le shampooing et le savon. Les filles avaient les cheveux brossés, soigneusement coiffés et décorés de pinces et de rubans. Mais ce qui frappait le plus, c'était leurs dents, qu'ils montraient constamment en me souriant. Chacun d'eux avait deux rangées de dents d'un blanc éclatant qui tranchaient avec celles des enfants d'Imbaba, des rues ou des souks. J'ai repensé à ces pauvres gosses en guenille et excités qui s'étaient rassemblés autour de notre voiture, et à ce petit garçon qu'Omar avait brutalement jeté à terre et qui avait déjà perdu certaines de ses dents.

Arrivés à l'école, les enfants sont sortis du minibus à toute vitesse et ont couru vers deux femmes égyptiennes en blouse et voile blanc qui les ont débarrassés de leurs cartables et de leurs boîtes à déjeuner. Puis ils sont allés jouer avant le début des cours. Georges m'a entraînée vers le lieu de la réunion où j'ai fait la connaissance des autres professeurs.

Il y avait cinq femmes d'origine britannique. Judith et Lisa étaient mariées à des Anglais venus au Caire sous contrat avec la firme Rothmans. Au fil de la conversation, je me suis aperçue qu'elles étaient aisées financièrement et vivaient dans de luxueux appartements de Zamalek, un quartier chic de la ville. Chacune d'elles possédait deux voitures de fonction et pouvait se permettre d'aller faire les courses dans les supermarchés. Alors qu'elles n'avaient pas besoin d'argent et que j'avais un impérieux besoin d'en gagner, l'ironie du sort voulait qu'on me donne des miettes et qu'elles reçoivent un salaire nettement supérieur au mien.

Nous nous sommes bien entendues d'emblée. Elles se sont montrées aussi curieuses de mon mode de vie que j'ai pu l'être du leur dans la ville du Caire. Quant à Christine, Karen et Elizabeth, elles étaient comme moi mariées à des Égyptiens. Mais nous n'avons pas eu l'opportunité de discuter, car Mme Sellar est entrée et la réunion a commencé.

L'enseignement était quelque chose de nouveau pour moi, mais je me suis lancée dans l'aventure à corps perdu. Les enfants étaient gentils et enthousiastes et le simple fait de pouvoir avoir une conversation digne de ce nom dans ma langue maternelle était comme une bouffée d'oxygène. Cela ne m'avait pas manqué auparavant, mais j'ai senti alors que ma vie allait être beaucoup plus épanouie.

Après que Georges m'a déposée à la maison, vers 16 heures, j'ai littéralement avalé les marches pour aller tout raconter à la famille. Mais j'ai dû sonner et sonner encore à la porte avant qu'un Mohamed tout endormi ne daigne venir m'ouvrir. L'appartement était plongé dans la pénombre, c'était l'heure de la sieste. Je suis allée à pas de loup dans la cuisine pour me faire du thé et le rapporter dans notre chambre où Omar se reposait. Je l'ai secoué gentiment, je me suis penchée pour mettre mon nez dans son cou et lui caresser les cheveux.

— Je suis de retour. Tu veux du thé ?

Il s'est étiré et redressé, le sourire aux lèvres, puis m'a attirée à lui pour m'embrasser.

— Tu aimes ce travail ? C'est très bien si ma femme travaille dans une école anglaise.

Il s'est levé pour s'admirer dans le miroir et a ajouté :

— Les gens vont nous remarquer.

Je me suis levée à mon tour pour lui donner son thé. J'étais rentrée à toute vitesse pour lui raconter le moindre détail, mais il était évident que cela ne l'intéressait pas.

— Oui, j'aime ce que je fais. C'est bien. Bois ton thé.

— Il faut que tu prépares à manger pour nous. Mama a dit qu'elle ne le ferait pas. Tu dois continuer à être une bonne épouse, même si tu as un travail à l'extérieur, a-t-il laissé tomber avant d'aller prendre une douche.

Je suis donc allée à la cuisine pour m'attaquer à cette fastidieuse tâche de triage, de nettoyage et de rinçage du riz. J'avais mal au dos et je me sentais exténuée. Alors que je retirais les minuscules pierres grises, mon esprit s'est mis à vagabonder, à revivre les événements écoulés de la journée. Cela m'a requinquée immédiatement, et l'avenir m'est à nouveau apparu en rose. Je me suis vue en train d'enseigner ; je nous ai vus, Omar et moi, dans notre propre appartement.

Omar a passé la tête à la porte de la cuisine et m'a dit :

— Après dîner, nous sortirons. Nous irons marcher jusqu'au deuxième pont.

Au fur et à mesure, je me suis accoutumée à mon nouveau travail et j'ai fait plus ample connaissance avec mes collègues. La vie à la maison auprès de Mama m'a paru plus supportable. J'ai repris confiance en moi, et tout a continué à bien se passer avec Omar. J'étais juste très agacée par un perpétuel mal de dos, des migraines et un état permanent de fatigue générale. Certains jours, en rentrant de l'école, je me traînais littéralement pour monter les quelques marches qui conduisaient à l'appartement. Un après-midi, j'ai fini par m'évanouir sur le lit. Quand Omar m'a réveillée, j'ai fondu en larmes.

— Oh, Omar, je me sens vraiment mal. Je suis tout le temps fatiguée, et j'ai constamment mal au dos. Ça ne s'arrête jamais.

— Viens, ma chérie. Mama va te faire du thé. Tu vas aller mieux si tu te reposes un peu. Il faut que je sorte chercher quelque chose. Je serai de retour avant que tu aies terminé ton thé.

J'ai hoché la tête.

— Je suis désolée d'être un tel fardeau.

Il m'a enlacée.

— Mais non, chérie. Tu es formidable.

Après son départ, Mama m'a apporté le thé. Je me suis demandé ce qu'il avait voulu dire et pourquoi ma belle-mère avait eu ce sourire avant de quitter la pièce.

Omar est revenu peu après, un sac en papier à la main.

— Tiens, comme ça, nous serons sûrs.

Dans le sac, il y avait un test de grossesse. Je l'ai regardé, j'ai regardé Omar... Peu à peu, les idées se sont mises en place.

— Tu penses que le mal de reins, la fatigue, ce serait... Oh, mon Dieu!

Il a ri et m'a sortie du lit pour me faire tourner.

— Mais oui, ma jolie petite femme. Tu vas avoir un bébé. Notre bébé.

— Mais, comment as-tu su? ai-je demandé, encore sous le choc.

— Mama sait ces choses-là, a-t-il dit en frappant son nez avec son doigt. Fais le test et après, tu verras qu'elle a dit vrai.

J'ai lu ce qu'il y avait d'écrit sur le côté de la boîte.

— Il faut attendre demain matin. Je te réveillerai pour te dire le résultat avant d'aller à l'école.

— Pas besoin de me dire quoi que ce soit, m'a murmuré Omar en m'embrassant. Je sais déjà.

Toute la nuit, incapable de dormir, j'ai ruminé des idées. Moi? Enceinte? Je venais de me marier. Moi qui étais juste en train de m'adapter à ma toute nouvelle vie, de m'occuper de moi-même, allais-je être prête à m'occuper d'un nouveau-né? Tout cela me faisait un peu peur. J'ai laissé mes mains se promener sur mon ventre. Je n'avais pourtant pas l'impression d'être enceinte. Je souffrais seulement du dos, de ces migraines bizarres, c'était tout.

Mes mains sont remontées vers mes seins. Je les ai doucement palpés. Curieusement, ils m'ont paru très doux. Était-ce là un autre symptôme de grossesse ou l'expression d'un autre mal plus sérieux? Je n'en avais pas la moindre idée.

Après une nuit agitée, je me suis levée à 6 heures et suis allée lire le test dans la salle de bains. Je n'ai pas pris la peine de réveiller Omar. Je me suis fait du thé, me suis habillée et me suis sagement assise en attendant que Georges vienne me chercher. Je me suis concentrée sur mon travail d'enseignante. C'est seulement à la pause de midi que je me suis autorisée à penser à mon mari.

Qu'avait-il ressenti en regardant, sur la chaise posée près du lit, le petit boîtier de plastique avec la ligne bleu clair lui annonçant qu'il allait sans aucun doute être père?

18

Les joies de la grossesse

— Bravo, Jacky, félicitations !

— On peut dire que tu n'as pas perdu de temps.

— Fais le maximum de choses, pendant ces neuf mois. Après, tu seras trop occupée.

— Mon premier, ç'a été le pire, il a hurlé toutes les nuits pendant six mois. Mais je suis certaine que, pour toi, ça se passera bien.

À l'école, les collègues ont toutes été très heureuses quand je leur ai annoncé la nouvelle. Cela a réveillé en elles de nombreux souvenirs de grossesse, de naissance et de maternité, qu'elles m'ont racontés avec force détails.

— Comment te sens-tu à l'idée de devenir mère ? m'a demandé Élisabeth.

— Je suis morte de peur. Je n'ai pas la moindre idée de ce qu'il faut faire pour élever un enfant, ai-je répondu.

— C'est normal, chaque femme passe par là. Pas vrai, les filles ? a lancé Christine.

Toutes les mères de famille anglaises ont hoché la tête en signe d'acquiescement.

— Moi, je n'ai jamais rien ressenti de tel, a fait remarquer Aïcha, une enseignante égyptienne. Dans notre famille, on attend de nous que l'on se marie et qu'on ait des enfants. C'est pour cela que, la première fois, j'étais heureuse d'apprendre que j'étais enceinte, parce que ma famille était là pour m'aider.

— Moi aussi, ma famille sera là pour me donner un coup de main, ai-je répondu. Mon mari est tout excité. Il n'empêche que je n'arrive pas à me libérer de ce nœud que j'ai dans l'estomac. Je n'ai même jamais rêvé d'avoir des bébés.

Aïcha a paru soudain choquée.

— Mais, quand on épouse un Égyptien, c'est pour lui donner des enfants !

— Je sais. C'est seulement que je ne me suis pas encore faite à l'idée que j'étais mariée. Tout va si vite...

— Rien ne va trop vite ; ce qui t'arrive est normal, a dit Aïcha en souriant. Tu t'es bien débrouillée, Jacky, ta famille va être fière de toi.

J'ai écrit à mes parents pour leur annoncer la nouvelle. Je ne leur avais pas téléphoné depuis que j'étais en Égypte. Il y avait bien le téléphone dans l'appartement, mais comme nous ne participions pas aux dépenses collectives, cela me gênait de demander d'appeler à l'étranger. C'était une lettre très ordinaire, très factuelle, car je ne savais pas comment exprimer ce que je ressentais. À dire vrai, je n'étais pas très emballée par le fait d'être enceinte. Le leur avouer n'aurait fait que les inquiéter un peu plus.

Ils ont appelé deux semaines plus tard.

— Jacky ?

— Bonjour, maman.

Au son de sa voix, j'ai éclaté en sanglots. J'ai tenu le combiné à distance pour qu'elle ne m'entende pas.

— Ton père et moi voulions juste te dire combien nous sommes contents pour toi. Félicitations, ma chérie. Tu seras une mère formidable.

— Merci.

C'est tout ce que j'ai pu répondre.

— Comment vas-tu ? Comment va ta vie ? Es-tu heureuse ?

— Très heureuse, maman. C'est même mieux que ce que j'escomptais. Et vous deux, comment ça va ?

— Ça va très bien. Cela nous fait vraiment plaisir de t'entendre. Ton père est un peu ému. Tu nous manques à tous les deux.

— Vous aussi, vous me manquez. Maman, quand nous serons dans notre propre appartement, j'économiserai et je t'appellerai régulièrement.

— C'est bien, ma chérie. Nous devons te laisser, à présent. Nous rappellerons dans deux ou trois semaines. Nous t'aimons.

Quand j'ai reposé le téléphone, je me suis sentie plus sereine. J'avais des parents vraiment fantastiques. Je savais que maman mourait d'envie de savoir comment étaient les hôpitaux, leur état, les conditions dans lesquelles on accouchait ici, les réactions de ma belle-famille et ma relation avec Omar. Elle avait mis de côté son besoin d'être rassurée, et fait passer mes sentiments avant les siens.

Bizarrement, je lui avais assuré que les choses se passaient bien, alors que ma vie n'était qu'un combat sans fin qui me faisait douter chaque jour davantage.

Le lendemain, Karen n'est pas venue à l'école.

— Elle sera là demain, nous a dit Mme Sellar au cours de la réunion de service, elle a la migraine.

Judith s'est penchée vers moi pour me murmurer à l'oreille :

— On sait bien ce que ça veut dire.

Je n'avais aucune idée de ce dont elle voulait parler.

Grâce à l'approbation de mes parents, mes angoisses se sont dissipées et je me suis faite à l'idée d'avoir un enfant. C'est seulement lorsque j'ai commencé à écrire une longue lettre détaillée à maman, au sujet des hôpitaux et des conditions d'accouchement au Caire, que je me suis rendu compte que je savais bien peu de choses. Ce sont les filles, à l'école, qui m'ont tout expliqué.

— Dis-moi, Élisabeth, est-ce qu'il existe un système national de santé ?

Nous étions six collègues assises sur des chaises mal en point à la peinture blanche écaillée. Nous ne nous asseyions jamais par terre, car c'était trop poussiéreux et couvert d'insectes. Les enfants regardaient une vidéo à l'intérieur de la classe. C'était l'une de ces rares fois où nous disposions d'une heure et demie pour nous reposer.

— Bien sûr, il y a un système de santé national, et nous partons tous en retraite à quarante ans avec une pension faramineuse.

Je l'ai regardée, surprise. Élisabeth semblait très sérieuse. Mais quand Aïcha a éclaté de rire, toutes les autres ont suivi.

— Évidemment, non. Il n'y a pas de système national. La seule chose que l'on pourrait à la rigueur qualifier de nationale, ce serait l'armée.

— Alors, comment vais-je faire pour accoucher ? ai-je demandé.

— Tu vas attendre d'avoir les premières contractions, tu vas écarter les cuisses et…

Christine n'a pas pu en dire davantage : elle s'est mise à rire.

— Tu m'as très bien comprise. Comment est-ce que ça se passe exactement ? Vais-je aller voir un médecin ? Vais-je accoucher à la maison ou à l'hôpital ?

C'est Leila, une Égyptienne jolie et très tranquille, qui a répondu :

— Ton mari devrait te trouver un docteur et un hôpital, à moins que tu ne veuilles accoucher chez toi. Pose-lui la question. Il sera très heureux d'organiser ce que tu souhaiteras.

Je me suis soudain sentie pleine d'espoir.

— Merci, Leila, c'est ce que je vais faire. C'est vraiment génial d'être enceinte.

Ce soir-là, j'ai tout demandé à Omar. J'étais si impatiente d'obtenir des réponses que les questions s'enchaînaient les unes aux autres sans qu'il ait le temps de répondre. Il a arrêté d'essayer de me parler et a éclaté de rire.

— *Habibti marati, shwiya, kalimni shwiya.*

— Dois-je aller consulter un médecin ?

Pas encore. Ce n'est pas la peine. Mama saura si quelque chose ne va pas. Nous n'avons pas d'argent pour payer le médecin. Chaque visite coûte cher. Mais ne t'en fais pas, tout se passera bien.

Deux semaines plus tard, je me suis réveillée avec des nausées qui me venaient par vagues successives. Toute tremblante, j'ai réussi à gagner la salle de bains. En m'y rendant, j'ai respiré d'affreuses odeurs de tomate et d'ail mélangés à la cigarette froide et à l'odeur de sac humide qui provenaient de la cuisine. Je n'avais vraiment pas besoin de ça !

Je me suis traînée jusqu'à l'école en me disant que c'était la nausée du matin et qu'il fallait que je tienne jusqu'à midi. Mais, à l'heure du déjeuner, les nausées étaient toujours là. Mon odorat était si aiguisé que je n'ai pas pu supporter l'odeur de la nourriture des élèves. Je manquais d'air. J'ai dû aller m'asseoir dehors. J'étais en sueur, nauséeuse et de mauvaise humeur.

Lisa et Judith sont venues me rejoindre.

— Qu'est-ce qui se passe, Jacky ? Tu n'as pas l'air dans ton assiette.

— Rien de grave, ai-je répondu. Probablement les joies de la grossesse...

Après l'école, allongée sur mon lit, j'attendais que mes nausées se calment, quand Omar est rentré. Il a commencé à m'embrasser dans le cou et à caresser mes cheveux. Je l'ai immédiatement repoussé.

— Non, Omar, je t'en prie.

Surpris, il s'est arrêté. Il a souri et m'a à nouveau attirée vers lui. Je me suis assise et l'ai fermement repoussé.

— Omar, j'ai dit non. Je ne me sens pas bien.

Ça s'est passé en une fraction de seconde. Soudain, Omar n'était plus l'homme que je connaissais. Son regard m'a transpercée et s'est assombri. Son expression a changé du tout au tout. Il s'est levé et m'a pointée du doigt.

— C'est le professeur qui donne des ordres à ses élèves, maintenant ? Et elle rentre à la maison en s'imaginant pouvoir commander à son mari, c'est ça ?

Il s'est penché vers moi et, d'une main, a brutalement saisi mon visage. Il a approché le sien du mien.

— Je ne suis pas d'humeur à accepter tes ordres, ni maintenant, ni jamais. Tu m'écoutes ? Tu comprends ce que je te dis ?

Son ton m'a terrifiée. J'étais face à un étranger.

— Oui, je comprends, ai-je murmuré, évitant son regard et essayant de détourner la tête.

— Regarde-moi quand je te parle ! a-t-il hurlé, si fort que mon visage s'est immédiatement détendu et que je l'ai regardé, soumise.

— Oui, Omar.

— Une gentille épouse ne se refuse jamais à son mari. Jamais ! Tu comprends ?

Sa voix s'est transformée en un murmure. Les mots sifflaient sur ses lèvres. De la salive s'est échappée des commissures, et il puait la cigarette. J'ai vraiment cru que j'allais lui vomir dessus.

— Alors, allonge-toi, a-t-il dit en me repoussant sur le lit, et relève ta jupe !

J'étais tellement anéantie que je n'ai pas protesté. Je suis restée allongée pendant qu'il frottait son corps en sueur contre le mien. Il m'a pénétrée sauvagement, en grognant, en s'agitant, de plus en plus fort, de plus en plus profondément jusqu'à ce que je ne puisse plus le supporter. La nausée bloquée dans ma gorge, je pouvais à peine respirer. À cet instant, il me dégoûtait. Il était sale et m'avait salie.

Quand il a eu terminé, il s'est relevé et s'est préparé à partir.

— Je t'ai donné une leçon. Si tu veux continuer à être une gentille épouse, souviens-t'en !

J'ai roulé sur le côté et me suis mise en boule, la tête pleine de questions. Comment cela avait-il commencé ? Comment avais-je pu l'autoriser à me faire ça ? Pourquoi m'avait-il fait ça ? Mais, plus que tout, je me suis demandé qui était cet homme avec moi dans cette chambre.

La bile m'est montée à la gorge quand je me suis assise pour essayer de reprendre mes esprits. Je me suis ruée à la salle de bains, j'ai toussé et craché dans les toilettes, espérant que les haut-le-cœur allaient s'atténuer. J'ai respiré profondément. Soudain, j'ai senti une poigne de fer sur mon épaule. Je me suis raidie. C'était Omar.

— Viens, chérie. Il faut que tu prennes une douche. Après, tu te sentiras mieux.

J'ai levé les yeux vers lui. Son regard froid et fou avait disparu. Mon mari avait retrouvé ses yeux rieurs. Interdite, mais trop faible pour le faire, je l'ai laissé me déshabiller, me doucher et me passer une djellaba.

— Puisque tu te sens fatiguée, je vais demander à Mama si on peut manger avec la famille. Comme ça, tu n'auras pas à cuisiner.

— Je n'ai pas faim. Va manger. Je te rejoindrai plus tard.

J'ai levé mon visage vers lui de façon à ce qu'il m'embrasse sur la joue. Il est allé à la cuisine pour voir comment avançait la préparation de son dîner. Je l'ai entendu chantonner pendant qu'il soulevait les couvercles des casseroles.

Comme je me traînais à nouveau dans le couloir obscur, Salma est arrivée et m'a entraînée dans sa chambre.

— Ça va, Jacky?

Je l'ai regardée, ne sachant pas exactement ce qu'elle voulait dire. M'avait-elle entendue dans la salle de bains? Avait-elle entendu Omar hurler?

Elle a continué à parler, sans attendre ma réponse.

— Mervette aussi a été très malade quand elle attendait son bébé. Mama va te donner quelque chose pour te rétablir.

— Merci, ai-je répondu.

— Mon frère est très coléreux, a-t-elle continué.

— Tu veux dire qu'il a un très sale caractère? ai-je demandé en souriant malgré moi.

— Oui, c'est ça. Il hurle et, parfois, il casse tout. C'est l'idiot de la famille. Il lui arrive de se battre avec Papa quand il veut vraiment quelque chose, alors qu'il ne devrait pas le faire, qu'il ne devrait même jamais crier contre Papa.

— Comme lorsqu'il a décidé de m'épouser?

— Oui. Comme cette fois-là. Il faut que tu sois une bonne épouse, Jacky. Il t'aime beaucoup. Il se tuerait pour toi. J'en suis sûre. Mais ne le mets surtout pas en colère. Tu comprends ce que je dis?

— Oui, Salma, je comprends.

J'ai serré cette sage jeune fille dans mes bras. Avec délicatesse, elle se préoccupait de mon sort comme une vraie sœur l'aurait fait.

Bien que malade, je n'aurais jamais dû repousser Omar. Ses besoins devraient désormais constituer mon premier souci. Ainsi, il continuerait à m'aimer.

19

Sur le départ

Pour nous, le week-end tombait le vendredi et le samedi, le premier de ces deux jours étant chez les musulmans consacré à la prière. La semaine de travail commençait donc le dimanche.

Ce week-end-là, j'ai continué à souffrir de nausées matinales qui se sont poursuivies toute la journée. Mama m'a donné une boisson lactée supposée être le remède miracle, mais qui ne m'a pas fait beaucoup d'effet.

Au début, Mama s'était montrée plutôt sympathique mais, dans la soirée du samedi, voyant que je n'avais rien fait dans la maison pour l'aider, sa patience a commencé à s'émousser. Chaque jour, grâce à mes progrès en arabe, je m'habituais un peu plus à sa façon de parler. J'étais à présent capable de comprendre quand elle se plaignait à Omar de ma fainéantise ou du fait que je ne fournissais pas assez d'efforts. Elle oubliait que je n'avais rien mangé depuis le mercredi.

Le dimanche, je suis partie au travail, me sentant légèrement mieux. J'avais réussi à avaler une tasse de thé. C'était merveilleux de pouvoir quitter cet appartement confiné et si peu accueillant pour retrouver la compagnie d'enfants gais et heureux et de collègues compréhensifs.

Karen, absente toute la semaine précédente, a repris les cours ce jour-là. Nous étions fin avril et la chaleur devenait accablante. Pour travailler, nous portions toutes des robes ou des corsages à manches courtes. Généralement, les professeurs égyptiennes avaient un voile très fin sur la tête et les épaules. Je devais mettre un gilet et un foulard pour aller et revenir de l'école. Karen, quant à elle, portait un pull de laine à col montant sur une jupe longue.

À midi, j'ai pu lui demander comment elle allait.

— Je n'en sais rien, Jacky. Je ne crois pas que je vais pouvoir supporter cette situation encore longtemps.

— Pourquoi? Qu'est-ce qui se passe?

Elle s'est discrètement assurée que nous étions seules et elle a baissé le col de son pull. J'ai vu de grandes traces de coups violet foncé. Des marbrures vertes faisaient leur apparition.

— C'est Samir qui t'a... ai-je dit sans terminer ma phrase.

Elle a acquiescé.

— Ça a commencé par une gifle, des petits coups. Maintenant, il devient fou à la moindre contrariété. Je suis obligée de porter ces vêtements parce qu'il a taillé tous ceux que j'avais. Je n'ai plus rien à me mettre.

— Oh, Karen, c'est terrible, ai-je dit en glissant mon bras autour de ses épaules. J'ai quelques robes. Nous avons pratiquement la même taille, je t'en apporterai demain.

— Merci. Je t'en suis reconnaissante. Tu sais, il a aussi caché mon passeport. Il pense que je vais le quitter.

— Mais pourquoi restes-tu? Tu ne peux pas être heureuse dans de telles conditions.

— Je l'aime, a-t-elle dit avant de marquer une pause. Et il m'aime aussi. Il étudie beaucoup en ce moment, parce que ses examens de fin d'année approchent. Un rien le stresse.

— Omar, c'est la même chose. Nous avions l'habitude de faire des balades très romantiques mais, en ce moment, il est plongé dans les livres. Nous ne nous parlons plus beaucoup.

Karen s'est raidie en se levant pour aller lire l'heure à travers la fenêtre de la classe.

— Qu'est-ce que tu as au dos? ai-je demandé.

— Il m'a jetée contre la gazinière, j'ai un énorme bleu ici, m'a-t-elle dit en me montrant le bas de son dos.

— Karen, il faut faire quelque chose. Il n'a pas le droit de faire ça.

— Quand les examens seront passés, il n'aura plus de raison de se mettre en colère, a-t-elle répondu, un peu triste. Allez, viens, il ne nous reste que quelques minutes avant de rentrer.

Les semaines suivantes nous ont rapprochées l'une de l'autre ; à la maison, Mama et moi prenions nos distances. Chaque jour, dès mon retour de l'école, elle me demandait de faire une tâche particulière. En échange, Omar et moi étions autorisés à partager le repas avec la famille.

J'avais toujours des nausées et je mangeais très peu. Je ne pouvais même pas préparer du thé sans avoir des haut-le-cœur. Le pire, c'étaient les odeurs de cuisine et la fumée de cigarette. Alors, on me confiait la vaisselle de toute la famille.

La poudre à laver que nous utilisions se présentait dans de minuscules boîtes de la taille d'un paquet de bouillon Kub. On appelait ça du Rabso, et on avait le droit d'en utiliser uniquement pour les vêtements, et encore, avec parcimonie. Pour laver les draps et les serviettes, je devais remplir la baignoire d'eau froide et râper du gros savon noir avec une râpe à fromage, et ensuite brasser l'eau avec un bâton. Après, j'ajoutais le linge, le sortais et le trempais à nouveau avant de le laisser reposer, une heure ou deux, pour enfin retourner le rincer.

Le plus dur demeurait le rinçage. Les serviettes étaient très lourdes et je n'arrivais pas à les essorer correctement.

Je restais des heures à genoux devant la baignoire, à la vider et à la remplir à nouveau pour rincer correctement les draps. Le dos et les genoux me faisaient atrocement souffrir. Mais ce n'était pas terminé. Il restait à entasser le linge mouillé dans une grande bassine de plastique et à l'emmener dans la chambre du fond. Là, j'ouvrais les persiennes et les fenêtres pour le mettre à sécher sur les fils qui se trouvaient à l'extérieur.

On devait faire cela dans la chambre du fond, car l'appartement était situé dans un bâtiment qui occupait le coin d'une rue, et c'était la seule pièce dont les fenêtres donnaient sur la ruelle. Les autres donnaient sur la rue principale et le linge se serait vite sali à cause de la poussière et des gaz d'échappement des voitures.

Mama était apparemment décidée à me pourrir la vie. Si j'étendais le linge en premier, elle venait me crier dessus en disant que je n'avais pas nettoyé la salle de bains. À l'inverse, si je laissais le linge dans la chambre du fond et nettoyais la salle de bains en premier, elle disait que j'avais abandonné le linge dans l'espoir que quelqu'un d'autre l'étende à ma place.

Chaque fois que je refusais de manger, elle considérait cela comme une insulte personnelle, me disant que je n'avais qu'à faire la cuisine si je n'aimais pas ça.

En parler à Omar aurait été inutile. Pour lui, les examens approchant, nous n'existions plus. Karen et moi nous racontions tout, tranquillement, jour après jour.

Un midi, nous étions assises dans le jardin pendant que les enfants jouaient. Pour une fois, j'avais du nouveau à raconter.

— C'est demain que Mervette et Tarek prennent possession de leur nouvel appartement. La mère de Mervette a acheté beaucoup de superbes meubles à sa fille. Ils vont même avoir un chauffe-eau.

— Et votre appartement, Jacky, où ça en est? Vous allez bientôt emménager?

— Non, ai-je répondu. Les ouvriers ont d'abord voulu terminer celui de Tarek. Cela va encore prendre un temps fou. Je vais craquer. Je ne supporte plus de vivre sous le même toit que ma belle-mère.

Karen s'est assise pour réfléchir. Elle s'est tournée vers moi et, tout excitée, m'a prise par les épaules.

— *Eurêka !* Jacky, je viens de trouver une idée géniale. Toi, tu ne supportes plus de vivre là où tu vis. Moi, j'ai peur de rester seule avec Samir quand il est stressé. Tout ce qu'il veut, c'est étudier, tout comme Omar. Pourquoi Omar et toi ne viendriez-vous pas vivre avec nous pendant quelque temps ?

— Ils ne vont jamais vouloir, ai-je répliqué en haussant les épaules.

— Pourquoi ? Mon idée tient debout. Attends, je vais en parler à Samir ce soir. Mais tu dois promettre d'en parler à Omar.

— Je te promets que je vais le faire.

Le lendemain, je mourais d'envie d'aller à l'école pour voir Karen.

— Karen, tu ne vas jamais le croire, mais il a accepté d'emblée. Mama lui a aussi mené la vie dure. Elle s'est plainte de moi, l'a dérangé pour qu'il aille lui chercher diverses choses, elle l'a interrompu sans arrêt. Et Samir ? Qu'a-t-il dit ?

— Il a dit qu'Omar et lui se connaissaient depuis l'université et qu'ils s'entendaient bien. Ils pourraient étudier en paix pendant que toi et moi nous resterions ensemble sans les déranger. Oh, Jacky, tu y crois, toi, à ce qui nous arrive ?

Nous nous sommes longuement donné l'accolade.

Mama a été furieuse. Elle a tempêté après Omar, l'a frappé sur la tête tout en parlant si vite que je n'ai rien compris. Elle est devenue si enragée que Mohamed et

Salma ont dû calmer son ardeur. Magda s'en est mêlée et, les mains sur les hanches, s'est rangée du côté de Mama. Papa a rouspété après tout le monde et a renvoyé chacun dans ses appartements.

Omar a fourré ses affaires dans des sacs, jeté les clés de la voiture sur une desserte et nous sommes partis chez Samir et Karen.

— Pourquoi Mama s'est-elle mise dans cet état? ai-je demandé.

— Parce que Tarek vient juste de s'en aller et qu'à présent, c'est mon tour. Nous allons lui manquer. Moi qui pensais que mon départ lui ferait plaisir...

20

Derrière des portes fermées

Samir nous a très bien reçus. Il s'est montré très poli avec moi. Il s'est bien entendu avec Omar, bien qu'ils aient des caractères fort différents. Samir était très grand et costaud, avec d'épais cheveux noirs et une moustache. Il avait des yeux sombres, perçants, et la peau très mate. À côté, celle d'Omar, piquetée de taches de rousseur, paraissait très claire. Bien que les deux hommes aient tous les deux des cheveux de la même longueur et coiffés de façon identique, ceux d'Omar étaient bruns, presque auburn, et s'accordaient bien à la couleur de ses yeux. Samir avait une apparence qui intimidait alors qu'Omar semblait amical et facile à approcher. Le plus difficile était de se dire que tous les deux avaient le même âge, vingt-quatre ans, car on aurait facilement donné dix ans de plus à Samir.

Très vite, ils ont établi un protocole pour étudier ensemble, ce qui nous a permis, à Karen et à moi, de prendre un peu soin de nous. Samir et Karen disposaient de tout l'appartement pour eux deux. Situé au rez-de-chaussée, il comprenait trois grandes chambres et deux salons. Les parents de Samir étaient morts et ses deux sœurs avaient quitté la maison quand elles s'étaient mariées. Il y avait peu de meubles, à l'exception d'une immense commode très travaillée dans l'un des salons, et d'une gigantesque coiffeuse dotée d'un immense miroir au cadre de bois sculpté dans la chambre principale. La cuisine grouillait de cafards. Le tuyau d'évacuation était cassé et les odeurs des déjections de tout l'immeuble remontaient en permanence par le trou pour finir dans la cuisine de Karen. L'odeur pestilentielle n'invitait guère à préparer à manger.

— C'est dégueulasse. Il faut un mouchoir sur le nez pour mettre un pied dans la pièce, ai-je dit à Karen quand elle m'a fait visiter l'appartement. Quand va-t-on réparer ça ?

— Dieu seul le sait, a-t-elle répondu en soupirant. Deux types sont venus, la semaine dernière, mais ils sont repartis aussitôt. Tout ce qu'ils ont dit à Samir, c'est *bokra*.

J'ai ri.

— S'il y a un pays où l'on apprend la patience, c'est bien celui-ci. Tout est toujours *bokra*. *Demain* ne fait apparemment pas partie du vocabulaire.

Toute la semaine suivante, Omar a fait des allers et retours afin de rapporter nos effets de chez ses parents. Situés dans le même quartier du Caire, les deux appartements n'étaient distants que de quelques rues. Il aurait été facile pour la famille d'Omar de venir nous rendre visite, mais aucun d'eux ne l'a jamais fait.

Au cours de la première semaine de vie commune, je me suis rendu compte que Karen vivait dans la terreur de Samir. C'était une fille calme, gentille, naturelle, qui parlait toujours à voix basse, alors qu'il lui criait toujours dessus et lui donnait des ordres. Quand ils étaient ensemble, elle s'affairait en permanence autour de lui, allant lui chercher ceci ou cela, le visage fermé et anxieux. J'ai demandé à Omar ce qu'il pensait de l'attitude de Samir envers Karen. Il a seulement haussé les épaules et m'a dit de ne pas me mêler de ça.

Quand Karen était seule avec moi, elle se détendait et pouvait être marrante, de bonne compagnie et avoir de l'esprit. Nous nous amusions à nous mettre mutuellement du rouge sur les ongles des pieds. Avant d'épouser Omar, je n'avais jamais mis de rouge et je trouvais cela assez difficile à faire proprement. Maintenant, je n'avais pas le choix. Lorsque nous sortions, nous devions être élégantes et cela incluait aussi bien le maquillage que le vernis aux orteils. Les apparences étaient de la plus haute importance, même lorsqu'elles étaient fausses.

Le mois de mai est arrivé. Mes nausées ont disparu et je me suis sentie incroyablement bien. J'avais meilleur moral et j'ai recommencé à espérer. Le seul point noir restait l'argent. Tout comme pour Samir et Karen, gagner de quoi vivre était devenu un combat quotidien.

Peu de temps après avoir emménagé, nous sommes sortis tous les quatre nous promener sur les bords du Nil. Les hommes marchaient devant nous et nous les suivions de très près. J'ai posé ma main sur celle de Karen, j'ai relevé la tête et respiré profondément les senteurs du soir. C'était bon d'être dehors après avoir respiré les odeurs d'égouts de la cuisine toute la journée.

— Ça sent bon, ici. Achetons quelques patates douces. J'ai envie de sucré, ai-je lancé.

— Bonne idée! Samir, on peut s'acheter quelques patates? a renchéri Karen.

Elle a redressé la tête pour respirer l'air de la nuit. Samir s'est alors retourné et l'a violemment giflée.

— Pas question de patates. Nous rentrons, à présent.

Karen a reçu cette gifle sans broncher. Son visage est resté de marbre quand elle a baissé la tête.

— Je suis vraiment désolée, Samir. J'avais oublié.

Samir l'a prise par la main avant de se tourner en souriant vers Omar en lui disant:

— Vous deux, continuez la balade. À plus tard.

Les deux hommes se sont serré la main et Samir m'a dit:

— Bonsoir, Jacky.

J'ai hoché la tête et regardé par terre. Omar a mis sa main autour de mes épaules et nous avons continué à marcher, abandonnant Karen à son sort.

— Mais pourquoi l'a-t-il frappée? Pourquoi est-il si méchant? Elle l'a mis mal à l'aise parce qu'ils n'ont pas de quoi s'acheter des patates douces, c'est ça?

Je me suis arrêtée, perdue dans mes pensées.

— Nous devrions retourner avec eux, ai-je proposé. Que va-t-il se passer s'il la frappe à nouveau?

— On ne peut pas faire ça, a expliqué Omar. On n'a pas le droit de se mêler des affaires d'un couple. Il ne va pas la frapper. Il a juste voulu lui faire comprendre qu'elle devait être une bonne épouse respectueuse. Ce n'est pas à cause des patates.

Je ne comprenais toujours pas.

— Mais elle fait le maximum pour tout faire parfaitement. Qu'est-ce qu'elle a oublié?

— Elle a levé les yeux vers lui. Elle doit toujours les garder baissés. Maintenant, ça suffit avec ça. Tu as toujours envie de patates?

— Non, économisons notre argent.

Mon envie s'était envolée. Nous avons encore marché un peu, puis avons fait demi-tour pour rentrer à l'appartement où l'obscurité était totale. Nous avons rampé pour préparer le lit et nous sommes couchés, tendrement enlacés. Omar s'est rapidement endormi. Je suis restée longtemps éveillée, à écouter les sanglots étouffés qui provenaient de la pièce voisine, avec l'espoir qu'ils cessent.

Le lendemain matin, je me suis attelée à la première tâche quotidienne d'une épouse : faire le thé. En arrivant dans le salon pour récupérer les verres, j'ai trouvé une bouteille ouverte de Johnnie Walker sur la table. J'ai emmené les verres dans la cuisine pour les laver

164

quand Karen est apparue, prête à partir pour l'école, des lunettes de soleil sur le nez et un foulard autour de la tête. J'ai voulu lui demander comment elle allait, mais elle a mis un doigt en travers de ses lèvres maquillées de rouge pour me faire signe de me taire.

Ce n'est qu'à bord du bus qu'elle a commencé à parler :

— Si Samir nous entendait parler de lui, les choses iraient encore plus mal pour moi. Il faut que tu arrives à le convaincre que nous ne parlons jamais de lui. Sinon, il vous obligera à partir.

— Je t'ai entendue pleurer, la nuit dernière. Il t'a encore frappée ?

— Non. J'ai continué à m'excuser, mais il m'a encore hurlé dessus et m'a envoyée me coucher. Puis, il a bu du whisky. Quand il vous a entendus rentrer, il a éteint la lumière et est venu se coucher.

— Mais je croyais que les musulmans ne buvaient pas d'alcool ! me suis-je étonnée.

Pourtant, à la réflexion, j'avais vu quelques bouteilles de whisky dans un placard du père d'Omar, en rangeant ses affaires.

— Oh, mais Samir est malin, a répondu Karen. Il boit toujours seul.

— Ça, pour être malin... Quand on voit la manière dont il te traite... Il t'a à sa botte.

— Il n'est pas toujours comme ça. Il sait être charmant. Je sais qu'il m'aime.

— S'il t'aime, il le cache bien. À mes yeux, tu n'as pas l'air heureuse. Regarde-moi et ose me dire que tu l'es.

Karen a détourné le regard.

C'était le jour de la paie. Nous sommes donc rentrées à la maison les poches pleines. Samir nous attendait, un grand sourire aux lèvres.

— J'ai une surprise pour vous, a-t-il dit.

Il avait acheté un gros gâteau, dont il a coupé quatre bonnes parts. Omar, Karen et moi nous sommes assis pour manger.

Puis mon amie s'est relevée en disant :

— Je vais chercher des fourchettes.

Le visage de Samir s'est soudain assombri.

— Assieds-toi ! a-t-il aboyé.

Karen a pâli en se rasseyant tout doucement.

— C'est moi qui ai acheté le gâteau, c'est moi qui vais chercher les fourchettes, a-t-il ajouté en sortant de la pièce avant de revenir avec les couverts.

Il nous a donné les nôtres et s'est assis près de sa femme. Elle a essayé de prendre sa fourchette, mais Samir l'a saisie par le poignet.

— Tu veux m'humilier devant nos amis, c'est ça ? Tu t'imagines que je vais les laisser manger leur gâteau avec les doigts ? Comme ça ?

Il a alors pris le gâteau et a commencé à l'enfoncer de force dans la bouche de Karen, qui s'est débattue. Il l'a alors empoignée par ses longs cheveux et lui a étalé le gâteau sur les joues.

— Joyeux anniversaire, ma femme, a-t-il dit.

Il s'est alors tourné vers Omar pour ajouter :

— Allons étudier, il faut qu'elle aille se débarbouiller.

Il l'a violemment repoussée et s'est levé en brossant les miettes de gâteau qui étaient tombées sur lui. Omar s'est levé également, a posé son assiette et les deux hommes ont quitté la pièce. Je me suis alors précipitée pour embrasser Karen qui s'est mise à sangloter doucement sur mon épaule.

— Qu'est-ce qu'il a dit ? Joyeux anniversaire ? C'est ça ? C'est vraiment ton anniversaire aujourd'hui, Karen ?

Elle a hoché la tête, dépitée.

— Oui, j'ai vingt et un ans aujourd'hui. Ça m'était sorti de la tête.

— J'aurais aimé qu'il l'oublie aussi, ai-je murmuré.

— Où sont passés nos sentiments l'un pour l'autre ?
a-t-elle dit à voix basse. C'est toi qui as raison, je ne
peux plus rester ici plus longtemps. Il n'y a plus rien
qui me retienne.

— Qu'est-ce que tu veux dire ?

Karen s'est confiée d'un coup.

— Je sais où il a caché mon passeport. Il est dans
la doublure de sa veste de mariage. Tout ce dont j'ai
besoin, c'est d'argent pour le voyage.

— Comment vas-tu faire ? ai-je demandé, curieuse.

— Je vais parler à ma mère. Je vais l'appeler de
l'école. Elle m'enverra l'argent là-bas et je serai loin
quand Samir s'apercevra de mon départ.

Elle s'est penchée pour m'embrasser.

— Oh, Jacky, je vais quitter tout ça.

Cette nuit-là, j'étais au lit avec Omar. Nous avons à
nouveau écouté Samir crier après Karen. J'ai pris la
main d'Omar et l'ai guidée vers mon ventre rebondi
pour qu'il sente les mouvements à peine perceptibles
du bébé qui s'agitait depuis peu.

— Bonjour, mon fils, a-t-il murmuré.

— Tu es vraiment sûr que c'est un garçon ?

— Évidemment que c'est un garçon. C'est mon fils,
Adham.

— Et si c'était une fille ? ai-je demandé. Comment
va-t-on l'appeler ?

— Fais-moi confiance, c'est un garçon.

— Dis-moi, nous n'avons pas d'économies, n'est-
ce pas ?

— Ne t'en fais pas, a-t-il répliqué. Après les examens, je t'achèterai des bijoux.

— Je ne pensais pas aux bijoux.

— Un mari doit acheter de l'or à sa femme, pour
montrer qu'il est riche, a-t-il expliqué.

— Moi, je pensais à ce que vont coûter le docteur,
l'hôpital et les médicaments.

— Tout cela va coûter cher. Je demanderai à Papa.

— Mais ton père est furieux depuis notre départ. Il ne voudra jamais nous donner d'argent, ai-je répondu en m'asseyant pour lui faire face. Omar, j'ai une idée.

Il m'a fait m'allonger sous la couverture.

— Tu vas attraper froid, *habibti*. C'est quoi, ton idée?

— Si je demandais à mon père de nous envoyer des billets d'avion de façon à ce que j'accouche en Angleterre? Tout est gratuit là-bas. Et j'aurais ma mère près de moi, ai-je ajouté doucement, ce qui me serait d'une grande aide. Elle me manque tellement.

Omar m'a regardée droit dans les yeux.

— C'est une excellente idée, a-t-il dit. Mais il va me falloir un visa pour voyager.

— Je peux téléphoner en Angleterre? Si je prends sur mon salaire, Mme Sellar voudra bien que j'utilise son téléphone.

— Oui, fais ça demain, et je m'occupe de demander un visa. Transmets mes amitiés à tes parents.

Ça s'est fait sans problème. Les préparatifs nous ont beaucoup excitées, Karen et moi. Elle a appelé sa mère à West Lothian, en Écosse, et a planifié un départ pour la fin juin, soit un mois plus tard. Et elle a informé Mme Sellar de ses intentions en lui remettant en secret sa lettre de démission.

J'ai appelé chez moi. Mon père a accepté sans hésitation de nous envoyer des billets. Notre organisation semblait au point et Samir paraissait ne se douter de rien.

À l'approche des examens de fin d'année, Samir est devenu plus nerveux que jamais. Il s'emportait et se disputait avec Karen pour la moindre bricole. Après deux autres semaines de tension insupportable, Omar a reconnu qu'il n'en pouvait plus de vivre dans cette ambiance. Il ne pouvait plus étudier et a donc décidé de retourner chez son père.

Il n'y eut pas d'au revoir. En cinq minutes, nous étions sur le trottoir, ayant laissé sur place nos affaires que quelqu'un viendrait prendre plus tard. Omar a hélé un taxi, une de ces petites voitures blanches et noires toujours en maraude. Il m'a ouvert la porte arrière, puis est allé s'asseoir à côté du chauffeur pour discuter avec lui. Au bout de quelques minutes, celui-ci a regardé Omar et m'a jeté un coup d'œil dans le rétroviseur en découvrant ses affreuses dents et en haussant les sourcils, en demandant si j'étais musulmane. Omar l'a alors soudainement frappé avant de le prendre par le cou. Les pneus ont crissé, la voiture a fait une embardée et s'est s'arrêtée. J'ai été propulsée sur le côté. Quand je me suis remise d'aplomb, Omar était déjà sorti de la voiture et tirait le chauffeur de son siège.

Je les ai regardés, paniquée. Ils étaient sur le trottoir, à présent. Le chauffeur gardait les mains jointes devant lui comme s'il demandait grâce. Il avait beau être gras et gros, la colère qui se lisait dans le regard de mon mari le terrifiait. Omar l'a pris par les épaules et, d'un coup de tête, l'a frappé au front. Assommé pour le compte, le chauffeur est tombé lourdement dans un grognement. Omar a roulé le corps dans le caniveau. Le visage de l'homme était couvert de poussière, du sang coulait de sa joue sur sa djellaba.

J'ai regardé alentour dans l'espoir que quelqu'un vienne le secourir, mais les gens poursuivaient leur chemin, les femmes ordonnant à leurs enfants de presser le pas. Des hommes s'étaient arrêtés pour regarder la scène, mais aucun d'eux ne s'est mêlé de ce qui se passait. Personne n'a rien demandé à Omar pendant qu'il épousetait ses vêtements et remettait sa chemise en place. Il a ouvert la porte pour que je sorte du taxi, abandonnant le chauffeur dans le caniveau et laissant le compteur tourner.

J'ai compris que je ne devais rien dire. Ce n'était pas le moment. J'ai essayé d'analyser le comportement d'Omar. Il avait sans doute cherché à me protéger, n'acceptant pas qu'un étranger puisse poser des questions au sujet de son épouse enceinte ou la regarder dans un rétroviseur. Il avait réagi ainsi parce qu'il m'aimait.

Il n'empêche que la façon dont Omar avait perdu le contrôle de lui-même m'a rendue nerveuse. Je n'ai pu éviter de penser à Samir.

21

Épouse et mère

Quand nous sommes retournés nous installer dans la famille d'Omar, il n'y avait plus de place pour nous deux, notre ancienne chambre ayant été attribuée à Mohamed et à un ami de ce dernier. Omar a donc dû partager leur intimité et on m'a demandé d'aller dormir avec Salma et Magda. Quant à Mama, elle a gardé son air renfrogné et peu amène.

L'idée du mariage préoccupait Magda. Un homme qu'elle aimait bien avait demandé sa main à Papa et les tractations allaient bon train. Tarek et Mervette habitaient à présent dans leur appartement d'Embaba avec leur fils, Ahmed. Seule Salma nous a souhaité la bienvenue en nous donnant l'accolade. Je me suis résignée à affronter les jours difficiles que j'avais devant moi sachant que, bientôt, je quitterais cet endroit pour retrouver ma charmante maison familiale en Angleterre.

À l'école, Karen a continué à me tenir au courant de ses projets. J'avais craint qu'après notre départ de chez elle, elle ne renonce à fuir et essaie à nouveau de recoller les morceaux avec Samir, mais le comportement de ce dernier était devenu de plus en plus imprévisible et capricieux. Un jour, il avait arraché la prise du téléviseur et fracassé le lecteur de cassettes contre le mur. Une autre fois, il s'était emporté, avait quitté la maison en furie et saccagé l'appartement à son retour.

— J'aimerais être près de toi, ai-je dit un jour à Karen dans la salle des professeurs, pour que tu ne sois pas seule à l'affronter.

— Ça ne me fait plus ni chaud ni froid. Chacune de ses colères me rend encore plus forte.

— Assure-toi de fuir avant qu'il ne te tue.

Omar n'a pas obtenu de visa pour m'accompagner, car il n'avait pas encore effectué son service national. On lui a conseillé, de façon à augmenter ses chances, de m'épouser à l'ambassade britannique, ce que nous avons fait. La cérémonie a été rapide, banale, chère et... inutile. Car Omar s'est vu de nouveau refuser son visa. Toutes ces démarches avaient été une perte de temps et nous avaient coûté plus de trente livres sterling, soit presque un mois de mon salaire.

Nous étions assis à l'arrière de la Peugeot, main dans la main, Mohamed nous ramenant à la maison lorsque j'ai demandé, dépitée :

— Qu'est-ce qu'on va faire maintenant ?

— Tu vas devoir y aller sans moi, a répondu Omar. Je vais passer mes examens et travailler dans notre futur appartement.

À la mi-juin, nous avons pris mon billet pour un départ à la fin du mois. Les examens d'Omar avaient commencé et il se mettait à étudier dès qu'il était à la maison. Et Mama ne l'acceptait pas. Quand Mohamed, son ami et Omar étaient dans leur chambre, elle n'arrêtait pas d'aller les déranger ou faisait beaucoup de bruit dans la pièce voisine.

On m'a demandé d'accomplir encore davantage de tâches domestiques que précédemment. Quand j'avais un moment de libre, j'allais m'asseoir pour écrire à mes parents, leur disant combien la vie en Égypte était palpitante et combien je mourais d'envie d'y revenir avec mon fils. Je ne voulais surtout pas qu'ils s'inquiètent, me faisant bien assez de souci toute seule. Mon travail me plaisait mais je ne pouvais pas accepter de vivre sous le même toit que Mama. J'avais besoin d'un endroit bien à moi. Mais, une fois seule, comment ferais-je pour m'occuper du bébé ? Ce n'était pas comme adopter un chaton ou une perruche. Il n'y avait pas de mode d'emploi. J'étais déchirée entre le besoin d'avoir du soutien et celui d'être seule. Le futur, quel qu'il soit, me faisait terriblement peur.

— *Eh, baadayn !*

C'est mon mari qui, en sortant de sa chambre en furie, m'a extirpée de ma rêverie. Mama regardait la télévision avec le volume sonore au maximum. Je me suis glissée dans le couloir pour voir ce qui se passait. Omar, les bras au ciel, est allé vers le poste et l'a éteint en criant après sa mère, qui lui a répondu en hurlant. Mohamed s'est joint à la dispute en prenant la défense de son frère.

Tout en vociférant, les deux hommes sont retournés dans leur chambre en claquant la porte derrière eux. En réaction, comme un gosse, Mama a rallumé le poste et monté à nouveau le son. Il y a eu un énorme bruit dans la chambre. Et puis, plus rien. La télé a continué à fonctionner avec le volume au maximum. Lorsque Mama a quitté la pièce, je suis allée baisser le son et me suis remise à écrire.

Le responsable du grand bruit, c'était Omar. Il avait frappé dans la porte et l'avait défoncée, s'abîmant la main au passage. Mais j'ai pris garde à ne plus jamais faire allusion à cet incident.

Une semaine avant mon départ, Omar est rentré et m'a offert une longue boîte.

— Ouvre, c'est un cadeau.

Il s'agissait d'une chaîne en or avec les lettres L, O, V, et E également en or. Omar me l'a passée autour du cou.

— De l'or pour ma femme. Il faut que tu aies de l'or pour rentrer en Angleterre. Quand j'aurai plus d'argent, tu choisiras des boucles d'oreilles en or. C'est moins cher en Égypte.

Il avait raison. C'était de la très bonne qualité, du dix-huit carats. La plupart des femmes portaient plusieurs chaînes en or et des bracelets aux poignets. L'attention d'Omar m'a beaucoup touchée.

— Je t'adore. Je la porterai toujours.

À l'école, le dernier jour de l'année scolaire, tout le monde a fait grand cas de ma personne. La coutume voulait que les parents offrent des cadeaux aux professeurs, mais j'étais loin de me douter du sérieux de la démarche. J'ai reçu de superbes et coûteux présents en or, des cadres pour photos, des bibelots, des écheveaux de soie, des papyrus, du parfum, des vêtements de bébé et bien d'autres choses encore. Cela m'a bouleversée. On m'a remis tout un tas de lettres à poster de Grande-Bretagne, car personne ne fait confiance à la poste égyptienne. Et, pour l'occasion, nous avons mangé un énorme gâteau dans la salle des professeurs.

— Tu sais quoi? m'a murmuré Karen à l'oreille en se penchant vers moi. Je pars dans dix jours. *Inch Allah !* Tu sais que les ouvriers sont venus réparer le tuyau d'évacuation, hier?

J'ai souri.

— C'est bien, mais je ne pense pas que ce soit une raison suffisante pour te faire rester, n'est-ce pas? Sois forte, Karen. Fais attention à ne rien laisser filtrer au cours de tes derniers jours ici.

Sur un bout de papier, je lui ai griffonné mon adresse et mon numéro de téléphone en Angleterre.

— Merci, Jacky. J'ai hâte de partir d'ici.

J'ai retrouvé une Angleterre verte, humide, embrumée et belle. Je n'avais jamais remarqué combien il pouvait y avoir de teintes de vert dans les arbres, les buissons et les haies. La douce pluie estivale qui gouttait sur les feuilles les rendait encore plus vives, et l'odeur de bois mouillé et d'aiguilles de pin était enivrante.

Mon retour a bien sûr été chargé d'émotion. Mon père et ma mère sont venus me chercher en voiture à Londres et m'ont presque étouffée dans leurs bras. Nous avons discuté jusque tard dans la nuit. Je leur ai parlé de mon travail, de mes nouvelles amies et d'Omar, mais j'ai passé sous silence les détails de la vie quotidienne chez Mama. Mes parents ont semblé très fiers que je sois devenue professeur.

Après sept mois au Caire, j'ai eu du mal à m'acclimater à nouveau à la vie anglaise. Je m'étais habituée au mode de vie égyptien, notamment au bruit constant et général. La vie paisible d'un village sans le constant brouhaha de la circulation a constitué un sacré changement. Le chant des oiseaux et le bruit de la pluie, et par contraste l'absence de l'appel du *adhan* tombant du sommet des minarets, cinq fois par jour, tout cela me perturbait plus que je ne l'aurais pensé. Étais-je déjà devenue égyptienne ?

Je n'avais besoin que d'une douche matinale pour me sentir fraîche jusqu'au soir ; finis les cheveux collants et la sueur qui me coulait sur le visage à intervalles réguliers. J'avais tout loisir de prendre un bain et de lire le journal. Je pouvais discuter, descendre en ville en bus, faire un peu de shopping et boire un café quand j'en avais envie. Ma journée n'était pas ponctuée par le lavage du riz ou des sols avec des sacs repoussants de crasse. Je pouvais à nouveau sortir seule pour aller voir des amis. J'avais retrouvé une vie normale qui me semblait merveilleuse.

J'ai suivi quelques cours d'accouchement et commencé à acheter de la layette. J'ai pris soin de me procurer quelques douzaines de couches en éponge, car je savais qu'en Égypte, nous n'aurions jamais les moyens de nous acheter des couches jetables. On trouvait bien des Pampers dans les supermarchés, mais c'était au-dessus de nos moyens.

Je devais accoucher début novembre. J'étais rentrée en Angleterre fin juin ; il me restait donc quatre mois avant la naissance du bébé.

J'ai régulièrement écrit à Omar, qui a fait des efforts pour répondre en anglais. J'ai aussi essayé de lui téléphoner chaque semaine. Mais c'était très frustrant, car le réseau téléphonique égyptien n'est pas fiable et cela prenait un temps fou pour obtenir la ligne. Parfois, c'était même impossible ; d'autres fois, c'était Omar qui était absent quand je parvenais enfin à avoir une liaison. Quand il était à la maison, il y avait un long silence avant que Mama ne lui passe le combiné. Chaque fois que je l'ai eu au bout du fil, je lui ai parlé de l'appartement ; à chaque fois, il m'a fait la même réponse :

— Bientôt. C'est pour très bientôt.

C'est Salma qui m'a annoncé qu'Omar avait réussi ses examens et qu'à compter de la mi-juillet il ne serait plus possible de lui parler. J'ai abreuvé d'injures le réseau téléphonique et me suis mise à attendre les lettres de mon amour.

J'ai apprécié de me trouver dans le confort de la maison de mes parents et béni le ciel d'avoir évité la canicule interminable de l'été cairote alors que j'étais enceinte. Je me suis réjouie que, pour l'accouchement, ma mère soit à mes côtés et que mes parents puissent ainsi voir leur premier petit-enfant. À la maternité, les soins étaient les meilleurs dont une femme puisse rêver, et les infirmières et les docteurs y parlaient anglais. J'étais complètement rassurée, et ma vie aurait été parfaite si Omar avait été là.

J'ai fêté mon anniversaire en août. Vingt-quatre ans ! J'ai essayé de téléphoner à plusieurs reprises, mais Omar n'était jamais là. Il me manquait terriblement. J'ai promis à Salma de prendre des photos de notre fils dès sa naissance. J'ai également dû prévoir la circoncision du bébé avec le médecin afin de me soumettre à la coutume musulmane.

Au cours des derniers mois de ma grossesse, mis à part le fait que mon ventre s'arrondissait comme un ballon, je me suis sentie en pleine forme. Une semaine avant la date prévue de l'accouchement, j'ai commencé à ressentir des douleurs et, le dernier jour d'octobre, j'ai donné naissance à la plus jolie des petites filles qu'on ait jamais vue. J'ai longuement regardé mon enfant, jusqu'à ce que l'infirmière autorise mes parents et mes grands-parents à venir nous dire bonjour. Ma fille était blanche, avec de longues jambes, une touffe de cheveux bruns et de merveilleux yeux bleu foncé.

Plus tard, ce même jour, j'ai appelé en Égypte. À nouveau, Omar était absent. J'ai informé Salma que j'avais accouché un peu plus tôt que prévu et lui ai dit qu'elle pouvait annoncer à son frère qu'il était papa. Toute la famille s'est extasiée, criant un *mabrouk* collectif au bout du fil.

— Dis-moi, a demandé Salma, à qui ressemble-t-il ?

— D'abord, il faut que je te dise que ce n'est pas « il », mais « elle ». Tu peux dire à Omar que nous avons une fille. Elle est vraiment très belle et c'est tout le portrait de son père.

J'ai entendu des palabres à l'autre bout de la ligne. Salma transmettait les informations au reste de la famille. Puis elle a dit :

— *Mabrouk*, Jacky. Et toi ? Ça va ?

— Encore un peu faiblarde. C'est la première fois que je fais ça. Je dois te parler d'un petit problème. Omar et moi nous étions mis d'accord sur un prénom de garçon. On ne peut pas appeler notre fille Adham, n'est-ce pas ? Auriez-vous des idées de prénoms féminins ?

J'ai attendu jusqu'à ce que Salma me réponde :

— Papa dit que tu peux choisir ce que tu veux, du moment que c'est un prénom acceptable ici. Je meurs d'envie de te revoir. Tu nous manques, Jacky.

— Le bébé doit avoir six semaines pour être autorisé à prendre l'avion. Ce ne sera plus très long. Transmets mes amitiés à tout le monde et dis à Omar que je l'aime.

Pour prénom, j'ai choisi Leila. Avant d'aller déclarer officiellement le bébé, j'ai appelé Omar pour lui demander si cela lui plaisait, mais il était à nouveau absent. J'ai tout de même informé Salma du prénom retenu ; elle a juste eu le temps de me dire qu'elle l'aimait beaucoup avant que la ligne ne soit interrompue.

Je suis restée une semaine à la maternité. Maman avait fait paraître l'avis de naissance dans la presse locale. De ce fait, une fois rentrée à la maison, j'ai été inondée de visites, chacun m'apportant des fleurs ou des cadeaux pour Leila. Nous avons également reçu de très nombreuses cartes de vœux d'amis habitant trop loin pour venir.

Par un de ces frisquets matins clairs, assise près de la baie vitrée du salon, Leila chaudement emmaillotée en raison de la froidure de novembre, j'avais les yeux fermés et m'apprêtais à somnoler quand j'ai senti une main se poser sur mon épaule. C'était maman.

— Jacky, il y a quelqu'un pour toi.

Je me suis redressée en me frottant les yeux. C'était Karen. Je n'arrivais pas à le croire. Son sourire courait d'une oreille à l'autre. Elle avait coiffé ses cheveux roux en queue-de-cheval et portait de très élégants vêtements d'hiver. Elle m'a tendu les bras et je me suis aussitôt levée pour aller l'embrasser.

— C'est si bon de te revoir ! Tu as réussi... Mais comment as-tu su que j'étais ici ? Pourquoi n'as-tu pas téléphoné avant d'entreprendre un aussi long voyage ?

— Je l'ai fait. Mais j'ai demandé à ta mère de ne rien te dire. Je voulais te faire la surprise. Je peux rester pour le week-end, si ça ne pose pas de problème.

— Évidemment que ça ne pose pas de problème. Je vais mettre de l'eau à bouillir pour le thé.

— Dis-moi, Jacky, ça ne lui a pas fendu le cœur, à Omar, d'avoir une fille ?

— Il s'en moque. Au moins, comme ça, le bébé n'a pas à être circoncis.

Karen est subitement devenue sérieuse.

— Ne crois pas ça. La sœur aînée de Samir a été excisée. Aujourd'hui, je sais bien que les jeunes délaissent de plus en plus ce procédé, mais c'est une vieille coutume qui se pratique encore dans les villages et il y a toujours des familles du Caire qui en sont adeptes.

— Mais c'est terrible...

— Sois vigilante.

J'en ai frémi.

— Personne ne fera jamais subir une telle chose à ma fille. Il faudrait me tuer d'abord.

Karen était arrivée en Angleterre une semaine après moi. Samir était tellement englué dans ses problèmes personnels qu'il ne s'était pas soucié du sort de sa femme. Elle n'avait eu aucun mal à fuir.

— Il sait où je vis, mais que peut-il faire ? Il est trop tard pour qu'il me dise qu'il va changer.

— Mais s'il décidait de venir en Écosse ? Vous y avez vécu ensemble.

— Oui, je sais bien, mais c'est quand nous nous sommes installés au Caire qu'il a changé. Je ne veux plus jamais le revoir.

J'ai regardé mon amie.

— Au moins, vous n'avez pas d'enfants. Ça aurait compliqué les choses.

— C'est une histoire terminée, m'a répondu Karen d'un ton ferme.

On sentait en elle une force intérieure qui mettait beaucoup de conviction dans sa petite voix.

Je lui ai tendu Leila pour qu'elle lui fasse un câlin.

— Je suis contente pour toi, ai-je ajouté.

Karen m'a cependant interrogée sur mes intentions de retourner en Égypte. Elle n'a pas été la seule. Mes parents étaient également très soucieux, tout comme ils l'avaient déjà été dans le passé. Noël approchant, nous avons fait les magasins, acheté des biberons, un stérilisateur et des boîtes de cachets pour purifier l'eau. J'ai choisi du tissu et maman a confectionné une housse pour le berceau. Elle m'a aussi offert une balançoire démontable pour bébé, que l'on pouvait facilement ranger dans une valise.

Leila avait trois semaines quand je me suis rendu compte que je ne l'avais toujours pas déclarée officiellement. Tout occupée à trouver un prénom, cela m'était sorti de la tête. J'ai décidé de donner à Leila, comme second prénom, celui de ma mère. Ma fille s'appellerait donc Leila Anne. Si nous avions eu un fils, il aurait hérité des prénoms d'Omar et de mon père, comme le veut la coutume. C'était ce qu'Omar m'avait dit. Mais, comme il s'agissait d'une fille, il n'y avait aucune raison de lui imposer deux prénoms masculins. J'ai donc écarté cette possibilité sans y réfléchir à deux fois, une grossière erreur que je n'allais pas tarder à payer cher.

Une semaine avant de retourner au Caire, j'ai reçu une lettre d'Omar me disant que l'appartement d'Embaba était prêt. J'y ai vu un excellent présage, la chance d'une nouvelle vie pour nous trois. Optimiste et enthousiaste, j'ai repris l'avion pour l'Égypte.

Mais quand je suis arrivée à l'aéroport du Caire, Omar n'était pas là.

22

Des temps difficiles

C'est Mohamed qui nous a accueillis. Il a pris Leila dans ses bras et l'a inondée de baisers avant de me la rendre et de s'occuper des bagages.

— *Fayn Omar?* ai-je questionné en fouillant le parking du regard.

Mohamed ne parlait ni l'anglais, ni le français.

— *Omar geb bade shwiya, bi layl.*

J'en ai été abasourdie. Tout ce que Mohamed avait dit, c'était qu'Omar viendrait dans la soirée. Que pouvait-il y avoir de plus important que d'aller à la rencontre de sa femme et de l'enfant qu'il n'avait jamais vu?

Dans la voiture, sur le chemin de l'appartement, nous sommes restés silencieux. À notre arrivée, toute la famille était là, à l'exception d'Omar. L'un après l'autre, ils ont pris Leila, qui avait dormi tranquillement au cours du vol, et l'ont portée à bout de bras encore et encore. Pour elle, ç'a été un choc et elle s'est tout naturellement mise à pleurer. On me l'a rendue en me disant qu'elle avait faim.

— Salma, peux-tu me dire où est Omar? ai-je réussi à demander au milieu de toute cette excitation.

— Il est à l'armée. Il rentre ce soir.

Je me suis isolée avec Leila dans une chambre pour lui donner le sein et réfléchir. J'ai commencé à être prise de panique, mais je ne pouvais rien faire tant que je n'en avais pas terminé avec ma fille.

Une demi-heure a passé avant que Salma ne vienne me demander si j'avais faim. Le dîner était prêt. Elle s'est penchée pour prendre Leila qu'elle a mise contre son épaule afin qu'elle fasse son rot.

— Salma, ai-je demandé, dis-moi tout au sujet d'Omar. Qu'as-tu voulu dire en me disant qu'il était à l'armée ? Il y a la guerre ?

— Non. Mais maintenant qu'il a terminé l'université, il doit faire son service militaire. Comme tout le monde.

J'ai enfin compris pourquoi j'avais eu si peu de nouvelles de lui.

— Mais où est-il ? Quand est-il parti ? Combien de temps cela va-t-il durer ?

— Il est parti en juillet. Juste après ton départ pour l'Angleterre. Il va faire quinze mois. Il est basé à Fayoum, près de Suez et d'Ismaïlia.

Je l'ai regardée, l'esprit encombré de mille pensées.

— C'est donc pour ça... Toutes ces fois où j'ai appelé et où il n'était pas à la maison...

Je n'ai pas terminé ma phrase.

— Il était là-bas, a dit Salma. Il ne voulait pas que tu te fasses de souci.

— Mais pourquoi m'en serais-je fait ? Est-il en danger ?

J'étais bouleversée.

— Non, non. Il va venir ce soir pour te voir. Il ne va plus tarder.

Leila a fait un énorme rot et s'est endormie contre l'épaule de Salma. J'ai allongé ma fille dans son berceau.

— Allons manger, ai-je dit. Mais, dis-moi, Omar, il rentre pour longtemps ?

— Je ne sais pas trop, a évasivement répondu Salma.

À la fin du repas, j'ai ouvert l'une de mes deux valises et j'ai déballé tous les cadeaux dans la chambre de Papa. Nous nous sommes tous assis sur son lit et j'ai procédé à la distribution. Des polos pour Mohamed, des corsages à manches longues et des sous-vêtements pour Magda, quelques romans en anglais et un ensemble veste-pantalon pour Salma, trois shorts et des tee-shirts assortis pour le petit Ahmed, un kit de manucure électrique pour Mervette, un pull pour Tarek. Pour Mama, j'avais trouvé un long gilet brodé, très joli, avec des boutons dorés, et pour Papa une épaisse robe de chambre écossaise, ainsi qu'une bouteille de Johnnie Walker. Ma mère m'avait aidée à choisir les cadeaux et c'est elle qui avait tout payé. Pour Omar, j'avais rapporté des polos et des jeans.

Tous m'ont remerciée, tous criaient en même temps, chacun montrant aux autres ce qu'il avait reçu. Tarek, Mervette et Ahmed sont arrivés au beau milieu de ces réjouissances et se sont mêlés à cet intense moment de bonheur. Papa a passé sa robe de chambre pour arpenter le couloir. Il m'a serrée dans ses bras et dit que j'étais sa fille, *shokran benti*.

J'étais ravie d'avoir obtenu un tel succès. J'en riais encore quand l'*adhan* a commencé et que les hommes sont partis à la prière.

Plus tard, vers 7 heures, Omar est arrivé. Il s'est jeté dans mes bras et nous sommes restés longtemps enlacés. Mama était contente de le revoir et elle a filé dans la cuisine pour lui réchauffer son repas pendant que je l'emmenais dans la chambre voir sa fille.

L'émotion l'a submergé quand il a pris Leila dans ses bras, qui tordait ses minuscules lèvres parce qu'elle avait envie de téter. Omar a ri, l'a embrassée et me l'a rendue. J'ai vu une larme naître dans son œil et couler sur sa joue.

— Elle est belle, a-t-il murmuré. *Benti Leila Omar. Abebbik toulombri min tath albi.*

J'arrivais à bien le comprendre, à présent, quand il s'exprimait en arabe. Il avait dit à sa fille qu'il l'aimerait toute sa vie du plus profond de son cœur. Mais je me suis demandé pourquoi il venait de l'appeler Leila Omar. Il avait l'air ridicule dans son soi-disant uniforme. Le tissu de la veste, beaucoup trop petite, était désespérément tendu sur sa poitrine alors que le pantalon était trop grand, tout comme les chaussures. On les lui avait données sans tenir compte de sa taille, parce que c'était tout ce dont on disposait à ce moment-là.

Après la douche et la prière, Omar et moi avons laissé Leila à l'appartement et sommes sortis tous les deux. Nous sommes allés boire un Coca dans un restaurant des bords du fleuve dans lequel il faisait étrangement frais. Omar ne pouvait rester que quarante-huit heures, et ne savait pas quand il rentrerait. Nous n'étions qu'en décembre, et il devait être soldat jusqu'en septembre. L'argent allait constituer un véritable problème. Omar ne recevait que six livres égyptiennes de solde, soit l'équivalent de deux livres sterling, ce qui ne couvrait même pas le montant des dépenses pour ses cigarettes, sans parler du coût du transport pour rentrer chaque semaine.

Je n'ai pu me retenir de sangloter en silence. Je savais que cela allait le fâcher de me voir pleurer en public, mais mes rêves s'étaient évanouis et je ne voulais pas entendre ce qu'il me disait.

Mais il ne s'est pas mis en colère. Il m'a gentiment passé la main sur les épaules.

— Ne pleure pas, *habibti*. Mama va prendre soin de toi.

D'un coup, j'ai arrêté de pleurer et je l'ai regardé.

— Qu'est-ce que tu veux dire ? Je croyais que notre appartement était prêt. Ce n'est pas ce que tu m'as dit ?

J'ai senti la panique m'étouffer lorsqu'il m'a annoncé :

— Tu ne peux pas rester toute seule. Tu vas rester auprès de Mama jusqu'à ce que j'aie terminé mon service et, après, nous irons habiter l'appartement.

Je me suis levée et j'ai secoué la tête, n'en croyant pas mes oreilles.

— Tu m'avais promis, ai-je murmuré.

À toute vitesse, Omar a lâché quelques pièces sur la table pour payer les boissons et m'a suivie dans la rue.

— Ne me dis pas que tu veux aller vivre là-bas toute seule ? a-t-il demandé.

— Non, je veux y vivre avec ma fille. Je veux être sa mère. Je veux que l'on soit une famille, je refuse d'être une autre fille de Mama, ai-je répondu en sanglots, le souffle court et les épaules rentrées. Oh, Omar, mais pourquoi ne m'as-tu jamais dit que tu devais faire ce stupide service militaire ? Comment vais-je faire sans toi ? Je ne suis revenue que pour toi. Si j'avais su, je serais restée en Angleterre.

Au silence qui a suivi, j'ai compris que j'étais allée trop loin, que je l'avais blessé. Nous sommes rentrés sans nous dire un mot. Omar s'est rendu dans la chambre de son père, et il a refermé la porte derrière lui. Je suis allée donner le sein à Leila avant de la changer. Mama m'avait donné une bassine pour y mettre les couches souillées à tremper, et j'ai décidé de m'en occuper dès le lendemain matin. J'étais énervée et j'avais peur de l'avenir.

Leila s'est réveillée au beau milieu de la nuit. Je suis allée dans le salon pour lui donner le sein sans déranger personne. Après, elle a dormi jusqu'au matin. J'étais en train de la changer quand Omar est arrivé.

— Jacky, nous déménageons à l'appartement aujourd'hui même. Papa est d'accord. Quand je ne serai pas là, Tarek et Mervette veilleront sur toi.

Il s'est baissé pour chatouiller Leila et l'a prise dans ses bras.

— Habille-toi, je vais m'occuper de Leila Omar.

C'est Mohamed qui nous a conduits à Embaba. Les enfants de la rue ont dû reconnaître Omar car ils ne se sont pas rués sur la voiture, se contentant de rester dans l'ombre, à bonne distance. Je suis montée avec Leila pendant que les hommes se chargeaient des bagages. Les marches étaient pleines de poussière et l'escalier n'avait pas de rampe. Quand nous sommes arrivés au quatrième, Mervette nous attendait devant la porte de son appartement avec un large sourire. Elle nous a fait entrer et a salué la présence de Leila. Ahmed, son fils, a rampé jusqu'au canapé pour voir le bébé. Il allait avoir un an et n'avait encore jamais vu de nourrisson.

Mervette a pris Leila dans ses bras et a dit :

— *Rouh enti shouf she 'ik. Ana ha o'od ma Leila.*

— *Shokran,* ai-je dit en me levant. *Ha gehik bade shwiya.*

C'était une femme serviable. Elle a accepté de garder ma fille pendant que je faisais le tour de notre nouvel appartement. J'ai traversé le palier.

Les ouvriers avaient certes posé les fenêtres et les persiennes. Mais, cela mis à part, rien n'avait changé depuis ma dernière visite. Tout n'était que poussière. Je laissais des traces à chacun de mes pas. Dans la deuxième chambre, il y avait toujours des tas de briques et des poutres étaient toujours appuyées contre le mur. Il n'y avait pas le moindre meuble.

Omar et Mohamed ont ouvert les volets, laissant entrer le soleil et la chaleur. Ils ont déposé les bagages dans la chambre principale, puis Omar s'est tourné vers moi pour me dire qu'il rapporterait des choses de chez ses parents et que je pouvais l'attendre avec Mervette. Il m'a embrassée et est reparti.

Je me suis assise par terre pour faire le point. De quoi avions-nous besoin pour vivre ici ? J'étais décidée à ne pas me laisser déborder par la situation. Après quelques minutes de réflexion, je suis allée chez Mervette. Je lui ai emprunté une bassine en plastique, des morceaux de vieux sacs et une éponge. J'ai relevé mes manches et ai entrepris de nettoyer le sol. À cause des fenêtres ouvertes, la chaleur était difficilement supportable. J'ai ouvert le robinet afin de me passer de l'eau sur le visage avant de me mettre à l'ouvrage, mais rien n'a coulé. J'ai essayé l'autre robinet, puis ceux de la cuisine : toujours rien. D'un revers de main, j'ai essuyé la sueur qui perlait à mon front et suis retournée voir Mervette pour lui demander ce que je devais faire.

Elle a d'abord ri quand elle m'a vue et m'a entraînée dans sa chambre pour que je me regarde dans son immense miroir. J'étais sale, le visage zébré de traces de poussière et une grosse tache maculait ma jupe. Mervette m'a ensuite emmenée dans la salle de bains. Il y avait trois grands seaux remplis d'eau. Elle a rempli ma petite bassine de façon à ce que je puisse commencer mon nettoyage.

Omar et Mohamed sont revenus avec Salma. À ce moment-là, j'avais terminé de nettoyer les sols du salon et de la chambre, et j'avais besoin d'eau propre pour continuer.

Ils avaient amené un matelas à une place, bourré de paille et très fin, deux couvertures, un Camping-gaz et un seul faitout, celui que Mama m'avait donné pour y faire tremper les couches. D'ailleurs, deux couches se trouvaient encore dedans.

— On va devoir dormir là-dessus jusqu'à ce qu'on puisse avoir un vrai lit. Dis à Salma ce qu'il te manque et demande-lui si elle peut te le procurer.

Ça n'a pas traîné. Je me suis adressée à Salma en anglais.

— Il n'y a pas d'eau. Il fait si chaud que les murs sont couverts de mouches. Crois-tu que Mama pourrait nous prêter un ventilateur ? Je n'ai ni bols, ni couverts. Et Omar va avoir besoin d'un tapis de prière, ai-je ajouté en me disant que, si je faisais allusion à l'islam, la pilule passerait plus facilement.

Salma s'est retournée pour parler à toute vitesse en arabe avec Omar. Puis elle a dit :

— Il n'y a pas d'eau parce que l'immeuble ne dispose pas de pompe. Il faut aller chercher l'eau à la fontaine, en bas.

Je l'ai regardée, incrédule.

— Tu veux dire qu'il n'y aura jamais d'eau dans l'appartement ?

— Peut-être dans quelques mois, a-t-elle répondu en haussant les épaules, quand ils auront installé une pompe. Je vais rentrer avec Mohamed et t'apporter ce que tu as demandé. Omar va aller chercher de l'eau. Je suis contente pour toi, Jacky. Tu as un appartement pour ta famille.

— Merci, ai-je dit.

Mais je l'ai rappelée, car une question m'était venue à l'esprit.

— Salma, peux-tu me dire comment Mervette a pu acheter tous ces superbes meubles ? Elle a tout ce dont on peut rêver.

— Chez nous, quand deux personnes se marient, l'homme se charge d'acheter l'appartement et la femme d'acheter les meubles.

Elle est venue vers moi et, à l'aide de son mouchoir, a essuyé une trace de saleté sur mon visage.

— Ne t'en fais pas, Jacky. Tu y arriveras, toi aussi. Je reviens bientôt.

Omar est revenu avec deux énormes containers de plastique. Il est allé en remplir un à la fontaine publique, et il a fallu trois hommes pour le remonter à l'appartement. Puis il est allé chercher un sac de riz et un poulet. Il le portait par les pattes et il semblait mort. J'ai eu la peur de ma vie quand il l'a lâché et que le poulet s'est mis à voler en piaillant.

— Je vais chercher des tomates et des légumes, à présent, a dit Omar.

En son absence, je suis allée donner à manger à Leila dans le confortable appartement de Mervette. Puis j'ai couché ma fille dans sa chambre. Mervette s'est décidée à venir me donner un coup de main et nous avons nettoyé tous les sols et essuyé la poussière qui collait aux murs et aux rebords des fenêtres. J'ignorais vraiment pourquoi Omar avait rapporté un poulet, mais j'étais trop occupée pour m'en soucier. Je l'ai baptisé Polly et l'ai enfermé dans la salle de bains. Dans la cuisine, il n'y avait ni placard ni plan de travail ; j'ai donc dû poser le stérilisateur et les biberons par terre et le sac de riz dans un coin. J'ai laissé nos vêtements dans les valises, par terre, dans la chambre, et mis le sac en éponge sur le rebord de la fenêtre de la salle de bains. Pour me débarrasser des mouches, j'ai fermé les volets et laissé les fenêtres ouvertes. J'ai roulé le matelas et mis le berceau de Leila à côté.

Nous sommes retournées chez Mervette pour le thé. Salma, Mohamed et Omar sont revenus à ce moment-là et nous ont rejointes. Salma ne s'était pas mal débrouillée en rapportant une boîte avec des ustensiles de cuisine et quatre bols de plastique, quatre assiettes et un vieux couvercle en aluminium que je pourrais utiliser pour trier le riz, mais elle n'avait pas réussi à trouver de ventilateur. Il y avait aussi deux tapis de prière, deux sacs, une vieille théière et un sac de thé.

Omar est retourné à notre appartement pour tordre le cou au poulet. J'en ai été toute retournée quand il est revenu avec le pauvre Polly et m'a demandé de le cuire. Je me suis levée et l'ai suivi dans notre cuisine où il avait posé Polly à même le sol.

— Tu peux le préparer là, a-t-il dit.

— Sûrement pas, ai-je répondu. Tu ne m'as jamais dit que tu allais le tuer. J'ai peut-être faim, mais pas assez pour manger Polly.

— Polly? Qui c'est, ce Polly? a demandé Omar. C'est pour nous que Papa a donné ce poulet. Pourquoi veux-tu que je rapporte un poulet si ce n'est pas pour le manger?

— Polly, c'est le nom que je lui avais donné, parce que je croyais qu'on allait le garder pour avoir des œufs. Je suis désolée, Omar, mais je ne peux pas faire ça, ai-je dit, inflexible.

C'est donc Omar qui a plumé, vidé et cuit le pauvre Polly. Mais lorsque j'ai humblement refusé de le goûter, Omar a perdu patience et eu son premier accès de colère. Il s'est mis à tempêter et à parler fort, ses yeux envoyant des éclairs menaçants. Leila a pleuré. Je l'ai prise dans mes bras et ai instinctivement cherché à reculer. Omar a calé sa main sous mon menton pour amener son visage près du sien tout en proférant des propos que je ne comprenais pas. Il sentait la cigarette, ses mains avaient gardé une odeur de poulet mort. J'ai fermé les yeux.

Il m'a repoussée brusquement et est parti après avoir claqué la porte derrière lui. J'ai commencé à bercer Leila, à pleurer en silence et à m'en vouloir. Mais pourquoi avais-je préféré un poulet à mon mari? Nous crevions de chaleur, nous étions sales, nous avions faim, étions littéralement à bout de forces et sans le sou. Un poulet représentait un cadeau appréciable, mais tout ce que j'avais réussi à faire avait été de le jeter à la figure de mon mari. C'était là une grave insulte. Je lui avais manqué de respect, une chose difficilement pardonnable aux yeux d'Omar. En plus, il ignorait quand nous aurions à nouveau de la viande sur la table.

Une demi-heure a passé avant qu'Omar ne revienne.

— Je suis désolée. J'ai été grotesque. Tout est de ma faute, ai-je commencé.

Omar m'a réduite au silence en me donnant un long baiser. Il se calmait aussi vite qu'il s'emportait. Son regard était redevenu normal.

— Chut! a-t-il murmuré. Ne t'en fais pas pour ça. Mets le poulet dans une assiette et porte-le à Mervette pour qu'elle le mette au frais.

Omar m'a caressé le visage et a regardé ma djellaba pleine de poussière.

— Nous allons prendre une douche et enfiler des vêtements propres, a-t-il dit. Je vais demander à Mohamed de nous emmener avec lui quand il va rentrer. Nous reviendrons en taxi.

Nous sommes donc retournés chez Papa, y avons dîné et pris une douche. J'ai considéré comme un luxe de sentir de l'eau fraîche me couler sur le corps et d'avoir la possibilité de me laver les cheveux. Il n'empêche que cette douche ne m'a pas débarrassée des craintes qui montaient en moi. J'avais bien conscience que nous ne pouvions pas continuer ainsi. Je savais par ailleurs que Mama n'attendait qu'une chose : nous voir revenir habiter chez elle et être de nouveau à sa charge.

J'ai alors pris une décision. Avec assurance, face à toute la famille, j'ai demandé à Mama si Leila et moi pourrions venir chez elle chaque vendredi pour dîner et prendre une douche. Papa a trouvé que c'était là une excellente idée et Mama, à contrecœur, a donné son accord. Nous sommes retournés à Embaba en taxi, sans problème. Tout au long du trajet, je n'ai cessé de garder les yeux baissés.

La température a fraîchi avec le soir et le coucher du soleil. Le carrelage dont j'avais apprécié la fraîcheur pendant la journée était à présent glacé au toucher. Il faisait si froid qu'il était impossible de dormir en djellaba ; nous avons dû garder nos vêtements. Le matelas était trop étroit pour deux, aussi nous nous y sommes couchés à tour de rôle. Omar reparti à l'armée, je l'aurais pour moi seule. Mais pour l'instant, je devais me résigner à dormir en boule à même le sol, enveloppée dans une couverture, attendant mon tour pour profiter du matelas. Je n'ai pu m'empêcher de penser au confortable lit qui m'attendait en Angleterre. En plus, dans de telles conditions, il était hors de question de faire l'amour.

La nuit, l'appartement était calme, contrastant avec celui de Papa qui donnait sur une rue toujours animée. Dans l'obscurité, assise dans ma couverture, j'ai regardé mon mari et ma fille dormir. J'étais frigorifiée, mal à l'aise dans mes vêtements, et l'avenir me faisait peur. J'aurais voulu qu'Omar me prenne dans ses bras et me dise que tout allait bien. Mais, au fond de mon cœur, je me demandais comment une telle chose pourrait être un jour possible.

23

La douceur de la vie domestique

Le premier nettoyage des couches de Leila à l'appartement a nécessité une grande organisation. Il n'y avait qu'un seul faitout et nous n'avions pas de lessive. Omar est donc descendu au souk pour acheter du savon noir, une râpe et un sac de morceaux de *butaas*, une sorte d'acide, que j'ai fait bouillir avec du savon râpé, en remuant avec un morceau de bois que les ouvriers avaient abandonné là. Après rinçage dans cette mixture, les couches étaient d'une blancheur éclatante. Omar a bricolé deux bouts de bois qu'il a fixés des deux côtés du balcon et auxquels il a attaché une corde. Ainsi, et grâce aux pinces à linge empruntées à Mervette, j'ai pu mettre les couches à sécher.

— Il faut te couvrir les cheveux quand tu sors sur le balcon, m'a prévenue Omar. Il ne faut pas que les voisins te voient.

Le temps de m'occuper de Leila, de laver d'autres vêtements du bébé et quelques sous-vêtements, il était midi, et la chaleur était suffocante. Nous n'avions qu'un verre pour boire, celui que nous avait prêté Mervette. Omar est donc allé voir son oncle Hassam, qui semblait pouvoir nous donner une vieille armoire et une desserte. Les ouvriers de Papa n'avaient toujours pas commencé les placards de la cuisine, et ils devaient également nous fabriquer un lit double et un berceau pour Leila.

J'ai repris mon travail de professeur, avec la chance de pouvoir emmener Leila avec moi. Georges a même accepté de faire un détour pour venir nous prendre le matin et nous raccompagner chaque soir.

La préparation du premier petit déjeuner, avant que mon mari ne retourne à l'armée, a également été rocambolesque. Je ne pouvais pas faire cuire quelque chose dans le faitout qui avait servi à laver les couches. Alors, j'ai haché des tomates, lavé des concombres et les ai coupés en tranches. Les tomates étaient énormes, mais elles n'avaient aucun goût. Heureusement, les concombres, pourtant minuscules, étaient très goûteux.

Omar, de son côté, est descendu acheter du *foul*, du pain et du sel. C'est là le déjeuner de base de tous les Égyptiens et le tout ne coûte que trente piastres. Le *foul* est composé de haricots bruns mélangés à une sauce de même aspect. Des marchands en font réchauffer à longueur de journée dans d'immenses récipients et cuisent le pain sur de grandes plaques. C'est insipide. La texture est collante et repoussante mais, avec du sel, le *foul* et les tomates se mélangent assez bien. J'en ai mangé ce jour-là une pleine assiettée avec beaucoup de pain et de salade.

Omar a apprécié mon changement d'attitude.

— Je me suis arrangé avec un petit gars qui, chaque matin pour le petit déjeuner, va t'apporter du *foul*, du *tarmeyer* et du pain, m'a-t-il dit. Je lui donne cinquante piastres par semaine pour ce service. Il laissera ça à la porte. Il frappera et s'en ira. Tu attendras qu'il soit parti pour ouvrir la porte.

— Je vais avoir besoin d'argent pour les produits de base. Tu veux que je demande une avance à l'école ?

— Non. Il vaut mieux emprunter à Papa. Nous lui rendrons quand tu auras été payée. Il va nous falloir penser au *saboor*.

— C'est quoi, le *saboor* ?

Omar s'est essuyé les mains à sa djellaba avant de prendre Leila et de la balancer dans ses bras.

— C'est pour le bébé. Sept jours après sa naissance, on donne une fête. On allume des bougies et on dit à l'enfant de bien écouter ses parents et de respecter Dieu.

— Mais Leila a déjà six semaines... Et nous n'avons pas d'assiettes, ni même d'argent pour acheter quoi que ce soit, ai-je répliqué.

— Nous ferons le *saboor* sept jours après l'arrivée de Leila en Égypte, soit vendredi prochain, a tranché Omar. Mama et Papa s'occuperont de tout.

— Sans toi? Omar, je ne suis pas certaine d'être capable de me débrouiller. On ne peut pas reculer la date?

Mais je serai là, *habibti*. Je vais rentrer chaque semaine, a-t-il dit en m'attirant à lui pour m'embrasser avec force.

Je me suis collée à lui. Je ne voulais pas le voir partir.

— À quelle heure dois-tu t'en aller? ai-je murmuré.

— Maintenant. Mohamed va me conduire à Fayoun. Mon uniforme est chez ma mère.

Il m'a à nouveau embrassée et a dit :

— Je ne vais pas arrêter de penser à toi. Je t'aime.

— Tu es sûr que Mohamed doit venir te prendre? ai-je chuchoté avec l'espoir de reculer son départ aussi longtemps que possible.

— Il est déjà là, en bas, en train de discuter avec les ouvriers. Demande à Tarek si tu as besoin de quoi que ce soit.

Je me suis sentie très seule, toute cette journée, dans l'appartement, sachant que je devrais attendre le retour d'Omar pendant une semaine. Quand le soleil s'est couché, Leila s'est endormie, je me suis allongée sur notre misérable paillasse et j'ai pleuré toute la nuit.

J'étais anxieuse de retourner au travail avec mon bébé. Quand j'ai quitté l'appartement, j'ai senti qu'on m'épiait. J'ai tenu Leila serrée contre moi et fixé le sol jusqu'à ce que j'arrive au bout de la rue où m'attendait le minibus de Georges. J'avais oublié de demander quelle attitude je devais prendre vis-à-vis des voisins et je ne voulais pas commettre d'impairs susceptibles de compromettre mes allées et venues.

À l'école, tout le monde m'a accueillie à bras ouverts. Leila a aussitôt été prise en charge par deux femmes égyptiennes qui l'ont fêtée en criant : « Me'sha'allah. »

Même Mme Sellar a posé des questions sur l'accouchement. Il était évident que chacun se réjouissait de mon retour, ce qui m'a détendue. Je leur ai parlé de Karen en les faisant jurer de tenir leur langue.

— À présent, raconte-nous ce que ça fait de revenir en Égypte, a dit Lisa. Vous avez finalement emménagé dans votre nouvel appartement, ou vous êtes encore chez la vieille chouette ?

— Nous avons déménagé, ai-je répondu en riant. Enfin, surtout moi. Omar est parti à l'armée. Leila et moi allons devoir rester seules pendant quelques mois.

— C'est tout de même une bonne nouvelle, a dit Judith, les yeux brillants. Ça veut dire que nous allons avoir droit à quelques invitations à des soirées, n'est-ce pas ?

J'ai baissé les yeux.

— Malheureusement, ça ne ressemble pas à ce que vous pouvez imaginer. Je ne peux décemment recevoir personne pour l'instant, ai-je dit en laissant échapper une larme.

Judith m'a alors enlacée.

— C'est la famille de la mariée qui est censée acheter les meubles, c'est-à-dire moi. Je n'ai pas eu le temps de m'en occuper et, de toute façon, je n'ai pas assez d'argent. Ce qui fait qu'il n'y a rien dans l'appartement. C'est tout vide. Nous n'avons même pas de lit. Et il n'y a pas l'eau courante, non plus. Je ne sais vraiment pas comment je vais faire.

— Ne t'en fais pas, a dit Judith. Nous allons t'aider. Nous sommes là, ne t'inquiète pas.

Mon coup de cafard a été de courte durée. Les élèves étaient enchantés de me revoir et tout contents de faire la connaissance de Leila. Après quelques minutes au sein de la classe, j'étais à nouveau dans le bain, trop occupée pour me laisser aller au désespoir. Ma fille était dans un couffin. Chaque fois qu'elle avait faim, une assistante prenait le relais auprès des élèves, me laissant m'occuper du bébé. J'avais beaucoup craint d'enseigner avec Leila dans la classe. Mais, au cours de cette première journée, tout s'est passé sans le moindre accroc.

Le soir, pendant que j'attendais que Georges revienne de sa première tournée, Lisa et Judith m'ont apporté quelques posters.

— Tiens, Jacky. Mets ça sur tes murs. Égaie-les un peu, m'a dit Judith en me tendant les affiches.

— Je les ai mises à côté du sac de Leila.

— Je te remercie. C'est un bon début, ai-je dit en souriant. Et ce n'est pas la place qui me manque pour les coller…

Les posters ont totalement changé l'atmosphère de l'appartement. D'un seul coup, j'ai eu l'impression de me sentir chez moi.

Pour le thé, j'ai réchauffé le *foul* et le *tarmeyer* que je n'avais pas eu le temps de manger, le matin. J'ai rempli mon ventre de pain et de concombre, et je dois avouer que j'ai presque trouvé cela bon. Le plein de protéines, c'était ce dont j'avais besoin. Et j'ai essayé de ne pas penser à toutes les mains sales qui avaient préparé cette nourriture.

J'ai couché Leila et je suis allée au lit. Encore une journée de passée ! Mais ma vie allait-elle se résumer à cela, attendre que les jours passent ? Depuis mon retour, il n'y avait eu que de la tension entre Omar et moi. J'avais imaginé des retrouvailles romantiques, passionnées, mais nos problèmes matériels avaient pris le dessus et mes sentiments avaient été remisés au placard. J'ai donc décidé de prouver à Omar que je pouvais surmonter ces événements, afin qu'il soit fier de moi à son retour.

Quelques jours plus tard, l'oncle Hassan a apporté la desserte et l'armoire, que j'ai garnie avec les cintres donnés par Lisa. Quand j'ai vu nos vêtements impeccablement pendus sur la tringle de bois brut, j'ai commencé à envisager sereinement l'avenir. L'appartement prenait forme peu à peu.

Un matin, avant de partir à l'école en compagnie de Mervette, je me suis risquée jusqu'au souk de la rue voisine. J'avais mis un voile noir sur ma tête, comme mon mari me l'avait demandé. Mervette a marchandé quelques prix, puis j'ai suivi son exemple, achetant une laitue et des pommes de terre sans son aide. Des gamins ont alors remarqué ma peau claire et mes cheveux blonds sous le voile et nous ont suivies. Ils ont passé leur temps à essayer de me toucher en demandant « *Si'kem ?* ». Mervette les a chassés d'un « *Emshou* » et ils ont déguerpi en riant.

Il y avait une petite boutique sur le bord de la route, entre le souk et nos appartements. Là, j'ai acheté de la feta, du sucre, du bœuf en conserve et de petites boîtes de purée de tomate. C'était peu cher et me permettrait de tenir toute la semaine. J'ai réussi à faire ces emplettes en arabe et sans jamais bafouiller.

Le vendredi, jour de la fête en l'honneur de Leila, est enfin arrivé. Il n'y avait évidemment pas classe ce jour-là. Mohamed a débarqué avec des chaises sur le plateau d'un camion. Il m'a demandé de rester enfermée dans la chambre avec ma fille pendant que les ouvriers les installaient. À midi, Papa et Mama sont venus avec des casseroles de nourriture : du poulet cuit, du riz, de la salade et des gâteaux. L'après-midi, les caisses de Coca et de Seven Up sont arrivées. Tarek, quant à lui, a amené sa table et sa télé en noir et blanc.

Pendant tout le temps des préparatifs, qui se déroulaient dans mon appartement, tout le monde faisait comme si je n'étais pas là. À l'heure de la sieste, la famille est partie chez Mervette : je n'avais rien à leur offrir comme couchage, et j'en ai été ravie. J'ai picoré dans les plats de manière à ce que ça ne se voie pas, jusqu'à en être rassasiée. Le poulet sentait vraiment bon. J'ai fait passer tout cela avec un peu de Coca.

Après la sieste, comme le soir avançait, la famille est revenue. Les femmes étaient habillées comme pour une réception officielle, avec force maquillage et des coiffures apprêtées. Magda avait un look renversant. Elle était allée chez la *coiffeuse*, qui lui avait tiré les cheveux en arrière, ce qui mettait en valeur ses boucles d'oreilles en or très travaillées. Elle avait revêtu une tenue chatoyante aux reflets dorés, des chaussures de même couleur à talons hauts, ainsi que des bracelets en or à chaque poignet. Elle voulait en fait impressionner son futur mari, qui avait également reçu une invitation.

Les autres membres de la famille sont arrivés au fur et à mesure. Ils m'ont embrassée avant de prendre place sur les chaises disposées le long des murs. Les enfants ont joué à se courir après les uns les autres. Les femmes étaient outrageusement maquillées et enturbannées de couleurs vives. À côté, les hommes, en chemise et pantalon, faisaient bien pâle figure. La plupart d'entre eux portaient une moustache noire qui s'accordait parfaitement avec leurs sourcils broussailleux. Le futur mari de Magda, Abdel Menem, était grand avec de petits yeux sombres. Il perdait ses cheveux, ce qui le faisait paraître plus vieux que son âge. Quand il est venu vers moi pour me saluer, je lui ai trouvé l'air sournois. Je lui ai bien sûr tendu la main. Je savais que je ne devais pas la lui serrer, tout comme il ne devait pas serrer la mienne. Il l'a gentiment prise et l'a aussitôt lâchée, comme le voulait la bienséance. J'ai alors levé les yeux pour lui dire bonsoir, ce qui l'a fait sourire, adoucissant ses traits. Ses yeux se sont plissés et j'y ai vu naître une lueur de plaisir. Il a ensuite tourné les talons et est allé s'asseoir à côté de Magda après avoir dit quelques mots à Mama qui ont paru l'enchanter.

On a apporté les tambours et des femmes ont commencé à battre un rythme que nous avons tous accompagné et renforcé en tapant dans nos mains. A débuté ensuite la distribution des bougies à chacun, adultes et enfants, qui les ont allumées et soufflées, tous ensemble.

À l'instant où l'on venait de me prier d'aller chercher Leila, Omar est entré. Nous n'avons même pas eu le temps de nous dire bonjour. On lui a collé une bougie dans la main et il a fait le tour de la pièce en souhaitant la bienvenue à chacun. J'ai pris Leila et, comme on me l'avait demandé, l'ai posée par terre, au milieu des invités, sur un tapis de prière. Salma s'est agenouillée à ses côtés avec un énorme mortier qu'elle s'est mise à frapper avec un pilon tout en psalmodiant des paroles auxquelles l'assistance a répondu en criant. Je ne comprenais rien, mais j'étais fascinée. Ils se sont ensuite tous placés en ligne, leur bougie à la main, et sont passés un à un au-dessus du corps de Leila, alors que les tambours continuaient à jouer leur rythme hypnotique, accompagnés des chants et du battement du pilon contre le mortier.

J'étais certaine que Leila allait recevoir de la cire chaude sur le visage. Ne pouvant pas intervenir moi-même, j'ai regardé Omar, qui a capté mon regard et compris mon angoisse. Il a hoché la tête pour me rassurer et m'a fait un clin d'œil. Les chants sont alors devenus envoûtants. Puis, soudain, comme s'ils avaient entendu un signal que je n'avais pas perçu, les participants se sont tus. On m'a autorisée à reprendre Leila et à l'emmener chez Mervette, dans la chambre, pour lui donner à manger. Pendant que je nourrissais ma fille, j'entendais les invités taper dans leurs mains.

La cérémonie a duré des heures. Magda était assise près d'Abdel Menem. Elle lui tenait la main, un sourire figé sur son visage. Il était évident qu'Abdel la trouvait à son goût. J'ai couché Leila à 23 heures, mais tous les autres enfants continuaient à courir dans tous les sens. Toute la famille devait participer aux célébrations, bébés et enfants compris.

Puis, petit à petit, les invités ont commencé à partir. À minuit, Omar a empilé les chaises dans le salon. Mama et Salma ont ramassé les assiettes vides, les verres et les casseroles dans une grande caisse et Mohamed a mis les bouteilles vides dans un carton. Tarek a remporté la table et la télé chez lui et j'ai pu ramener Leila chez nous.

Malgré cette célébration joyeuse du *saboor*, il était évident que la famille aurait préféré que je donne naissance à un garçon. Jusqu'à présent, elle n'avait pas fait grand cas de Leila, beaucoup moins que les collègues, à l'école. Heureusement, Mervette avait eu Ahmed! Une fois encore, j'avais le sentiment de ne pas avoir été à la hauteur.

Cette nuit-là, Omar et moi avons dormi ensemble, délaissant le matelas pour une couverture à même le carrelage et une autre par-dessus nous. Nous avons fait l'amour passionnément et, après une rapide toilette à l'aide de la bassine, nous nous sommes endormis tendrement enlacés. J'avais attendu deux longues semaines pour le tenir ainsi, pour être avec lui, et je me suis sentie beaucoup mieux. Nous surmonterions les épreuves. J'étais à nouveau pleine d'espoir pour l'avenir.

Le lendemain matin, au petit déjeuner, Omar m'a annoncé qu'il devrait partir de bonne heure dans l'après-midi et que nous dînerions chez Mama.

— Et n'oublie pas d'apporter le certificat de naissance de Leila. Tu aurais dû le montrer à Papa hier soir, mais j'ai oublié de t'en parler.

Chez Papa, j'ai bien lavé Leila et j'ai pu enfin prendre une douche. Après le dîner, nous nous sommes tous retrouvés dans le salon devant la télévision. Avec fierté, j'ai déplié le certificat de naissance et l'ai donné à mon beau-père. Il a chaussé ses lunettes et l'a examiné avec soin, l'approchant de sa figure. C'était évidemment la première fois qu'il en voyait un en anglais. Il a donc appelé Salma, et son sourire a fondu instantanément à la lecture du document. Omar a alors pris le certificat des mains de sa sœur et l'a lui-même examiné. Il a lu lentement à haute voix :

— Leila Anne.

— Je lui ai donné le nom de ma mère. Ce n'est pas une bonne idée ? ai-je dit en souriant.

Le regard sombre, Omar s'est tourné vers moi.

— Tu as appelé ma fille Leila Anne, c'est ça ? Mais où est le prénom de son père ?

Ses yeux jetaient des éclairs. J'ai pris peur. Mais qu'avais-je donc encore fait ?

— C'est une fille. Omar est un prénom de garçon, ai-je prétexté.

— Tu as appelé d'Angleterre et nous étions d'accord pour que tu l'appelles Leila, a-t-il hurlé. Mais le nom du bébé devait être Adham Omar Ibrahim. Tu as dit que tu avais compris. Qu'est-ce que ça veut dire ?

Dégoûté, il a jeté le certificat sur le lit.

— Mais pourquoi donner un nom de garçon à une fille ? ai-je murmuré.

— Tu m'as désobéi. Je ne peux pas admettre ça.

Il a soudain levé la main et m'a giflée avec une telle force que je suis partie à la renverse contre le poste de télévision. J'avais la joue tout engourdie et mon œil s'est fermé. Je me suis assise, bouleversée, alors que toute la famille se mettait à vociférer. Papa s'est levé pour crier à son tour. Omar agitait les bras dans tous les sens et criait lui aussi. Mama et Magda se sont mises de la partie. Mohamed s'est alors interposé entre Papa, Salma et Omar comme s'ils allaient en venir aux mains.

Mais personne ne s'inquiétait de savoir comment j'allais. Des larmes ont coulé sur mes joues quand j'ai essuyé le filet de sang qui coulait de mon œil écorché.

Papa s'est alors penché vers moi, très près de mon visage, et m'a demandé de partir.

Omar a attrapé Leila, nous sommes sortis dans la rue et nous sommes tassés dans un taxi. Omar a fulminé tout au long du voyage, et je n'ai pas osé proférer le moindre mot. Arrivés dans l'entrée de l'appartement, Omar, du pied, m'a violemment frappée dans le dos. J'ai perdu l'équilibre et me suis étalée par terre. Il a mis Leila dans sa chaise de bébé, est venu vers moi et m'a relevée. Il m'a prise par les épaules en me demandant encore et encore :

— *Lay ? Lay kedda ? Lay Jacky ? Lay ?*

Sans rien ajouter, il a pris son sac de soldat et est sorti en claquant la porte derrière lui. En me regardant dans le miroir de mon sac à main, j'ai vu, comme je m'y attendais, un énorme coquard. On devinait encore nettement l'empreinte de sa main sur mon visage couvert de poussière, de sang et de larmes. Je me suis doucement lavé la figure avec le coton que j'avais apporté d'Angleterre pour ma fille. J'allais devoir inventer une histoire pour justifier mon état auprès des collègues de l'école. Elles ne devaient en aucun cas connaître la vérité.

Je me suis allongée pour analyser plus sérieusement ce qui venait de se passer. Il était donc de coutume de donner à chaque enfant, quel que soit son sexe, le nom du père et ensuite celui du grand-père. À nouveau, à cause de mon ignorance, j'avais énormément manqué de respect à la famille.

Leur colère était compréhensible. Je méritais ce qui m'était arrivé. Je me sentais coupable, honteuse et misérable. J'étais une mauvaise épouse. Maintenant, Omar était parti et je ne pouvais plus le supplier de me pardonner. Mais comment avais-je pu être aussi stupide? Je me suis finalement endormie en me demandant si, un jour, je parviendrais à être suffisamment intelligente pour que la famille m'accepte. J'étais en tout cas déterminée à mettre les bouchées doubles pour y parvenir.

24

Survivre

Peu à peu, la famille a réduit son aide. Non seulement Leila n'était qu'une fille, mais elle avait, en plus, un nom inacceptable et une mère indigne. Heureusement, Mervette a su être d'un grand soutien, gardant Leila pendant que je m'activais à faire le ménage de l'appartement, à laver du linge ou encore à faire bouillir les couches. Omar rentrait chaque vendredi. Au lieu d'aller rendre visite à Papa, nous nous lavions mutuellement les cheveux et allions ensuite nous asseoir sur le minuscule balcon pour contempler les étoiles.

Omar n'a plus fait allusion au nom de sa fille et j'ai bien sûr évité le sujet. Après une interminable semaine de travail passée dans une chaleur incroyable, j'aurais aimé être invitée à aller me doucher et dîner chez Papa. Salma et ses conversations enjouées me manquaient aussi. Mais je savais que c'était également là un sujet à éviter. J'étais en disgrâce. Seul Papa pouvait à nouveau me réintégrer dans le cercle familial.

L'argent, ou plutôt son absence, est devenu un problème sérieux. Il devenait même compliqué de donner un pourboire au *bawab*, l'homme qui vivait dans l'entrée de l'immeuble. C'était lui qui nous apportait le courrier et me rendait d'autres services, comme de demander au livreur de bouteilles de gaz de monter à notre appartement. J'avais du mal à comprendre ce qu'il disait car il mâchonnait les mots et ne me regardait jamais dans les yeux. Chacune de ses phrases me paraissait être une espèce de borborygme. J'étais néanmoins persuadée qu'à sa manière, il se souciait de moi. C'est pour cette raison que je prenais toujours soin, pour chaque service rendu, de lui dire merci avec insistance et de lui donner un pourboire, même quand j'étais vraiment fauchée. La moindre piastre comptait et, même en faisant extrêmement attention, il ne me restait plus un sou une semaine avant le versement de la nouvelle paye.

Pour arrondir leurs fins de mois, Christine et Élizabeth donnaient des cours particuliers d'anglais. Tentée de faire la même chose, j'ai voulu en parler à Omar, tout en sachant qu'avec un bébé sur les bras, ça risquait d'être un peu compliqué.

Quand il est rentré, deux semaines après le *saboor*, j'ai pris mon courage à deux mains pour aborder le sujet. Omar m'a écoutée avec intérêt. Quand j'ai annoncé combien je pourrais gagner, il a commencé à sourire et m'a fait joyeusement tourner sur moi-même.

— Jacky, mais tu sais que c'est une excellente idée, une vraie idée de génie. Tu pourrais donner tes leçons ici, dans l'appartement. En principe, une femme ne peut pas recevoir d'étrangers chez elle sans la présence de son mari. Mais Tarek pourrait assurer ce rôle.

Il s'est mis à arpenter le salon en réfléchissant, ses pensées s'enchaînant à toute vitesse.

— Il va te falloir une table et deux chaises, peut-être un tapis. Les jours où Tarek travaillera, Mohamed pourra venir. Papa va te pardonner quand il va se rendre compte à quel point tu peux être indépendante. L'argent va rentrer et tu seras plus heureuse. Oui, c'est une sacrée bonne idée.

Ç'a été simple à mettre en œuvre. Mme Sellar a accepté de me confier deux élèves, et elle a même poussé la gentillesse jusqu'à me procurer les manuels dont j'avais besoin. Georges m'a donné deux chaises de l'école. J'aurais aimé lui dire de venir à l'appartement, mais lui et moi savions que cela ne se faisait pas. Il a donc laissé les chaises au rez-de-chaussée pour que le *bawab* les monte, ainsi qu'un mot pour me souhaiter bonne chance. Tarek a apporté des pieds de table en aluminium léger. Les ouvriers ont découpé un cercle de contreplaqué pour faire le plateau et Mervette est arrivée avec une nappe. Un large rectangle de moquette brune qui se mariait avec le reste a complété l'ensemble. D'un coup, je me suis retrouvée dans une vraie salle à manger.

C'était les *dadas*, les bonnes, qui accompagnaient mes élèves jusque chez moi. Nous décidions ensemble de l'heure à laquelle elles devaient venir les rechercher avant qu'elles ne lancent le très attendu *souwhe'* au chauffeur. Tarek leur souhaitait aussi la bienvenue et s'asseyait dans la chambre pour lire son journal jusqu'à la fin de la leçon. Malgré son apparence de grand gaillard, ce n'était qu'un enfant gâté qui n'en faisait qu'à sa tête. Et, pendant qu'il était allongé sur le lit à siroter son thé et lire son journal, il pouvait se la couler douce. Il se frottait souvent à moi en passant les portes. Il s'en excusait chaque fois, mais je savais qu'il le faisait exprès. Chez Papa, il me déshabillait souvent du regard en regardant par-dessus son journal.

Mes élèves étaient deux filles âgées de huit et dix ans. Très bien élevées, elles avaient soif d'apprendre. Si Leila avait besoin qu'on s'occupe d'elle pendant une leçon, je la prenais et la berçais gentiment pour la réconforter. Et je facturais trois livres égyptiennes par leçon.

La semaine suivante, Omar m'a emmenée chez ses parents, et a raconté à toute la famille mes activités. Ils m'ont tous embrassée, ainsi que Leila, et m'ont proposé de prendre une douche. J'étais pardonnée ! Papa a même autorisé Omar à emmener son vieux lit à deux places. Un vrai luxe pour notre chambre, même si le matelas était au bout du rouleau. J'ai de nouveau bien dormi, me réveillant reposée chaque matin. Peu à peu, j'ai repris bon moral.

La semaine suivante, Mme Sellar m'a abordée d'une manière très maternelle en prenant mes mains dans les siennes.

— Jacky, vous avez fait très forte impression. Les parents discutent de tout entre eux, vous savez ce que c'est, et le bruit court que vous êtes un professeur patient et compréhensif. Pensez-vous pouvoir prendre deux élèves supplémentaires ?

— J'aimerais beaucoup, ai-je répondu. Et ça ne posera pas de problème. Je pensais que ce serait difficile de surveiller le bébé en même temps, mais je me débrouille très bien.

J'ai regardé Leila dont les yeux bleus avaient à présent viré au marron foncé, comme ceux de son père. Je l'ai chatouillée sous le menton. Elle a gazouillé et souri, puis s'est mise à tousser.

— Elle a une mauvaise toux. Il faudrait qu'elle voie un docteur, a fait remarquer Mme Sellar en examinant le visage de Leila, qui avait les joues écarlates.

Je l'ai regardée d'un air affolé. Elle avait sans doute raison.

— Mais je ne quitte l'appartement que pour venir à l'école et aller au marché ; je ne sais vraiment pas où je vais trouver un médecin.

— Georges peut vous conduire chez notre docteur, si vous voulez, a proposé la directrice en posant sa main sur mon bras pour me calmer, alors que je berçais Leila.

— Non, je vous remercie. Je vais voir comment elle va passer la nuit et je demanderai à Mervette qui est notre médecin de famille. J'ignore si mon beau-père approuverait que je consulte un autre médecin. Je ne peux pas prendre le risque de le froisser.

— C'est vous qui décidez, mais mon offre tient toujours. Je vais retarder l'inscription de vos nouveaux élèves jusqu'à ce que Leila soit rétablie.

Mme Sellar a pris le bébé et repoussé les couvertures pour lui donner un peu d'air.

— Je vais demander à *dada* Samia de rester avec elle, cet après-midi. Dans son état, ce ne serait peut-être pas une bonne idée de laisser votre fille à vos côtés en classe.

J'ai souri pour la remercier alors qu'elle appelait Samia. C'était une femme d'un certain âge, petite, bien en chair, très noire de peau et avec une forte voix. Il y avait de la coquetterie dans son regard, si bien qu'il était difficile, quand elle parlait, de savoir à qui elle s'adressait précisément. Elle a pris Leila en disant :

— Alors comme ça, ça ne va pas ? Tu manges bien, au moins ?

Toute la journée, Leila a refusé de prendre le sein, et cela m'a rendue malade à mon tour. Une fois arrivée à l'appartement, j'ai couru voir Mervette pour avoir son avis, mais il n'y avait personne. Elle était pourtant toujours à la maison ! Pour une fois que j'avais vraiment besoin d'elle... J'ai frappé jusqu'à en avoir mal aux doigts. De dépit, j'ai appuyé la tête contre la porte et j'ai commencé à pleurer.

Comme je retournais chez moi, j'ai entendu un bruit venant des étages inférieurs. Une femme se tenait dans l'escalier, accompagnée d'un garçon qui devait avoir dans les onze ans. Elle m'a dit qu'il s'appelait Youssef, qu'elle était sa mère et se nommait Om Youssef. Elle était tête nue et avait de longs cheveux noirs striés de gris et retenus en une queue-de-cheval faite à la va-vite. Elle m'a expliqué, en parlant fort et en faisant de grands gestes, qu'elle venait d'emménager dans l'appartement au-dessus du nôtre et m'a demandé de venir chez elle.

J'ai hésité et murmuré :

— *Fi ragil foh ? Gozik ?*

Si son mari était là, cela ferait des histoires, et c'était bien la dernière chose que je désirais.

En m'entendant parler arabe, son visage s'est éclairé.

— *Ti kelim arabi kwice. Enti zay masraya, hairlan. Mafish ragil henna.*

Elle m'a complimentée pour mon arabe et m'a assurée qu'il n'y avait pas d'homme chez elle. Elle a pris Leila dans ses bras et m'a invitée à la suivre.

Son intérieur était fascinant. Dans le salon se trouvait un canapé avec des bords dorés assortis aux chaises. Le mobilier n'était pas de première jeunesse : il était tout griffé et on avait recouvert les sièges de matelas à prières. Suspendu à un long clou planté dans le mur, un immense cadre doré abritait le portrait du président Anouar el-Sadate. Sur une table, dans un coin, une télévision noir et blanc et un lecteur de cassettes poussiéreux, posé dessus, fonctionnaient en même temps, mêlant leurs sons en une cacophonie indescriptible.

Om Youssef m'a fait entrer et asseoir sur le sofa près de son fils. Elle a emmené Leila dans la cuisine pendant qu'elle préparait le *ahwa*, qu'elle a servi accompagné d'un verre d'eau sur un plateau à la dorure ternie.

À petites gorgées, j'ai bu l'épais café sucré dont j'ai gommé le goût avec plusieurs gorgées d'eau. Pendant ce temps, Leila s'est endormie. Om Youssef me l'a rendue avant de prendre un petit cigare, fin et noir, qu'elle a allumé avec un certain contentement. À ce moment, son fils s'est levé pour baisser le son de la télévision, ne laissant que la triste mélopée qui s'échappait du lecteur de cassettes. Ma nouvelle voisine a alors fait un signe de tête vers la cassette.

— *Hellwa, mushkedda ?*

J'ai hoché la tête, bien qu'à mon avis la chanteuse n'ait pas gagné en qualité depuis qu'on avait coupé le son de la télé.

— *Hellwa awe,* ai-je répondu pour lui signifier que c'était beau.

— Om Kalsoum, a-t-elle murmuré en fermant les yeux et en inhalant l'épaisse fumée.

Om Kalsoum est la diva des divas. Tous les Égyptiens la respectent au-delà de tout ce qu'on peut imaginer. Depuis des années, accompagnée d'un orchestre au complet, elle donne d'importants concerts retransmis chaque semaine à la télévision.

J'ai complimenté Om Youssef pour son appartement, même si son intérieur m'apparaissait triste et plutôt encombré. En jetant un regard alentour, il était clair que c'était là l'appartement d'une famille *baladi*, le contraire d'une famille aisée. La mère de Mervette lui avait acheté un superbe buffet, une table de salle à manger et des chaises. Pour le *sarla*, le salon, elle lui avait offert une moquette plutôt que des tapis, ce qui faisait très moderne. Elle avait par ailleurs commandé un ensemble de salon de sept pièces, en bois précieux et sculpté, qui devait être bientôt livré. Mervette disposait d'une décoration et de vases qui rendaient son appartement enviable.

Om Youssef avait, elle, des caisses en bois empilées les unes sur les autres dans un coin avec, à côté, d'anciennes boîtes de beurre en fer. Dans la pièce du fond, les vêtements étaient suspendus à une corde. Les persiennes étaient ouvertes et elle avait mis les draps, en vrac sur le rebord de la fenêtre pour les aérer.

J'ai remercié Om Youssef et me suis levée pour prendre congé. Elle m'a alors donné une espèce d'huile qu'elle m'a recommandé d'étaler et de frotter sur la poitrine de Leila.

De retour chez moi, j'étais angoissée. Leila a accepté de manger en fin de soirée, mais s'est remise à tousser et a gémi toute la nuit. Le lendemain matin, elle avait de la fièvre. Affolée, je suis allée réveiller Mervette qui a décidé Tarek à appeler Mohamed, qui nous a conduites chez Papa. Mama nous attendait sur le pas de la porte, habillée comme pour sortir en ville. Je n'ai même pas eu à descendre de voiture : elle est montée et nous sommes directement partis chez le docteur.

Nous n'étions pas seules à venir pour une consultation, et nous avons attendu longtemps, sur des chaises, dans un long couloir blanchi à la chaux. Quand notre tour est arrivé, Mama et moi sommes entrées avec Leila. Le docteur a rapidement serré la main de ma belle-mère. Il a examiné Leila tout en s'exprimant à toute vitesse dans un arabe incompréhensible pour moi. De toute évidence, pour lui, je n'existais pas. Il a ôté la couche, frotté les fesses de Leila avec un coton et a profondément enfoncé une aiguille dans sa chair. Trois minutes plus tard, nous rentrions chez Mama après avoir déboursé une fortune pour un avis, des seringues, des aiguilles et des médicaments.

Il était inutile de demander à Mama ce que le docteur avait fait. J'ai donc opté pour la conduite la plus raisonnable : rester toute la journée chez mes beaux-parents à nettoyer les carrelages et à préparer les légumes tout en surveillant Leila. C'est quand Salma est rentrée de l'école qu'elle a pu m'expliquer que Leila souffrait de pneumonie. Je devais lui faire trois piqûres par jour pendant six jours, lui baigner le front régulière-ment avec de l'eau froide et, pour finir, rembourser vingt-cinq livres à son père.

Salma m'a dit tout cela de la façon la plus naturelle qui soit, comme s'il était normal de faire des piqûres soi-même à son enfant. Elle m'a montré comment remplir la seringue, en chasser l'air, tenir la fesse pincée entre deux doigts et injecter le produit en poussant fermement, de façon constante, avant de retirer l'aiguille rapidement.

C'est donc moi qui ai effectué la piqûre du soir. J'ai dû piquer dans l'autre fesse car celle où avait piqué le docteur était toute rouge et douloureuse. J'y suis arrivée, mais Leila a hurlé très longtemps, ce qui m'a rendue encore plus malade.

J'ai appelé Georges, n'obtenant la ligne qu'au bout de quarante minutes. Il m'a dit de prendre ma semaine, qu'il s'occupait de prévenir mes élèves et qu'il viendrait me chercher le dimanche suivant. Nous sommes donc restées dormir chez Papa. J'ai apprécié de passer du temps avec Salma, de sentir l'air frais du ventilateur sur mon visage et de manger du poulet.

Au matin, même si Leila ne s'était réveillée qu'une seule fois dans la nuit, j'étais épuisée. J'avais mal aux seins, mais j'ai tout de même essayé de nourrir Leila qui n'a pas pu prendre assez de lait et s'est mise à pleurer. Au bout d'une heure, Mama a débarqué comme une furie en demandant ce qui se passait. Elle a vu que je n'avais plus assez de lait et a envoyé Mohamed à la pharmacie en acheter. Dix minutes plus tard, rassasiée, ma fille se sentait mieux.

J'avais le sentiment d'être une mère indigne. Ma fille était tombée malade sans que je m'en aperçoive, mon lait se tarissait, je souffrais du dos, la tête me tournait… Mama et Salma sont venues s'asseoir près de moi pendant que Leila prenait son biberon.

— C'est un peu tôt pour avoir un autre enfant, m'a dit ma belle-mère. Mais ce sera la volonté de Dieu. Et cette fois, *inch allah*, ce sera un fils !

— Mais de quoi parlez-vous ? me suis-je indignée. Je ne peux pas être enceinte, Leila n'a que trois mois ! C'est ridicule.

Omar n'a pas obtenu de permission ce vendredi-là. Je suis donc revenue seule à l'appartement pour m'occuper de Leila, toujours souffrante. J'ai préparé le stérilisateur à biberons et j'ai acheté du lait premier âge. Je n'ai eu que fort peu de temps pour penser au fait que je pouvais être à nouveau enceinte.

Le dimanche, Georges est venu me chercher comme à l'habitude. Leila s'accommodait du biberon et, bien que chaque centimètre carré de son minuscule derrière ait reçu une piqûre, elle semblait être sur la voie de la guérison. Je l'ai confiée à Samia, qui a été enchantée de notre retour, et j'ai couru voir Judith.

— Je suis dans un pétrin pas possible. Je suis fauchée, je dois de l'argent à mon beau-père, mon lait s'est tari et je crois bien que je suis à nouveau enceinte.

— Mais non, Jacky, ce n'est pas possible.

— Il faut que je m'en assure, mais je n'ai pas d'argent pour acheter le test. À la pause de midi, pourrais-tu aller m'en procurer un ? Je suis désespérée. S'il te plaît…

— Je vais faire mieux que ça, a dit Judith en souriant d'une manière désabusée.

Elle est allée au bureau téléphoner à sa bonne avant de revenir, toute souriante.

— Voilà, c'est fait. Mon chauffeur devrait te l'apporter dans l'heure qui vient.

J'étais bien enceinte. Christine, Judith, Élizabeth et Lisa m'ont réconfortée, mais j'étais anéantie.

— Mais comment est-ce possible ? Nous n'avons même pas de lit, Omar n'est jamais là. Nous avons dû faire l'amour une ou deux fois depuis la naissance de Leila ! Les choses commençaient tout juste à aller mieux avec l'argent que je gagne en donnant des cours particuliers et les petits aménagements de l'appartement. Comment allons-nous faire pour accueillir un deuxième enfant ?

— D'une façon ou d'une autre, tu vas y arriver, a répondu Élizabeth.

La semaine suivante, j'ai repris les cours particuliers, en prenant une autre petite fille et deux garçons, tous très gentils. Dans notre appartement, Tarek a alterné la surveillance avec Om Youssef, que je commençais à beaucoup apprécier, la considérant un peu comme une nouvelle maman. C'est pendant que nous buvions le kawa qu'elle m'a appris qu'elle avait bien un mari, mais seulement deux jours par quinzaine. Il avait deux autres épouses et avait établi un emploi du temps spécifique pour vivre auprès de chacune d'elles. Il n'était pas le père de Youssef, de sorte qu'Om Youssef était loin d'être la favorite. Il lui avait donc accordé une immense faveur en lui proposant le mariage, et elle lui en était reconnaissante. Quand cet homme venait la voir, l'appartement était impeccable, elle préparait des tonnes de nourriture et revêtait ses plus beaux habits.

C'était la meilleure chose qui pouvait lui arriver. Son premier mari était mort dans l'explosion de sa cuisine. Il avait allumé une cigarette et négligemment jeté l'allumette vers le tuyau de la bouteille de gaz. Celui-ci, vieux et poreux, fuyait. Youssef n'avait que deux ans. Alors, quand un deuxième homme lui avait proposé le mariage, elle avait sauté sur l'occasion, bien qu'il ait déjà deux autres épouses et sept enfants. En Égypte, une femme sans mari est considérée comme une paria.

Souvent, après avoir bu le café, elle retournait la tasse pour lire l'avenir dans le marc. Chaque fois qu'elle le faisait avec ma tasse, elle m'annonçait qu'elle voyait de longues routes, ce qui signifiait des voyages, ainsi que d'autres enfants. Elle m'assurait que j'en aurais trois au cours de ma vie : deux filles et un garçon.

Après ma première leçon avec Hosni, une petite fille de neuf ans, la mère est venue me voir chez moi pour me parler. C'était une femme très aisée, vêtue à l'occidentale, d'un ensemble sur mesure et d'un élégant manteau de cuir. Elle allait tête nue, ses cheveux remontés en chignon. Elle m'a glissé un billet de cinq livres égyptiennes dans la main en me disant que je devrais facturer ce prix plutôt que les trois livres habituelles et, qu'à l'avenir, c'est ce qu'elle paierait pour les leçons d'Hosni. Elle m'a remerciée, m'a mollement serré la main et est repartie.

La nouvelle s'est vite répandue que j'avais reçu la mère d'Hosni dans mon humble demeure. Les chauffeurs des autres élèves ont relayé le message, et j'ai pu demander à tous mes élèves cinq livres par leçon.

L'anniversaire d'Omar tombait le samedi suivant. J'avais suffisamment d'argent pour acheter de quoi confectionner un bon repas avec un gâteau digne de ce nom. Comme nous n'avions pas de four, j'ai donné un pourboire à Samia, à l'école, qui a accepté et fait un superbe gâteau fourré à la confiture et à la crème anglaise.

J'ai décidé d'attendre la fin du repas et l'endormissement de Leila pour annoncer à Omar ma nouvelle grossesse.

Le repas s'est bien passé. Omar était attentionné et pressé de faire l'amour, mais je l'ai fait languir, m'amusant avec Leila et restant avec elle jusqu'à ce qu'elle s'endorme. En revenant de la chambre de ma fille, j'étais prête à annoncer la nouvelle à Omar. Si nous faisions l'amour maintenant, il ne serait plus d'humeur à discuter, après. Alors j'ai apporté le gâteau et il a préparé le thé tout en me caressant le cou, du bout du nez, pendant que je l'informais de l'argent supplémentaire que j'allais désormais gagner.

Il s'est assis devant son gâteau et m'a invitée à prendre place sur ses genoux.

— *Wahasteeni, habibti*, a-t-il dit en m'embrassant.

— Toi aussi, tu m'as manqué, lui ai-je répondu en ôtant sa main de ma poitrine et en m'asseyant face à lui. J'ai un autre cadeau d'anniversaire, ai-je continué, une surprise.

— Qu'est-ce que c'est ? a-t-il fait en regardant autour de lui, l'air curieux.

— Nous allons avoir un autre bébé.

Il a mis un certain temps à mesurer la portée de ce que je venais de dire. C'était le calme avant la tempête. Il s'est levé tout à coup, m'a repoussée et a jeté le gâteau par terre. Ses yeux lançaient d'inquiétants éclats. Il m'a agrippée par la robe, mise debout, jusqu'à ce que son visage frôle le mien.

— Tu es folle ! Il est hors de question que nous ayons un autre bébé maintenant. Nous n'avons pas d'argent, pas de meubles, pas de voiture, même pas un frigo pour avoir de l'eau fraîche. Il n'y aura pas de bébé !

Il a levé le poing et m'a frappée au visage. Le coup m'a propulsée à l'autre bout de la pièce. Je me suis écroulée contre notre table de fortune qui s'est renversée sur moi.

En colère, je me suis assise et, avec ma manche, j'ai essuyé le sang qui coulait de ma bouche. La rage s'est emparée de moi alors que je me relevais, toute tremblante.

— Comment oses-tu me frapper ? Comment oses-tu t'en prendre à moi à cause de ta propre négligence ? ai-je crié. Tu te crois fort quand tu me frappes, c'est ça ? Ça te fait du bien de me taper dessus ? Moi, je trouve que ça te donne l'air ridicule. Espèce de brute !

Je me suis baissée pour prendre un morceau du gâteau qui gisait par terre.

— Et ce n'est pas *haram* de jeter la nourriture ? lui ai-je demandé. On dirait que, quand ça t'arrange, tu piétines les lois de l'islam.

Et je lui ai envoyé la part de gâteau à la figure. Il n'en revenait pas, jamais je ne lui avais parlé ainsi. Mais je m'en fichais. Je souffrais, au plus profond de mon être. Qu'avais-je à perdre? Je me suis retournée et me suis laissé tomber sur une chaise. La douleur du coup qu'il m'avait porté commençait à se faire sentir. Je saignais tellement abondamment de la bouche que j'étais obligée d'avaler mon sang.

En une fraction de seconde, il est venu vers moi, m'a attirée vers lui et m'a frappée dans le dos. Je suis tombée en geignant. Il m'a emmenée dans la salle de bains et m'a versé de l'eau sur la tête avec un broc. Le sang s'est répandu sur mon visage et dans mes cheveux.

— Ma femme ne me parle pas comme ça! a-t-il rugi. Et je n'ai pas de comptes à te rendre concernant l'islam. Tu vas me le payer!

Il m'a empoignée par les cheveux et m'a entraînée dans le salon. J'ai cru que mes oreilles se décollaient. J'ai commencé à sangloter:

— Omar, je t'en prie, je suis désolée. Arrête!

Il m'a alors retournée pour me piétiner le ventre, quatre ou cinq fois. J'ai hurlé de douleur, mais j'ai tout de même trouvé la force de me traîner à genoux. Le fou furieux m'a alors agrippé les cheveux et frappée au visage comme je tentais de me relever. Je pleurais de douleur tellement j'avais mal au ventre, mais je cherchais toujours à fuir.

Il m'a arrêtée avant que j'atteigne la porte, a mis sa main sur mon cou et a serré. Je me suis débattue, mais c'était inutile: il était beaucoup trop fort. J'avais du mal à respirer, j'ai cru que ma tête allait exploser et j'ai soudain senti mon corps se dérober.

Comprenant qu'il allait me tuer, en un dernier sursaut, j'ai levé les mains et l'ai griffé à la gorge. Il m'a lâchée et a couvert son cou de ses mains en jurant.

C'était le répit dont j'avais besoin. J'ai rapidement ouvert la porte et me suis mise à tambouriner désespérément à celle de Mervette.

Ce soir-là, c'est elle qui m'a sauvé la vie.

25

Récriminations

Mervette m'a aussitôt fait entrer et a refermé la porte à clé.

— *Tarek, tarl henna shuf Jacky bisorra.*

Tarek, qui était en train de regarder la télé avec Ahmed et sa belle-mère, Mama Farida, s'est levé pour m'aider à gagner sa chambre. Il m'a délicatement allongée sur le lit. En pleurs, je me suis mise en position fœtale pour soulager mon ventre. Je saignais toujours de la bouche, j'avais du sang sur tout le corps.

Mervette est allée chercher du café en poudre qu'elle m'a mis sur les lèvres pour stopper le saignement. Tarek m'a recouverte d'une couverture. Tremblante, j'avais sans arrêt des haut-le-cœur que je ne pouvais réprimer. Mervette m'a aidée à m'asseoir pour vomir dans la bassine que Tarek avait apportée. Mais je n'ai vomi que de la bile. Puis mon estomac a fini par se calmer et j'ai pu m'allonger à nouveau.

Je souffrais tellement que je n'avais qu'une envie : mourir. La couverture me réchauffant, j'ai commencé à me détendre et, au-delà de la douleur, à réaliser ce qui venait de se passer.

— *Mervette, ana owse Leila, min fadlik haitli Leila dulwati.*

J'avais besoin d'avoir Leila près de moi.

Mervette a acquiescé. Elle s'est assise à mes côtés sur le lit et m'a gentiment caressé la joue. Tarek a alors décidé d'aller dans notre appartement. De l'autre côté du mur qui nous séparait, le ton est rapidement monté. Tarek était l'aîné de la famille et profitait de l'autorité que cela lui conférait pour réprimander Omar de m'avoir fait du mal. Après beaucoup de jurons, la porte a claqué et Tarek est revenu avec Leila dans son couffin.

Omar a alors commencé à cogner sur la porte d'entrée en criant qu'il voulait entrer. De peur, je me suis pelotonnée en implorant mes voisins de ne pas le laisser entrer. Mama Farida a alors suggéré à Tarek qu'il emmène son frère passer la nuit chez leur père pendant qu'elle s'occuperait de Leila et de moi.

J'ai dû jeter un regard désespéré car Tarek a accepté immédiatement, et il est descendu demander au *bawab* de lui héler un taxi, qui est arrivé quelques minutes plus tard. Les deux frères partis, Mama Farida a mis de l'eau à bouillir dans le faitout, a chassé Ahmed et porté son attention sur moi. Je l'ai regardée examiner mon visage tout en s'exclamant. C'était une grande femme élégante, dans la cinquantaine, avec de gros traits, et qui prenait soin de son apparence. Elle a doucement nettoyé le mélange de vomi et de sang et m'a proposé de me laver les cheveux. La douleur m'empêchait de parler et je ne pouvais sourire.

Mervette est allée chez moi chercher des couches, des biberons et du lait pour Leila et une djellaba pour moi. Elle était tout juste revenue qu'on a violemment frappé à la porte. Je me suis figée.

C'était Om Youssef. Elle avait entendu la scène de ménage et venait pour se rendre utile. Mama Farida lui a immédiatement confié Leila, et Ahmed est passé à l'étage du dessus pour jouer avec Youssef.

Mama Farida a ensuite mis du Mercurochrome sur mes plaies et m'a aidée à retirer ma robe souillée, puis à passer une djellaba propre. Elle a eu le souffle coupé lorsqu'elle a découvert mon ventre. Il avait viré au rouge foncé, et certains endroits étaient déjà bleus.

Elle m'a caressé la tête en disant :

— Dors, ma chérie, dors.

Enfin en sécurité, consciente que Leila était entre de bonnes mains, je me suis laissé gagner par le sommeil. C'était un soulagement malgré la douleur lancinante qui me labourait l'abdomen.

Mervette m'a réveillée, quelques heures plus tard, pour me faire boire du thé chaud. À peine avais-je ouvert les yeux que la douleur est réapparue, comme un grand coup dans les entrailles. J'étais tout engourdie et j'ai eu du mal à m'asseoir. Mama Farida est revenue avec un sourire crispé. Elle a jeté un regard entendu à Mervette qui m'a alors informée que Papa était en route avec Tarek et Omar. J'ai hoché la tête mais, au fond de moi, j'étais terrorisée.

À l'arrivée des hommes, Mervette est restée avec moi dans la chambre. Nous avons écouté la conversation qui avait lieu dans le salon. Omar est venu ensuite à la porte et, d'une voix douce, m'a implorée de sortir, me promettant de ne plus jamais me faire de mal.

J'ai passé mes jambes par-dessus le bout du lit en grimaçant de douleur et me suis levée en prenant appui sur Mervette. L'esprit encombré de mille pensées, j'ai écouté Omar me supplier avant d'ouvrir finalement la porte.

Dès que j'ai eu franchi le seuil, il m'a attrapée par le bras et m'a jetée dans le centre de la pièce. En criant, je me suis mise en boule, voyant Omar se pencher vers moi, le poing fermé. Tarek a alors sauté sur son frère pour le maîtriser et les deux hommes ont commencé à se battre. Je me suis sentie défaillir. Juste avant de m'évanouir, j'ai entendu le cri perçant de Mervette.

Quand j'ai rouvert les yeux, Om Youssef était là, m'épongeant le front en parlant doucement. Mama,

Salma et Magda étaient assises à côté et parlaient tout bas. J'entendais, en fond sonore, le bruit familier du poste de télévision. J'étais allongée sur un drap posé sur le canapé du salon de Mervette, et les hommes n'étaient plus là.

Mama Farida est arrivée avec des serviettes et des linges humides. Elle s'est agenouillée devant moi et m'a délicatement écarté les jambes. J'ai baissé les yeux pour regarder.

Mervette a étouffé un sanglot quand sa mère a commencé à éponger le sang. Personne n'a plus osé parler. Deux heures ont peut-être passé et j'ai commencé à ressentir une autre forme de douleur, plus intense. J'ai appelé Salma, qui est venue près de moi. Lorsqu'un spasme incontrôlable m'a parcourue, j'ai poussé. En quelques secondes, j'ai expulsé le minuscule fœtus sur une serviette. Mama Farida a saisi le cordon ombilical aussi fin qu'un fil de coton et a retiré le placenta.

Om Youssef a relevé la tête et lancé un cri de désespoir, se bâillonnant elle-même de la main, puis toutes se sont mises à pleurer.

Omar est retourné à la caserne sans m'avoir dit un mot. Je suis retournée chez Papa où j'ai tué le temps en m'occupant de Leila. Pour une fois, on ne m'a rien demandé de faire. J'allais vraiment très mal. Alors, Mama m'a préparé sa décoction maison en m'assurant qu'elle allait me requinquer.

Comme chaque semaine, j'ai écrit à mes parents, une lettre pleine d'enthousiasme, qui parlait de mon travail et de Leila. Pour mes collègues de l'école, j'avais simplement fait une fausse couche. Georges, qui en avait parlé autour de lui, m'a apporté des fleurs, des fruits et les encouragements de tout le personnel. Il n'est pas entré mais a tout confié à Mohamed sur le pas de la porte.

Trois jours plus tard, j'ai pu à nouveau marcher. J'ai demandé à retourner à notre appartement et j'ai appelé Georges pour l'informer que j'étais prête à recevoir mes élèves à domicile.

Ils sont à nouveau arrivés avec leurs *dadas,* m'apportant de jolis cadeaux, des bibelots et des fleurs. L'une des mères m'a même offert un panier de pommes. Ces fruits étaient tellement chers que je n'en avais encore jamais mangé en Égypte.

Pour la première fois, Judith et Lisa sont venues me rendre visite. Elles avaient l'air complètement décalé. Judith portait un pantalon de lin blanc à grosse ceinture et un tee-shirt rouge vif, et Lisa une légère robe d'été couleur bleuet sous un chapeau à bord flasque. Toutes les deux avaient des sandales à lanières à talons qui mettaient en valeur leurs longues jambes bronzées.

En arrivant, elles n'ont pas remarqué l'état de l'appartement. Ce sont mes bleus et mon visage tuméfié qui les ont choquées. Judith s'est approchée de moi.

— Oh, mon Dieu ! Mais que t'est-il arrivé ? On nous avait dit que tu avais perdu ton bébé, mais ça, c'est une autre histoire !

— J'ai glissé en lavant le carrelage. J'ai atterri le visage contre la table qui s'est retournée sur moi. C'est comme ça que j'ai perdu le bébé, ai-je dit, certaine qu'elles n'en croyaient pas un mot.

Puis elles ont regardé autour d'elles, ont fait le tour de l'appartement, horrifiées par ce qu'elles découvraient.

— Ferme la bouche, Lisa, ou tu vas gober des mouches, ai-je plaisanté pour la première fois depuis ma fausse couche.

— Mais, Jacky, tu vis dans un taudis ! Comment peux-tu supporter ça ? Tu n'as aucun meuble. Je vais te donner tout ce qui m'est inutile, tu en feras bon usage.

— Allez, faisons du thé, a suggéré Judith en entrant dans la minuscule cuisine avant d'en ressortir immédiatement pour dire : Lisa, tu te rends compte ? Elle n'a même pas de gazinière ! Et toi qui en as une dont tu ne te sers pas dans ton jardin. Tu ne pourrais pas la faire transporter ici ? Jacky, que dis-tu de cette idée ?

J'ai regardé Judith en souriant.

— Je dis merci beaucoup.

La gazinière est arrivée par camion, quelques heures plus tard, montée jusqu'à la cuisine par le *bawab* et son épouse, un petit bout de femme forte comme un cheval. La bonbonne de gaz était aussi haute que la gazinière elle-même, et surtout très lourde. Pourtant, cette petite femme l'a montée sur sa tête, avec seulement un sac plié en quatre, qu'on appelle *embuba,* pour amortir la dureté du métal.

Elle l'a posée près de la gazinière, puis a tendu la main en disant :

— *Gnay.*

Je suis allée chercher un billet d'une livre que je lui ai mis dans la main avec son pourboire : cinq piastres. Elle est partie en traînant les pieds, laissant derrière elle une odeur d'ail.

Une semaine plus tôt, j'aurais hésité si l'on m'avait offert un cadeau comme cette gazinière, de peur que cela bouscule la susceptibilité d'un membre de la famille. Mais mon amie venait de m'offrir quelque chose qui nous faisait terriblement défaut et ma vie s'en trouverait facilitée. Les états d'âme pouvaient être mis de côté. J'avais maintenant quatre brûleurs, un four rempli de divers plats et, tout en bas, un grand tiroir plein à ras bord de casseroles.

Submergée de gratitude, je me suis assise par terre pour bercer Leila dans mes bras, et j'ai pleuré : pour la gentillesse de mes amies, pour l'intérêt que me montrait ma famille égyptienne, à cause de la cruauté de mon mari et de la perte du bébé.

Pendant que l'eau pour le biberon de Leila chauffait, je me suis mise à penser au lendemain : le retour d'Omar. Je n'avais pas pensé à lui depuis longtemps. Pour me sentir en sécurité, j'ai décidé d'emmener Leila chez mes beaux-parents. Ce soir-là, j'ai donc préparé un petit sac avec ses affaires et quitté l'appartement pour aller chercher un taxi, après avoir dit au *bawab* où nous allions. Je ne m'étais encore jamais aventurée seule de cette façon.

La nuit était fraîche. Un cortège de mariage a tourné au coin de notre rue. D'un seul coup, la rue s'est remplie de bruit, de couleurs et d'excitation. Les mariés marchaient au milieu des invités et des danseurs, au rythme des tambours et des cris des femmes. Nous étions jeudi, le jour habituel des mariages puisque le lendemain était férié.

Un taxi s'est rapidement arrêté pour nous, et nous avons quitté cette atmosphère de liesse pour retrouver la poussière et les klaxons des encombrements.

Omar est arrivé chez ses parents le lendemain, au moment où je préparais le dîner avec Mama dans la cuisine. Il est allé parler à son père, dans sa chambre, puis nous avons tous mangé ensemble, comme une famille ordinaire. Après le repas, Salma a pris Leila dans sa chambre afin de me laisser seule avec Omar.

Je me suis assise sur le lit et j'ai attendu. Il s'est installé à côté de moi et s'est mis à me caresser le dos de la main. Puis il a enfoui sa tête entre mes cuisses et a commencé à sangloter. Il m'a dit combien il m'aimait, plus que la vie elle-même. Il m'a promis qu'il allait travailler beaucoup pour que nous ayons une vie agréable, m'a expliqué le désespoir qu'il avait ressenti quand je lui avais dit que j'étais enceinte, et enfin combien il était désolé d'avoir fait du mal à la personne qu'il aimait le plus au monde. Il était très inquiet de savoir si je lui pardonnerais un jour.

Il a parlé, encore et encore, et j'avoue que je ne m'attendais pas à une telle réaction de sa part. J'avais imaginé qu'il aurait des mots durs, qu'il me ferait part de ses récriminations et de son dégoût à mon égard. Du coup, déstabilisée par ses mots, ma volonté de demeurer impassible et de ne pas réagir a fondu peu à peu. J'ai tendu la main pour lui caresser la tête. Il m'a regardée, j'ai plongé mon regard dans ses yeux bruns trempés de larmes, et j'ai senti revenir en moi tout l'amour que je lui portais. Je lui ai pardonné.

À partir de ce jour, Omar s'est montré très attentionné. Il m'a même écrit des lettres qu'il me rapportait chaque week-end pour que je les lise la semaine suivante, quand il serait à nouveau à l'armée. Il était ravie que j'aie récupéré la gazinière et que j'aie pu me rendre chez ses parents par mes propres moyens. Notre relation de couple s'est améliorée, mais il a fallu attendre deux mois pour que cessent mes maux de ventre. Personne ne m'avait suggéré d'aller consulter un médecin, mais la douleur a disparu, tout comme les ecchymoses. Tout était donc redevenu normal.

L'été est arrivé, avec sa chaleur infernale, et Lisa m'a fait porter deux ventilateurs. Leila a continué à être une enfant parfaite, aussi bien pour moi que pour le personnel de l'école. La famille ne s'intéressait toujours pas à elle et reportait toute son attention sur Ahmed, mais Leila recevait celle d'autres personnes et ne remarquait pas ce manque d'intérêt.

Avec l'été, l'école s'est arrêtée, tout comme mes cours particuliers. C'était triste de dire au revoir à tout le monde, même si nous devions nous retrouver en septembre. J'ai alors passé le plus clair de mon temps en compagnie de Mervette, d'Ahmed et d'Om Youssef. Mes connaissances en arabe et ma faculté à m'exprimer dans cette langue ont vite progressé. J'étais maintenant capable de montrer mon désaccord ou de poser des questions.

Le dernier jour d'août, j'ai reçu une lettre de mes parents m'annonçant leur visite pour le mois d'octobre, pour le premier anniversaire de Leila. C'est ce même jour qu'Omar a terminé son service militaire et est rentré à la maison pour de bon.

26

Le choc des cultures

En moi, quelque chose était mort. Je n'éprouvais plus au creux de l'estomac cette bouffée d'émotion qui, précédemment, m'envahissait chaque fois que je pensais à mon mari. Les occasions sont devenues rares d'avoir des discussions passionnées ou de rire pour soulager un peu la tristesse du quotidien. En effet, chaque matin, Omar partait travailler dans l'entreprise de son père, nous laissant, Leila et moi, affronter des journées qui paraissaient interminables. Le soir, à son retour, tout ce qu'il demandait, c'était que je l'attende avec une bassine d'eau pour lui laver les pieds avant qu'il aille dire ses prières.

Cette année-là, le ramadan est tombé en plein été. Mervette m'a expliqué que tous les musulmans jeûnent, au cours de ce mois saint, afin de se rappeler la dureté de la vie de ceux qui n'ont rien et rester fidèles aux préceptes du Coran. La faim étant la même pour tous, riches ou pauvres, tous redeviennent égaux et peuvent se concentrer sur la religion.

Je trouvais la démarche très honorable, jusqu'à ce que j'apprenne que le jeûne ne s'imposait que pendant la journée. C'était le comble de l'hypocrisie, une véritable farce, car les femmes passaient leur journée à préparer des repas gastronomiques en prévision des agapes nocturnes.

Telles étaient mes opinions personnelles, les conclusions tirées de ma propre expérience, sur la façon dont les membres de ma famille vivaient leur religion et essayaient d'être de bons musulmans, mais je gardais mes pensées pour moi. J'avais appris à ne rien dire, même à mes amies européennes, sur tous ces sujets polémiques. En plus de moi, j'avais une enfant à protéger et devais me montrer extrêmement vigilante afin d'éviter toute confrontation.

Le jeûne signifie pour les musulmans l'abstinence de nourriture, de boisson, de tabac et de relations sexuelles durant la journée. Les enfants en sont dispensés, tout comme les personnes âgées, les malades, les femmes enceintes et celles qui ont leurs règles. Ainsi, Papa pouvait avaler ses médicaments avec de l'eau. Magda, dont les règles duraient un mois, s'en tirait également bien. À deux ou trois reprises au cours du ramadan, Mama se découvrit de terribles maux qui nécessitaient de boire de l'eau toute la journée. Quant aux enfants, ils ne pouvaient, à l'évidence, pas se passer de nourriture et de boisson.

Omar et ses frères arrêtaient de consommer de la bière pendant le ramadan, même le soir, mais ils allumaient tous une cigarette dès la fin du repas. Des boissons étaient préparées pour l'occasion, notamment le *tamarahind*, une liqueur à base de réglisse que j'ai personnellement beaucoup appréciée. Nous en avons fait des cruches entières que nous brassions avec des bâtons de réglisse. Nous attendions le premier appel à la prière, dès le coucher du soleil, pour mettre un terme au jeûne et en boire un verre ou deux chacun.

Nous nous rassemblions alors pour le repas, que l'on étalait dans des plats posés par terre sur des journaux, avant de nous en empiffrer. Un observateur extérieur aurait jugé tout cela bien ridicule mais, pour la famille, c'était là une sérieuse et pieuse coutume qui témoignait de leur attachement à leur religion.

Toute la soirée, la famille grignotait des biscuits et des pâtisseries pour finalement se retirer vers minuit. Vers 2 h 30 du matin, nous étions réveillés par un homme qui passait dans la rue en faisant tinter une cloche pour nous indiquer que c'était l'heure du dernier repas. Toute la famille se relevait, on réchauffait du riz, des légumes et de la viande et nous remangions avant d'entamer le *sawm*, le jeûne de la journée.

Vivant au sein d'une communauté musulmane, par respect pour ma famille, j'ai décidé qu'il me serait plus commode de participer au jeûne. Cette conduite a été évidemment très appréciée et Omar était très fier de dire à tout le monde avec quelle maestria je savais cuire les *adds* – les lentilles – ainsi que le *mollogheya* ou le *samak* – le poisson.

À l'issue du ramadan commence traditionnellement la fête du *Eed el Fetoor*. Papa distribuait à cette occasion une prime à ses employés, la tradition voulant que chacun, pauvre ou nanti, ait suffisamment d'argent pour célébrer la fin du jeûne.

Dans les rues, on a installé des échafaudages de bois qu'on a enveloppés de tissu rouge, et des marchands ont disposé leurs étals pour vendre des gâteaux et des puddings sucrés, du nougat fourré aux noix et d'autres douceurs. Celle à laquelle je me suis habituée s'appelle le *baclava*. C'est une sorte de pâtisserie floconneuse au sirop et au sucre, étonnamment collante, mais vraiment délicieuse.

La tradition voulait aussi que l'on achète de nouveaux vêtements et offre de petits cadeaux. À partir de ce moment, l'atmosphère des rues changeait du tout au tout. Les gens, contaminés par la gaieté, sortaient en bandes pour se promener et faire la fête. Une fois,

Mohamed a emmené toute la famille au zoo. Je m'y suis promenée, charmée par l'ambiance festive de la foule venue y passer la journée, installée sur des couvertures. Les enfants couraient d'un spectacle de rue à un spectacle de danse, au milieu des ballons et des chapeaux aux couleurs vives que l'on trouvait à vendre partout. Nous avons rencontré des parents éloignés et passé les soirées en leur compagnie, chez les uns ou chez les autres, à chanter, danser, taper dans les mains, manger et nous amuser.

La fête du *Eed el Fetoor* dure toute une semaine, immédiatement suivie par une autre, le *Eed el Adha*. Mervette, ma principale source d'informations, m'a appris que, à cette occasion, nous irions à une fête que Papa organisait à son atelier dans un village voisin.

Sur la route bordée de palmiers où couraient des enfants, des villageois transportaient d'énormes chargements sur des charrettes tirées par des chameaux. Arrivés à destination, nous sommes tous sortis de la Peugeot pour regarder des hommes qui forçaient une vache à franchir la porte principale de l'atelier. Puis ils lui ont tranché la gorge et l'ont pendue afin que le sang s'écoule de sa carcasse. C'est là une autre règle de l'islam, qui impose ce genre d'abattage car on ne doit manger que de la viande *halal* et, pour l'être, la bête doit être tuée ainsi. Les ouvriers ont récolté le sang qui coulait du cou de l'animal mort et s'en sont mis sur le front. Ils ont fait la même chose à Ahmed et à Leila, ce qui m'a épouvantée.

Mervette a tenté de me rassurer en me disant que, selon la coutume, cela portait chance, et que Papa avait sacrifié un animal tout comme, dans le Coran, Abraham avait préparé son fils pour le sacrifier à Allah. Au dernier moment, Allah avait décidé de sacrifier un bélier à la place. Il fallait y voir la volonté de Papa de tout abandonner à Dieu.

Pendant que le sang s'écoulait de la bête, les hommes ont préparé un feu que les femmes ont activé à l'aide de grandes feuilles de maïs et de bananier. La viande a été découpée et cuite immédiatement, puis les femmes l'ont mise entre deux tranches de pain et distribuée aux villageois qui s'étaient massés là avec la ferme intention d'en recevoir un morceau. Mama s'est occupée de mettre de côté la part de viande réservée à la famille dans un récipient de plastique qu'elle avait apporté. De retour à la maison, nous nous sommes régalés en la mangeant avec du pain chaud, de la salade et de la *salsa*, une purée de tomate.

J'ai eu, ce jour-là, le sentiment de reprendre ma place au sein de la famille. Alors que je faisais la vaisselle en compagnie de Mama, dans sa cuisine, elle m'a dit en souriant :

— Tu es devenue une véritable Égyptienne.

Le mois de septembre, synonyme de reprise des activités scolaires, est arrivé et Mme Sellar, tout en nous souhaitant la bienvenue, nous a annoncé quelques bonnes nouvelles. Elle venait de négocier avec succès l'achat de nouveaux bâtiments pour l'école et le déménagement aurait lieu au tout début du mois de janvier. Judith et Lisa devaient retourner en Angleterre en janvier, les contrats de leurs maris touchant à leur terme. Ce serait donc une année de bouleversements.

Si Christine, Élizabeth et Aïcha habitaient à des distances raisonnables de la future école, j'en devenais la plus éloignée. Mme Sellar m'a convoquée à son bureau pour m'expliquer que, de ce fait, Georges serait dans l'impossibilité de venir me chercher lors de sa tournée de ramassage des élèves. Par contre, un nouvel établissement scolaire était en cours de construction près des pyramides, donc beaucoup plus près de chez moi. On y aurait bientôt besoin de professeurs d'anglais, et

Mme Sellar m'a proposé de contacter la directrice de ce futur établissement pour me recommander. J'ai évidemment accepté sa proposition, bien décidée à profiter au maximum des derniers mois dans cette école, où j'adorais les enfants et m'étais fait de véritables amies.

Comme tout finit par arriver, notre lit a enfin été terminé et installé, ce qui nous permettrait de proposer l'ancien à mes parents, qui seraient là à la fin du mois. De plus, l'oncle Hassan nous a donné un vieux réfrigérateur qui nous a littéralement changé la vie. Il était énorme mais nous avions désormais de l'eau fraîche. Je me suis arrangée pour avoir une vingtaine de bouteilles de Coca toujours pleines d'eau dans la porte du réfrigérateur : un vrai luxe !

Omar se montrait prévenant et amoureux. De mon côté, je veillais à ne pas le froisser pour ne pas risquer de raviver les vieux démons. La veille de l'arrivée de mes parents, il est rentré à la maison avec un costume particulièrement sale et élimé. Il en était apparemment très fier, alors qu'il puait et que des brins de paille s'échappaient du velours râpé. Mais, par prudence, je n'ai fait aucun commentaire.

Nous avons emprunté la Peugeot pour aller accueillir mes parents à l'aéroport, vers 4 heures du matin. Omar était agité et nerveux ; il tenait à faire bonne impression.

À l'aéroport, tout s'est bien passé. Leila a couru directement vers mes parents, chose inhabituelle car elle atteignait l'âge où les enfants pleurent généralement face à des étrangers. Maman en a bien sûr été ravie.

— Oh, Jacky, elle est vraiment adorable. Je veux tout savoir d'elle, les mots qu'elle connaît et les choses qu'elle sait faire.

— Tu sais, maman, elle ne comprend pas très bien l'anglais, ai-je répondu. Je ne lui parle qu'en arabe. C'est ce que souhaite la famille.

— Mais c'est totalement ridicule ! s'est exclamé mon père. Voilà une enfant qui vit dans un environnement bilingue et qui n'apprend qu'une seule langue ! Je n'ai jamais rien entendu d'aussi stupide, a-t-il tranché en fronçant les sourcils de désapprobation.

— Chut ! Arrête de charger la barque, on vient à peine d'arriver, a dit ma mère pour tenter de calmer la tension qui flottait dans l'air.

J'avais fait mon possible, dans mes courriers, pour les avertir de l'état dans lequel se trouvait l'appartement. Mais, évidemment, je m'étais attachée à ne parler que des aspects positifs et créé de la sorte une fausse impression. À présent, ils allaient découvrir la réalité.

Nous sommes arrivés dans notre rue. Maman a fièrement pris Leila dans ses bras pour pénétrer dans l'immeuble, mais mon père est resté dans la rue, regardant autour de lui. Le jour pointait, éclairant une rue d'un autre âge, boueuse, avec des habitations basses et sans fenêtres. Pieds nus, les joues sales, des gamins poussés par la curiosité épiaient mon père depuis les entrées sans portes, encore plongées dans l'obscurité. Sans ajouter un mot, il nous a emboîté le pas dans l'escalier qui menait à notre appartement.

— Bienvenue chez nous, a dit Omar en souriant.

— Doux Jésus ! Ne me dis pas que tu as quitté l'Angleterre pour ça ? a dit mon père en faisant le tour de notre logement et en hochant la tête.

Gênée par ses remarques, je me suis désespérément tournée vers maman.

— Nous n'avons pas encore eu le temps de nous occuper de la décoration. Mais, à présent qu'Omar a fini son service militaire et que je travaille, nous allons pouvoir nous acheter de jolies choses. Laissez-moi vous montrer votre chambre.

Maman m'a suivie dans la deuxième chambre. J'avais poussé notre vieux lit dans un coin et collé un poster de Winnie l'ourson sur le mur. J'avais même emprunté des draps à Mama pour que mes parents en aient deux, ainsi qu'une couverture. Ma mère s'est tournée vers moi. Une larme coulait sur sa joue.

— Ne sois pas triste, maman. C'est ma vie, c'est celle que j'ai choisie. Ça va bien.

— Mais comment peux-tu vivre là-dedans ? Tu es certaine que cet immeuble tient bien debout ? De l'extérieur, on voit que ça a vraiment été mal construit. Avec Omar, ça se passe bien ?

— Mais oui, maman. Allez, viens prendre un thé. Et arrange-toi pour faire taire papa, veux-tu ? Ses réflexions me gênent.

Leur séjour a été catastrophique. Tout les choquait : l'appartement de mon beau-père, le fait de manger dans des plats posés à même le sol, la misère qui régnait dans le quartier que nous habitions... Maman était affolée de devoir vivre trois semaines sans prendre un bain, sans parler du fait qu'il n'y avait pas l'eau courante. Au bout de deux jours, mon père a pété les plombs.

— Pour eux, notre style de vie est insupportable, ai-je dit tout bas à Omar le troisième soir, alors que mon père était étendu sur le lit entre deux visites aux toilettes... dont, bien évidemment, la chasse d'eau ne fonctionnait pas. Ils auraient dû s'installer à l'hôtel.

— Emmenons-les visiter des coins superbes. Comme ça, ils vont prendre du bon temps, a répondu Omar. Je vais organiser une balade à Alexandrie et à Port-Saïd.

Nous sommes donc allés à Alexandrie. Nous y avons loué des chaises longues sur la plage. Parmi tous les jouets et vêtements que maman avait apportés pour Leila, qui ne s'était jamais baignée, figurait un petit maillot de bain. Nous le lui avons mis et j'ai emmené ma fille jouer dans les vagues, là où l'eau était peu profonde. Elle a adoré. Mes parents l'ont portée là où il y avait plus de fond avant de se reposer pendant le reste de la journée. Ils ont beaucoup attiré l'attention, mais pas dans le bon sens du terme : maman a très vite senti le regard concupiscent des hommes qui n'avaient pas l'habitude de voir une femme en maillot de bain, la forçant à rapidement sortir de l'eau. Toutes les autres femmes se baignaient avec leurs vêtements, y compris leur voile pour celles qui en portaient un.

Le soir, mon père s'est senti suffisamment en forme pour nous emmener dîner dans un grand hôtel où nous avons été traités comme des rois. Il était de meilleure humeur et a conversé plaisamment. À cette époque, Omar se débrouillait suffisamment bien en anglais pour que tout le monde se sente à l'aise. J'ai le souvenir d'une soirée magique dont le point d'orgue a été cette promenade le long du Nil où nous avons regardé les felouques passer en silence.

La semaine suivante, nous avons emmené mes parents au zoo, à Khanin Khalili, au marché aux puces, au salon de thé *Chez Betty*, au spectacle son et lumière du site des pyramides, et même à Suez. Tout cela était nouveau pour moi et je me suis étonnée de l'archaïsme des choses. Une route sablonneuse menait au canal de Suez. Au bout, il y avait deux restaurants. Nous avons pris place à l'une des tables abritées de parasols faits de branches et avons regardé le canal. Il y avait un mur, qui m'arrivait à hauteur de la poitrine, sur lequel on pouvait s'asseoir. Et c'était tout.

Nous sommes retournés chez mes beaux-parents, Mama ayant proposé de nous préparer un repas. Bizarrement, la rue était étonnamment calme et les boutiques avaient tiré leurs rideaux.

À l'intérieur de l'appartement, la télé était allumée, affichant une image fixe du Coran, et une voix monocorde chantait le *suras*. Le président Anouar El-Sadate venait d'être assassiné place de la Victoire. Ç'a été un choc terrible, une véritable tragédie. À la tête du monde arabe, cet homme avait maintenu l'unité de l'Égypte et su imposer de nombreuses réformes de libéralisation.

Nous avons mangé en silence, avec le bourdonnement de la télévision en fond sonore. Un homme a fini par apparaître sur l'écran, qui nous a informés que le Président serait enterré le lendemain et que le nouveau Président, qui devait prêter serment, s'appelait Hosni Moubarak.

Les derniers jours des vacances de mes parents ont été très tristes. Tous les endroits publics étaient fermés en signe de deuil et j'ai dû retourner à l'école, car on ne m'avait donné qu'une semaine de congés. Les rues ont commencé à grouiller de soldats armés et de véhicules blindés.

Mes parents détestaient l'Égypte, sa misère, sa poussière, sa saleté et ses moustiques. J'avais espéré pouvoir les convaincre que j'y étais vraiment heureuse et que le reste ne comptait pas. Mais c'était justement l'environnement qui les terrifiait, et l'assassinat du Président les faisait craindre pour notre avenir. Mon père m'a prise à part pour m'en parler. Il s'est assis à mes côtés sur le lit et a pris mes mains dans les siennes.

— Rentre avec nous, Jacky, m'a-t-il suppliée. De penser à toi, vivant dans cette misère, quand nous serons repartis va nous être insupportable. Prends Leila et viens avec nous, a-t-il répété.

— Je comprends que tu aies vécu cela comme un choc des cultures… ai-je commencé à dire.

— Un choc des cultures, tu parles ! m'a-t-il coupée. Ce pays est dégueulasse, poussiéreux, bruyant, rongé par la misère et la maladie et ma fille vit dans des conditions que, jusqu'à présent, je n'avais jamais vues qu'à la télé. Mais appelle ça le choc des cultures si ça te fait plaisir…

Bien sûr, je ne lui ai pas parlé du bébé que j'avais perdu, tout comme je n'ai pas mentionné mon hésitation. Bien sûr, une partie de moi aurait voulu rentrer à toute vitesse en Angleterre, sans jeter un regard en arrière. Mais une autre souhaitait que je force le destin, malgré ce qui s'était passé. Je ne pouvais pas partir. Pas encore.

27

La poisse

Les symptômes, les mêmes que d'habitude, ont refait leur apparition. Cette fois, je n'ai pas eu besoin de faire de test : je savais que j'étais à nouveau enceinte. C'est à Lisa que j'en ai parlé en premier, à l'école.

— Qu'est-ce que tu as, Jacky ? Tu trouves que c'est trop tôt ? Ça n'a pas l'air de te faire plaisir.

— Entre nous, je suis morte de trouille, ai-je calmement répondu. Ça n'est pas dû au fait d'avoir un autre enfant. Après la perte de l'autre, j'en suis ravie. Non, ce qui m'inquiète, c'est comment va évoluer notre vie de famille.

— Qu'est-ce que tu veux dire ?

Je me suis tournée pour la regarder droit dans les yeux.

— Lisa, regarde-moi. Cela fait bientôt deux ans que je suis ici. Vingt-trois mois, précisément. J'ai donné naissance à un enfant, j'en ai perdu un autre, et maintenant j'attends le troisième. Si ça continue comme ça, dans dix ans, je serai à la tête d'une équipe de foot.

— Tu veux dire que tu n'utilises aucune contraception ? a-t-elle dit, interloquée. Mais c'est ridicule. Il faut que tu prennes le contrôle de ta vie. Jacky, il faut que tu règles ce problème. Et sans traîner !

J'ai décidé d'informer Omar de ma grossesse un vendredi, en présence de toute sa famille. Heureusement pour moi, ils ont tous été ravis. Il faut dire qu'ils avaient d'autres chats à fouetter. Magda allait épouser Abdel Menem deux semaines plus tard et Mama était en pleins préparatifs.

Une fois rentrée, j'ai demandé à Mervette si elle utilisait un moyen de contraception, attendu qu'elle n'avait qu'un fils, Ahmed. Elle m'a répondu que le docteur lui avait posé un stérilet, un précieux renseignement que j'ai mis dans un petit coin de ma tête pour plus tard.

Le lendemain, en rentrant de l'école, j'ai trouvé notre petite rue bondée. Des hommes et des femmes s'étaient massés devant un immeuble situé un peu plus haut dans la rue. Ils se criaient dessus et faisaient un bruit infernal. J'ai pressé le pas et bientôt croisé Om Youssef qui descendait l'escalier.

— *Ahlan, Jacky. Ana gaya dulwaty ekhod ho' ner'.*

Elle m'a embrassée sur les deux joues et a continué son chemin sans attendre que je lui réponde. Une piqûre? Mais de quelle piqûre parlait-elle? J'ai frappé chez Mervette pour en savoir plus.

Le choléra avait envahi le pays. Mervette était en train de préparer Ahmed pour aller se faire vacciner, et elle m'a proposé de l'accompagner.

— C'est vraiment nécessaire? ai-je demandé en arabe.

Elle s'est arrêtée d'aider Ahmed à mettre son manteau et m'a regardée d'un air très sérieux.

— C'est une terrible maladie, Jacky. Nous devons tous nous faire vacciner, le plus vite possible.

— C'est pour ça qu'il y a plein de monde dans la rue? ai-je demandé.

Elle a souri.

— Il y a un vieux, dans un appartement, qui vaccine toujours quand il y a une épidémie comme ça. Nous allons le voir. Assure-toi d'avoir la tête bien couverte. Allez, viens!

Nous sommes descendues dans l'obscurité de la cage d'escalier et sommes sorties dans la lumière aveuglante.

— Tu as de l'argent ? a murmuré Mervette.

— Un peu... Pourquoi ?

Avec un bon pourboire, on peut passer devant tout le monde.

Je lui ai glissé cinquante piastres dans la main. Deux minutes après être arrivées devant la maison du vieil homme, un jeune homme vêtu d'une chemise tachée et d'un vieux pantalon nous a fait entrer.

La pièce, sombre, n'était éclairée que par trois bougies. Sur le sol de terre battue s'étalaient des tapis élimés, avec un lit dans un coin. L'homme, tout ratatiné, était assis en tailleur sur une couverture. Il portait une longue djellaba à rayures avec un morceau de tissu blanc enroulé autour de la tête. Près de lui, totalement incongrues en ce lieu très spartiate, étaient posées une grande boîte d'aiguilles stérilisées et des ampoules de vaccin.

— Il faut grassement le payer, sinon, il va tous nous vacciner avec la même aiguille, m'a glissé Mervette.

Surprise par ce qu'elle venait de dire, j'ai sorti un billet d'une livre, et j'en ai ajouté un second pour faire bonne mesure. C'était tout ce que j'avais pour finir la semaine, mais le jeu en valait la chandelle. Le vieux a empoché l'argent en hochant la tête et nous a fait signe de nous asseoir. Mervette a demandé quatre aiguilles. Nous nous sommes agenouillées face au vieux et, un par un, il nous a frotté le bras, rempli la seringue et rapidement injecté le vaccin, se servant d'une aiguille neuve à chaque fois. Leila a pleuré, mais rien qu'une minute. Après toutes les piqûres qu'on lui avait faites, ma fille était habituée et a fait deux fois moins de foin qu'Ahmed qui se comportait comme une véritable mauviette. Il a hurlé, donné des coups de pied, ce qui a effrayé ma fille qui s'est remise à pleurer. Si nous étions entrées discrètement, notre sortie est passée beaucoup moins inaperçue.

Des enfants qui se trouvaient là se sont rués vers nous. Ils m'ont touchée, m'ont posé des questions en criant, m'ont demandé mon nom, l'heure qu'il était, si j'étais américaine... Nous avons fendu la foule avec difficulté pour arriver jusqu'à notre immeuble et monter l'escalier sans traîner.

Magda s'est mariée un jeudi. Après l'école, Georges m'a déposée chez Papa afin que je donne un coup de main. La porte à double battant qui séparait le salon de la chambre de devant a été ouverte, nous avons poussé les meubles contre les murs et placé les chaises autour de la pièce.

Les hommes ont apporté des caisses de bière, un narguilé et du haschisch, qu'ils ont remisés dans la chambre du fond. Dans un bout du salon, nous avons disposé deux chaises plus grandes que les autres pour les mariés, avec, entre elles, une énorme décoration de feuilles, de fleurs et de rubans.

Leila n'allait pas bien. Elle avait une mauvaise toux, refusait de s'alimenter et dormait de façon intermittente. Je l'ai câlinée, la tenant par-dessus mon épaule pendant que j'aidais aux préparatifs.

Vers le soir, la cérémonie a commencé. Magda irradiait de beauté dans sa belle robe. Les mariés ont pris place dans les deux fauteuils pour recevoir les vœux des invités. Il y avait profusion de nourriture, de musique, et deux danseuses orientales sont venues animer la soirée.

L'état de Leila a empiré. Elle avait sommeil, mais le bruit l'empêchait de dormir. J'ai décidé de demander à Omar si je pouvais la ramener chez nous. Mama pensait également que Leila avait besoin de calme, aussi m'a-t-elle donné un médicament. Je savais que les hommes voulaient rester dans la pièce du fond à boire de la bière et à fumer du haschisch. Les deux frères étaient un peu partis, ils racontaient des histoires osées et riaient fort.

Mohamed nous a ramenées en voiture, ainsi que Tarek qui voulait aller chercher son appareil photo. Il m'a pris Leila des bras pour monter l'escalier jusqu'à l'appartement avant de suivre mon voisin dans son appartement. Je me suis occupée de ma fille, lui ai changé sa couche, donné un biberon et les médicaments. Quand elle s'est enfin endormie, je suis sortie de sa chambre sur la pointe des pieds et me suis jetée sur notre lit, à bout de forces.

La pièce était plongée dans l'obscurité. Leila était calme. Je me suis finalement levée pour me changer. Comme j'ôtais ma robe, j'ai entendu comme un gloussement. Je suis restée immobile, tendant l'oreille. Était-ce en fait Leila qui avait toussé ? J'ai décroché mon soutien-gorge que j'ai jeté sur le lit avant de prendre la djellaba qui était sur une chaise, pour la passer.

Il y a eu une espèce de hoquet, une main est apparue de derrière la chaise et m'a attrapée par le bras. J'ai crié quand Tarek m'a tordu le bras dans le dos pour m'entraîner sur le lit.

— Mohamed ! Mohamed ! ai-je hurlé. *Sayidnee !*

Tarek était très costaud. Avec un rire inquiétant, il s'est allongé de tout son poids sur moi et m'a écarté les cuisses tout en ouvrant sa braguette. J'ai jeté la tête d'un côté et de l'autre, en pleurant et en protestant. En vain.

Soudain, la lumière s'est allumée et Mohamed est apparu.

Dieu soit loué, ai-je pensé.

Il était complètement saoul et s'est écroulé sur la chaise en souriant bêtement. Il a regardé, sans rien faire, son frère enfoncer son pénis dans le ventre de sa belle-sœur qui se débattait, hurlait et l'implorait de lui venir en aide.

Tarek est entré en moi, une fois, deux fois, avant de me relâcher et de rouler sur le côté du lit. J'ai immédiatement bondi, attrapé ma djellaba pour m'en couvrir et j'ai commencé à hurler et à secouer Mohamed pour qu'il aille chercher son père. Mais il s'est contenté de me jeter un regard vide.

Tarek a remis de l'ordre dans ses habits et est parti en tirant Mohamed à sa suite. Folle de rage, j'ai couru sur le palier en leur criant dessus.

— Vous me le paierez cher, espèces de brutes ! Vous paierez pour ça !

J'ai utilisé toute l'eau du container de plastique pour me laver de ce qu'on venait de me faire subir. Omar n'allait pas apprécier mais je m'en moquais bien. Je me suis assise sur le lit, dans l'obscurité, pour attendre son retour. Leila dormait toujours.

Il est rentré tranquillement, une heure plus tard. Je l'ai entendu aller à la salle de bains et jurer en découvrant le container vide. Il est alors venu dans la chambre, a allumé la lumière pour me demander pourquoi il n'y avait plus d'eau, mais il a été interrompu par la vue des larmes qui striaient mon visage.

— Que se passe-t-il ? C'est Leila ? a-t-il demandé.

J'ai fait non de la tête. Je l'ai regardé droit dans les yeux et lui ai très exactement raconté ce qui était arrivé. L'expression de son regard se modifiait au fur et à mesure que je racontais.

Et il s'est mis à me frapper, au visage, au corps, jurant comme un fou. Je me suis mise en boule, protégeant mon ventre alors qu'il continuait à me taper dessus. Il m'a lancé un dernier coup de pied avant de partir en claquant la porte.

Je suis restée par terre à écouter ce qu'il disait au *bawab*, ne me relevant que lorsque j'ai été certaine qu'il avait quitté le bâtiment. J'avais mal dans tout le côté gauche. Courbée en deux pour ne pas crier de douleur, je suis allée à la salle de bains pour me regarder dans le miroir. Mon visage était en sale état, griffé et boursouflé, mais ça ne saignait pas beaucoup.

Maladroitement, j'ai enfourné quelques affaires dans un sac avec mon passeport et tout l'argent dont je disposais, puis je suis allée chercher Leila. Elle pesait lourd et la douleur que je ressentais au côté était intense. Il m'a fallu un temps fou pour descendre l'escalier, chaque marche m'obligeant à serrer les dents pour ne pas hurler de douleur. Le visage baigné de sueur et de larmes, j'ai réussi à gagner le coin de la rue pour héler un taxi. Alors que j'attendais, désespérée, Leila a bougé dans son sommeil. Elle s'est mise à gigoter sur mon épaule et m'a donné un coup de pied dans le côté. C'est à ce moment que je me suis évanouie.

Des cris m'ont réveillée. Je souffrais énormément et j'ai hurlé quand on m'a soulevée. J'ai senti que l'on me faisait monter un escalier.

— Non ! Non ! ai-je crié, horrifiée. Ne me ramenez pas là !

Naturellement, personne n'a compris ce que j'avais voulu dire. Je croyais qu'on me ramenait chez moi, mais nous sommes passés devant notre appartement pour arriver à celui d'Om Youssef. On m'a délicatement déposée sur son lit.

L'air soucieux, Om Youssef est arrivée, Leila dans ses bras. Elle a posé ma fille par terre et s'est assise en silence. Je lui ai alors raconté comment Omar m'avait frappée et qu'il me fallait à présent partir. J'avais du mal à respirer, j'étais obligée de me casser en deux pour parler. Om Youssef m'a lavé le visage et m'a mis une couverture sur le corps. Tout ce que je parvenais à répéter, c'était que je devais m'enfuir.

Je suis restée là toute la nuit. Au matin, Omar est venu me rendre visite. Om Youssef n'avait aucune raison de ne pas le laisser entrer. Il a demandé à ce que je revienne chez nous. Je lui répondais d'une voix âpre, incapable de bouger : je pouvais à peine respirer. J'ai entendu mon mari et Om Youssef discuter à mots couverts, puis il a quitté l'appartement.

Il est revenu quelques heures plus tard pour m'aider à descendre jusqu'à la voiture où m'attendaient Salma, Mama et Mervette. J'étais trop faible pour résister. Salma m'a serré la main et a déposé un baiser sur ma joue.

— Ne t'en fais pas, Jacky. Nous allons t'emmener à l'hôpital.

J'avais trois côtes fracturées. Un médecin et une infirmière m'ont enveloppé la taille d'une grande bande élastique qui ressemblait à du sparadrap avant de m'octroyer un lit. Il y en avait une vingtaine dans la salle de cet hôpital public. Trois portes-fenêtres donnaient sur une cour intérieure entourée d'un balcon. Le long d'un des murs se trouvaient de très grandes *embubas* recouvertes d'une épaisse couche de poussière.

Salma est restée avec moi. Il n'y avait pas d'heures de visite et aucun service de restauration. Les autres malades avaient des femmes à leur chevet, habillées de *millaya*. Elles avaient apporté des tapis pour s'asseoir et des lecteurs de cassettes pour écouter de la musique. Certains visiteurs avaient même apporté des réchauds de camping et faisaient cuire du poulet et du riz pour leur parent malade, là, au beau milieu de la chambre. Les fenêtres étaient grandes ouvertes et la salle était envahie de mouches. Il faisait chaud et moite.

— Qu'est-ce qui s'est passé ? a demandé Salma, anxieuse en me caressant la main.

— J'ai encore énervé Omar. Je suis incorrigible.

Je suis rentrée chez moi au bout de trois jours. Je n'avais pas eu de saignements et le docteur m'avait rassurée : le bébé se portait bien. Je n'ai pas su s'il fallait en rire ou en pleurer.

J'étais seule quand Omar est entré et a jeté mon passeport sur le lit.

— Tu as voulu partir, n'est-ce pas ? a-t-il demandé.

J'ai détourné le regard. Il a ajouté :

— Écoute-moi bien. Je vais tout faire pour que tu n'aies aucun moyen de filer. Je te confisque ton passeport. Tu ne le reverras plus.

Il m'a pris le visage entre ses mains pour me regarder droit dans les yeux.

— Tu as bien compris ? Tu ne le reverras jamais.

— Oui, Omar.

Il m'a relâchée et s'est mis à arpenter la pièce en parlant.

— Leila ne va pas bien. Elle est chez ma mère. Si tu veux la revoir, tu ne dois jamais dire à quiconque ce qui s'est passé entre nous. Jamais. C'est bien compris ?

— Oui, Omar.

— Tu vas devenir une gentille épouse musulmane, qui obéit à son mari. Et je ne veux plus t'entendre raconter des mensonges au sujet de mes frères. Tu vas me donner un beau garçon et tu resteras ici à jamais. Que Dieu te pardonne pour ce que tu as fait.

— Quand vais-je pouvoir revoir Leila ? ai-je murmuré.

— Quand tu auras juré d'être une gentille épouse et que tu ne raconteras plus de mensonges au sujet de ma famille.

— Je jure d'être une gentille épouse. Que Dieu me pardonne, ai-je susurré.

Satisfait, il m'a laissée seule après avoir assuré qu'il ramènerait Leila le lendemain.

J'ai passé les jambes sur le bord du lit et suis allée prendre l'air sur le balcon de la chambre de notre fille. J'ai regardé en bas. Nous habitions au quatrième. Était-ce assez haut pour se suicider?

Si j'étais certaine de mourir, je sauterais, ai-je pensé. Mais je ne l'étais pas. Et il serait encore pire de rester handicapée à la suite de mon petit plongeon!

J'ai jeté un regard circulaire sur l'appartement. Il me restait de longues journées à vivre dans cet enfer.

28

L'étrangère

Le lendemain, j'ai été emmenée chez Papa. Vu mon état, je ne pouvais pas retourner à l'école. J'avais encore des difficultés pour respirer convenablement lorsque je restais debout un certain temps. Quant à mon visage, il offrait un magnifique dégradé de couleurs qui aurait épouvanté mes élèves.

La première personne que j'ai vue était Mohamed. Je l'ai trouvé au salon en compagnie d'un ami. Je suis passée devant eux, la tête basse. Il semblait mal à l'aise.

Leila était pleine de boutons. Comme je la cajolais, elle a gigoté pour se libérer et, tout en toussant, a trotté dans la pièce avant d'aller s'asseoir sur les genoux de Mohamed.

Dans la chambre du fond, j'ai essayé de maîtriser mes sentiments. Je ne voulais pas que ma fille s'approche de celui qui m'avait laissée me faire violer, mais je ne pouvais rien faire. Ce que je voulais n'avait d'ailleurs aucune importance, pour qui que ce soit. Montrer ma désapprobation n'était surtout pas la chose à faire. Il fallait trouver autre chose. Mais, en attendant, il fallait que je me taise.

Ce soir-là, en compagnie de Mama, j'ai conduit Leila chez le médecin qui a diagnostiqué la rubéole. Ça m'a fait l'effet d'une bombe. Si Leila me contaminait, il était hors de question que je garde le bébé que je portais. Et je devais rester loin d'elle pendant deux à trois semaines, jusqu'à ce qu'elle soit totalement rétablie.

Leila était toute ma vie. Comment pourrais-je passer un autre jour loin d'elle? Mais, une fois de plus, on avait décidé à ma place et je ne pouvais rien faire. J'ai sagement baissé la tête et suis sortie en laissant ma fille aux soins de ma belle-mère.

Il n'a fallu que deux jours pour que les symptômes apparaissent: inflammation des glandes et petite éruption cutanée. Le médecin n'a pu que confirmer mes craintes: je devais me faire avorter. J'ai trouvé paradoxale la détresse d'Omar qui, une semaine plus tôt, m'avait frappée violemment sans se soucier du sort du bébé.

Dans ce pays, l'avortement est possible mais pas admis, comme tous les péchés et les choses considérées comme *haram* dans le monde musulman.

Je m'attendais à ce qu'on m'emmène dans une petite cabane sur le bord d'une piste malaisée, mais c'est un médecin du centre-ville qui s'est occupé de moi. Dans une salle d'opération, il m'a demandé de me déshabiller derrière un écran. Omar a attendu à l'extérieur.

Sous le lit, il y avait ce seau en fer-blanc, un peu rouillé sur le pourtour, et à demi rempli de sang. Je me suis allongée pour être anesthésiée. Un quart d'heure plus tard, c'était terminé et j'ai été emmenée, à demi inconsciente, vers la salle de réveil.

Je suis revenue à moi tout doucement. Avec l'aide d'Omar, j'ai pu remarcher une heure plus tard. Voilà, c'était fait, j'avais perdu un autre bébé. La seule pensée qui me tournait dans la tête concernait le seau en fer-blanc. Il devait être plein à présent.

Je suis restée alitée les deux jours suivants. Omar semblait être dans de meilleures dispositions, m'apportant de la soupe et des boissons. Mervette et Om Youssef se sont occupées de moi comme de vraies mères poules, ainsi que de Leila à laquelle elles ont fait prendre ses médicaments. Mervette ignorait l'ignoble conduite de son mari, et je me suis bien gardée de la lui révéler.

Judith et Lisa sont venues me rendre visite. Omar leur a ouvert la porte et s'est montré extrêmement accueillant. Elles avaient apporté une carte de vœux de prompt rétablissement que tout le personnel de l'école avait signée. Quand je l'ai ouverte, soixante-quatre livres égyptiennes en sont tombées, soit le montant de la quête en mon honneur. L'avortement avait coûté cinquante livres, que Papa avait payées. Nous pouvions donc le rembourser immédiatement.

Il ne restait qu'une semaine avant la fin du trimestre et il était évident que je ne reprendrais pas mon travail. Omar m'a promis de me conduire à l'école pour la fête de fin d'année afin que je dise au revoir à tout le monde.

Après le départ de mes amies, je me suis levée et j'ai lavé tous les sols de l'appartement. Je n'étais plus utile qu'à ça.

Cette semaine-là, on a installé une pompe, ce qui nous a enfin permis d'avoir l'eau courante. Le lit de Leila a été terminé et les ouvriers ont posé trois placards muraux dans la cuisine. Tarek a fièrement arpenté notre appartement pour superviser le travail, sans jamais me jeter le moindre regard. Afin d'éviter sa présence, je me suis réfugiée dans la chambre de ma fille pour jouer avec elle.

Quelques mois plus tôt, j'aurais sauté de joie de voir de l'eau couler des robinets. C'était un pas supplémentaire vers un mode de vie occidental. Aujourd'hui, je considérais tout cela d'une manière détachée et remerciais Omar avec des sourires de façade. J'étais devenue étrangère à ma propre vie, comme s'il s'agissait de celle d'une autre.

C'est le cœur gros que je me suis rendue à la fête, car je savais que je ne reverrais plus mes collègues. Lisa m'a offert un petit chauffe-eau Toshiba. En temps normal, j'aurais dû trouver cela merveilleux.

Quelques jours plus tard, j'ai eu une entrevue à l'École de langues égyptiennes *Madrasa Misr Lorhet*. Située dans un immense immeuble construit à cet effet, cette école privée accueillait exclusivement des enfants de trois à quinze ans, fils ou filles de personnes riches et célèbres. Comme elle se trouvait située assez loin des quartiers résidentiels, quatorze bus avec chauffeur se chargeaient du ramassage des élèves.

Cette entrevue s'est bien passée et j'ai accepté le poste, ainsi qu'une place à bord du bus numéro treize. L'école commençait à 7 h 30 chaque matin ; en raison des nombreux arrêts, le voyage durait une heure et demie. Cela signifiait que le bus devait passer me chercher deux heures plus tôt.

Au cours des mois suivants, j'ai endossé le rôle de la docile épouse et de la bonne mère de famille. Omar a décidé de certaines règles, à l'intérieur desquelles j'étais libre d'évoluer, et ses humeurs décidaient de l'ambiance du foyer. Nous parlions toujours en arabe, Leila également. Je payais cher la moindre incartade. Quand la nourriture n'était pas à son goût ou le bus scolaire en retard, il me frappait sur le dos avec un bâton ou me mordait sauvagement les jambes. Il évitait le visage et les bras de façon à ce qu'on ne puisse pas déceler le résultat de ses colères.

Il a été d'accord pour que je me fasse poser un stérilet. Mes règles, très abondantes, ont alors duré deux semaines et le stérilet a fini par tomber dans les toilettes au bout de deux mois. Je me suis rabattue

sur la pilule, que j'ai prise chaque jour religieuse-
ment.

Je suis devenue très indépendante, prenant l'habitude d'aller au *gemeier*, une sorte de magasin d'État
géré en coopérative, où l'on trouvait, de façon irrégu-
lière, de la nourriture à de bons prix. Vêtue de la traditionnelle *millaya* qui me couvrait de la tête aux pieds,
j'y faisais longtemps la queue pour acheter ce que l'on
y proposait : du sucre, des poulets, du beurre, de la
purée de tomate en conserve... Je discutais avec les
commerçants et connaissais bien les vendeurs du
marché. Leila poussait comme une belle plante. Elle
avait les cheveux châtain clair et la peau blanche, mais
ses yeux marron foncé en amande trahissaient ses ori-
gines égyptiennes. Nous étions très proches. Il n'y avait
qu'à l'école que je m'adressais à elle en anglais.

Pour le monde extérieur, j'étais une docile et respec-
table épouse musulmane, très bien intégrée à la communauté et à la culture. Mais la réalité était tout autre.
Plus je me fondais dans le mode de vie local et plus je
m'en éloignais. Quoi que je puisse faire, je restais une
étrangère. Je n'étais pas moi-même. Combien de temps
pourrais-je ainsi donner le change ?

Les courriers que j'écrivais à mes parents n'étaient
que du bavardage enjoué et bourré de mensonges
pieux. Mon père et ma mère me demandaient sans
cesse si nous pouvions venir leur rendre visite et je
trouvais toujours de bonnes raisons de refuser, sachant
qu'Omar ne m'autoriserait jamais à quitter le pays,
conscient que je n'y reviendrais pas.

En fait, Omar avait une double personnalité. Il se
montrait charmant avec les invités et les amis et, une
fois seul avec moi, sombrait dans la mauvaise humeur.
Le premier Omar me disait combien il m'aimait, proposait d'emmener Leila au zoo ou dans un parc ; le

deuxième me critiquait sans raison, entrait dans des colères noires et me tabassait. Il a commencé à sortir, à boire de la bière et à fumer du haschisch. Un soir, il est rentré alors que le courant était coupé dans tout l'immeuble. Frustré, il a passé sa colère sur moi en me jetant violemment par terre. En tombant, j'ai heurté le coin de la chaise et me suis évanouie. Quand je suis revenue à moi, il avait disparu, et mes cheveux coupés jonchaient le sol. J'ai mis les mains sur ma tête et réalisé qu'Omar m'avait tondue. Il avait fait cela n'importe comment, coupant les cheveux à différentes longueurs. Je les ai arrangés du mieux que j'ai pu et n'ai plus eu d'autre solution que de porter un foulard.

La période du ramadan est revenue. Papa, bien que mal en point, a cette fois entrepris le pèlerinage à La Mecque. Il avait longtemps économisé pour s'offrir ce voyage très particulier, qu'on appelle le *hadj*, afin de rendre hommage à Allah.

Leila a eu deux ans. Magda est tombée enceinte et Tarek a divorcé de Mervette. Ils se disputaient depuis un moment au sujet d'avoir ou non d'autres enfants. Mervette souhaitait aller travailler avec sa mère dans son atelier de couture pour femmes et n'était pas prête à une nouvelle maternité. Après une énorme dispute de deux jours, Tarek a hurlé qu'il allait divorcer, avant de partir en furie chez sa mère.

Pour un musulman, se débarrasser de sa femme est d'une facilité déconcertante. Il lui suffit, après s'être procuré le formulaire au bureau de poste, de se tourner vers La Mecque et de crier à trois reprises « Je veux divorcer de toi ». Mervette a ainsi reçu l'acte de divorce par la poste, quelques jours plus tard. En moins de deux semaines, Mervette et ses meubles ont disparu de la vie de Tarek, et de la mienne par la même occasion. J'étais vraiment triste pour elle. Je l'aimais vraiment beaucoup et j'admirais sa grandeur d'âme. Nous étions devenues des amies proches, elle allait me manquer terriblement. Je me suis fait de nouveaux amis dans ma nouvelle école. Nadine était anglaise, mariée à un riche Égyptien et elle s'était convertie à l'islam. Son vrai prénom était Lisa, mais elle avait dû en changer lorsqu'elle avait changé de religion. Le couple avait eu deux fils et habitait un somptueux appartement. Nadine avait un cheval qu'elle gardait dans une écurie située près des pyramides ; elle pouvait conduire sa propre Jeep et avait la liberté de rendre visite à ses amies quand elle en éprouvait l'envie. Je n'étais personnellement pas autorisée à conduire, et je ne pouvais de toute façon me payer une voiture. C'était donc Nadine qui venait me voir. Elle est aussi devenue amie avec Omar et a réussi à le persuader de nous autoriser, Leila et moi, à aller chez elle une fois par semaine.

Leila adorait ces sorties. Sitôt que Nadine avait klaxonné, nous dévalions l'escalier jusqu'à la Jeep. Nous y écoutions de la musique anglaise très fort et passions deux ou trois heures à ne rien faire d'autre que bavarder dans notre langue maternelle. Nadine et son mari mangeaient du *fino*, une sorte de pain qui ressemblait à de la baguette. Je n'en avais jamais vu en Égypte et j'étais ravie d'en prendre un sandwich quand Nadine m'en proposait. Elle avait beaucoup de temps libre, car son mari engageait des bonnes pour s'occuper de l'entretien de la maison et du linge.

Quand l'été est arrivé, elle nous a invitées à l'accompagner aux pyramides. Leila est devenue une bonne cavalière, très sûre d'elle. À l'âge de trois ans, accrochée à la crinière, elle pouvait galoper à cru dans le désert, soulevant derrière elle un nuage de sable.

Bien que nous soyons très amies, à part ma présence, je n'avais rien à offrir en retour à Nadine qui m'apportait tant. Je ne lui avais jamais dit combien

Omar pouvait être imprévisible et violent. Il l'avait totalement bluffée et elle voyait en lui un parfait gentleman.

D'autres amies, comme Jill, Sally, Charlotte, Natacha ou Louise, étaient toutes mariées à des Égyptiens. Quand nous parlions de nos vies respectives, comme elles étaient toutes aisées financièrement, j'étais la seule à cacher mes malheurs.

Sally était, à vingt et un ans, la plus jeune d'entre nous. Elle avait rencontré Hussein à l'université, à seize ans. Ils s'étaient mariés et installés en Angleterre. Elle avait eu un fils, Karim. Lorsqu'il avait eu quatre ans, les parents d'Hussein étaient venus passer trois semaines de vacances en Angleterre. Un après-midi, en rentrant du travail, Sally avait trouvé la maison vide et un mot d'Hussein l'informant qu'il était reparti en Égypte pour toujours en emmenant Karim.

Hors d'elle, elle s'était envolée pour l'Égypte afin de raisonner son mari. Mais il ne voulait plus d'elle et s'apprêtait à prendre une épouse égyptienne. Vivant dans d'immondes conditions, dormant sur une descente de lit, Sally était pourtant restée, pour être proche de son fils, et avait trouvé du travail à l'école. Hussein s'était remarié avec une danseuse du ventre. Les nouveaux mariés avaient traité Sally par le mépris ; inflexible, elle avait décidé de rester jusqu'à ce qu'elle puisse récupérer Karim.

Charlotte, une autre Anglaise, une de ces blondes magnifiques aux jambes interminables, avait épousé un riche Égyptien qui avait voyagé en Europe, s'était occidentalisé et traitait sa femme avec une véritable dévotion. Épanouis l'un et l'autre, ils se faisaient confiance. Il pouvait lui offrir des bijoux et des vêtements, la sortir, et ils habitaient un appartement moderne doté de tout l'électroménager. Charlotte était heureuse. Elle devint mon amie.

Natacha, d'origine russe, était une fille entière, patiente et toujours à l'écoute. Son mari égyptien était professeur d'université et il lui arrivait de s'absenter à l'étranger pendant plusieurs semaines. Il était beaucoup plus vieux qu'elle et de confession copte. Ils n'étaient pas particulièrement aisés mais elle pouvait tout de même vivre comme elle l'entendait quand son mari était en voyage. Elle avait une fille, Sophie, qui était de l'âge de Leila ; les deux enfants jouaient toujours ensemble à l'école.

Jill était écossaise et mariée à Methad, qui, lui aussi, voyageait énormément. Il était négociant en orfèvrerie et faisait des affaires avec les joailleries de la chaîne d'hôtels Holiday Inn, ce qui l'obligeait à aller à Louxor, au Caire et dans les villes de la mer Rouge. Ils avaient deux enfants : Jack et Sheila, très beaux, blonds aux yeux bleus.

Je travaillais à l'école depuis un an et demi quand Louise a rejoint l'équipe pédagogique. Elle était américaine, avait deux enfants et un mari égyptien souvent absent à cause de ses occupations professionnelles. Elle se débrouillait vraiment bien avec ses deux enfants en bas âge et j'ai toujours admiré la façon dont elle leur parlait calmement.

En ce qui me concernait, je me faisais un devoir de ne jamais oublier de prendre la pilule. Leila devait être mon seul enfant. Un soir, pourtant, Omar m'a demandé de lui donner ma réserve de pilules. Il a empoché les médicaments et a lâché, avant de sortir de l'appartement :

— Nous allons avoir un fils.

29

Je m'appelle Hallah

J'ai essayé d'en discuter avec Omar. En pure perte. À cette époque-là, il accordait tellement peu d'importance à ce que je pouvais penser qu'il refusait même d'écouter mes arguments. Le seul fait de l'interroger le rendait maussade et renfermé pour le restant de la soirée. Au moindre bruit qu'elle pouvait faire, Leila recevait des claques ; de sorte qu'elle et moi avions pris l'habitude de nous réfugier dans la chambre pour ne pas déranger la quiétude d'Omar. Abandonnant l'idée de le contrarier, face à la violence, j'ai choisi la soumission.

Dès le mois suivant, je n'ai pas eu mes règles. Leila avait trois ans et demi. Résignée mais feignant la joie, j'en ai informé Omar. Il en a bien sûr été ravi et a insisté pour que j'annonce la bonne nouvelle de vive voix à mes parents.

Cet appel a été très difficile à passer, car j'ai dû cette fois-ci véritablement mentir à ma famille. Papa et maman ont dû également faire semblant d'être contents pour nous. Ils m'ont annoncé qu'un couple de leurs amis, Dave et Val Hargreaves, allait venir en Égypte et nous apporter un colis destiné à Leila. Maman nous avait adressé de nombreuses fois, par la poste, des paquets qui ne nous parvenaient jamais. Elle avait donc renoncé à utiliser ce mode de transport.

Le paquet est bien arrivé la semaine suivante, mais je n'ai pas eu la chance de rencontrer les Hargreaves.

Ils l'ont laissé au *bawab* de notre immeuble et poursuivi leur route vers Alexandrie, où ils habitaient. Le paquet contenait des tee-shirts, des shorts, de jolis pompons pour les cheveux de Leila, des polos pour Omar, du maquillage et du shampooing pour moi.

Lorsque Omar est rentré, ce jour-là, ma fille tournait sur elle-même en courant sur le balcon. Il l'a immédiatement prise par les bras et l'a violemment frappée sur l'arrière des jambes. Leila a crié mon nom en gigotant pour se libérer.

— Je t'interdis de la toucher, ai-je dit à mon mari en lui arrachant Leila des mains.

Il m'a alors frappée au visage.

— Laisse-nous, maintenant, a-t-il ordonné, ses yeux rivés dans les miens.

J'ai senti que, si je n'obéissais pas, le châtiment serait terrible. Peut-être voulait-il seulement parler avec sa fille? Impuissante, je suis donc retournée dans la chambre. Les hurlements de Leila ont résonné dans tout l'appartement, puis il y a eu un grand bruit. Je suis sortie aussitôt: elle était en pleurs, roulée en boule à même le sol. Son short était déchiré et elle portait des traces rouges de coups sur les jambes. L'une d'elles saignait.

— Avec quoi t'a-t-il tapé dessus, ma chérie?

Elle a levé son regard embué de larmes et a sauté sur mes genoux, se cramponnant à moi.

— Avec sa ceinture, maman. Comme il fait avec toi. Il a dit qu'il fallait que tu brûles ça.

Elle désignait le short déchiré.

Avec délicatesse, j'ai soigné sa coupure et je lui ai lu des histoires jusqu'à ce qu'il soit l'heure de dormir. Ma lèvre enflée virait au violet. Je me suis assise sur le lit, l'esprit encombré de mille pensées. La spirale des événements m'échappait totalement. Je m'étais résignée à endurer les coups de mon mari mais, même dans mes cauchemars les plus fous, je n'avais pu imaginer qu'il reporterait sa violence et ses coups sur notre fille. Il fallait que je réagisse, mais comment ?

J'ai profité de mon temps libre avec Nadine, le vendredi suivant, pour lui poser quelques questions sur sa foi. Elle s'était convertie à l'islam six ans plus tôt et était très à l'aise avec sa croyance et la manière dont elle menait sa vie. Je me suis ainsi aperçue qu'en tant que musulmane elle avait certains droits, alors que moi, étrangère et chrétienne, vivant au sein d'une communauté musulmane, je n'en avais aucun, même sur ma propre fille.

— Fais très attention, m'a fait remarquer Nadine. S'il arrive quoi que ce soit à Omar, que feras-tu ?

— Je prendrai le premier avion pour me tirer d'ici, ai-je répondu.

— Peut-être, mais tu ne seras pas autorisée à emmener Leila. Ils te l'enlèveront et, comme tu seras devenue inutile, ils te renieront.

J'ai repensé au jour où Tarek m'avait violée ; Omar n'a jamais voulu admettre que son frère avait pu commettre un tel crime. Il était un membre respecté de la communauté, capable de faire tout ce qu'il voulait. Moi, je n'étais rien.

Je me suis souvenue comment Sally, une étrangère de religion chrétienne, avait été traitée comme une moins-que-rien. Ma situation n'était pas plus enviable. Comment m'y prendrais-je à l'avenir pour protéger Leila ? Et ce nouveau bébé qui allait arriver ?

Je suis rentrée chez moi, animée d'une farouche détermination. Cet après-midi-là, nous devions aller dîner chez Papa. Je me suis vêtue avec soin, me couvrant la tête d'un long foulard bleu au lieu du petit carré de tissu habituel. Après la vaisselle du repas, je me suis lavé les mains, ai délicatement ouvert le digne exemplaire du Coran et suis allée voir Papa. Je lui ai parlé des valeurs de l'islam, combien je les admirais et respectais ce mode de vie. Je serais bientôt la mère de deux enfants et je souhaitais me convertir, de façon à les élever dans un environnement convenable.

Il en a été ravi et a appelé toute la famille pour que chacun entende la bonne nouvelle. Il m'a ensuite inscrite à des leçons, à la mosquée du quartier, et m'a offert un exemplaire du Coran en anglais. Son geste m'a vraiment touchée et je me suis sentie un peu coupable quand Salma m'a embrassée et félicitée, des larmes dans les yeux.

J'ai suivi ces cours tout l'été, pendant que mon ventre grossissait à vue d'œil. Au bout de trois mois, les nausées ont cessé et je me suis sentie à nouveau en forme. Omar me conduisait à mes cours et semblait satisfait de mes efforts, que je poursuivais à la maison en me plongeant dans le Coran, apprenant les sourates par cœur. J'ai commencé à prier et à chanter les psaumes en arabe.

J'en étais à mon huitième mois de grossesse quand je suis arrivée au bout de mes études. Papa nous a accompagnés à la mosquée où l'imam m'a demandé d'expliquer les cinq piliers de l'islam. Les yeux baissés, j'ai sagement répondu en arabe.

Je me suis adressée à lui avec déférence. Il a été impressionné et a complimenté Papa pour la façon très correcte dont je m'exprimais en arabe. Puis j'ai dû décliner la signification des piliers. À toute allure, j'ai débité qu'il n'y avait qu'un seul Dieu, Allah, que Mahomet était son prophète, que nous devions prier cinq fois par jour, donner aux pauvres chaque année, faire le ramadan et le pèlerinage à La Mecque. J'ai dû jurer ma foi, renier le Christ, renoncer à mon nom de baptême et choisir un nom musulman. J'ai opté pour Hallah et ai signé le certificat avec Papa. Je suis ressortie du bâtiment musulmane, avec de nouveaux droits.

Assise dans la voiture, j'ai passé la main sur mon ventre. Plus personne ne pourrait m'enlever mes enfants.

Comme je l'avais prévu, ma conversion a complètement changé le comportement de ma belle-famille à mon égard. Papa a souhaité que j'accouche dans un bon hôpital ; Omar m'a même emmenée chez un médecin privé de la rue Ahmed Orabi pour un check-up.

Ismail Hosni était un excellent médecin. À l'issue de la visite, il m'a annoncé, dans un anglais irréprochable, que tout était parfait et que j'accoucherais le 18 janvier, soit trois semaines plus tard. Il m'a demandé où je travaillais et a suggéré que je me munisse d'un sac pour être prête à partir à l'hôpital à tout moment.

Les règles concernant la grossesse sont différentes de celles en vigueur en Angleterre. Le nombre total de jours de congé est de cinquante-sept, à prendre avant ou après la naissance, comme on le souhaite. Me sentant bien en cette fin de grossesse, j'ai décidé de prendre mes jours le plus tard possible, afin de rester plus longtemps à la maison avec le nouveau-né.

La semaine avant l'échéance prévue, Omar a installé une cage à lapins sur la moitié de notre minuscule balcon, dans laquelle il a enfermé deux lapins et de la nourriture.

— C'est pour Leila, a-t-il expliqué. Pour lui montrer combien je l'aime.

Sa démarche était pour le moins incongrue. Nous étions fauchés et il achetait des lapins ! Naturellement, Leila les a trouvés adorables et jouait avec eux dès qu'elle avait un moment.

Trois jours plus tard, ma fille a découvert les lapins, morts dans leur clapier, horriblement mutilés. Je l'ai alors conduite chez Om Youssef qui a tout de suite compris que c'était l'œuvre des rats. Elle nous a emmenées sur son balcon pour nous montrer les lézardes dans le mur extérieur, qui couraient du pied de l'immeuble jusqu'à son sommet. Les rats avaient suivi ce chemin, attirés par les lapins. Ils ne manqueraient pas de revenir.

Nous avons retiré le clapier et posé un piège à la place, une grande cage dans laquelle les rats pourraient pénétrer sans pouvoir ressortir. Le lendemain matin, j'ai jeté un œil par la persienne entrouverte pour voir si nous en avions capturé. Ils étaient quatre, énormes et gris, fous furieux de ne pas pouvoir s'échapper.

Omar a emporté la cage dans la salle de bains. Il a allumé le chauffe-eau, a mis la cage sous le gros robinet qu'il a ouvert en grand et a noyé les animaux. Il a fallu répéter cette épouvantable manœuvre plusieurs jours de suite car, chaque matin, le piège emprisonnait de nouveaux rats. Chaque soir, il me fallait frotter le balcon pour en chasser l'odeur des lapins. Finalement, les rats ont cessé de monter.

Le 18 janvier, jour présumé de mon accouchement, est finalement arrivé, et il ne s'est rien passé. J'étais pourtant énorme et souhaitais en finir. Une autre semaine a passé, et toujours rien. Le bébé ne semblait pas avoir envie de sortir. J'ai ressenti les premières douleurs au travail, mais rien de sérieux. Elles se sont prolongées toute la semaine, venant et s'en allant. Finalement, à 4 heures du matin, le 30 janvier, de terribles douleurs ont commencé à m'envahir. Cette fois-ci, c'étaient les bonnes. Omar a couru appeler un taxi et m'a emmenée à l'hôpital.

Nous y sommes arrivés une heure plus tard. Le docteur m'a rapidement observée et a demandé à l'infirmière de déménager la femme qui était actuellement en salle de travail, parce que j'étais plus près qu'elle d'accoucher. La pauvre femme a dû sortir, en sueur, en agitant les bras et en hurlant aussi fort qu'elle le pouvait.

Ils m'ont allongée sur le lit et mis les pieds dans les étriers. Omar est parti prévenir Nadine, comme il l'avait promis, et elle est arrivée au moment même où j'accouchais. Le bébé est né très exactement à 5 h 34.

Il y avait un système de lumière qui servait à informer les parents du sexe de l'enfant : vert pour un garçon et rouge pour une fille. Alors que j'expulsais ma fille, je me suis évanouie. Dans la confusion, l'infirmière a appuyé sur le mauvais bouton, de sorte qu'Omar et Nadine ont vu la lumière verte clignoter et cru qu'il s'agissait d'un garçon.

Je suis revenue à moi dans le confortable lit d'une autre chambre. Omar tenait le bébé soigneusement enveloppé dans une couverture. Nadine était à mes côtés.

— Tu as un mari merveilleux, m'a-t-elle murmuré à l'oreille. Les infirmières ont fait une erreur, nous avons d'abord cru que tu avais un fils. Quand ton mari a appris que c'était finalement une fille, il n'a pas bronché. Il a tout simplement pris l'enfant amoureusement dans ses bras. Tu as beaucoup de chance, Jacky.

Je me suis redressée sur un coude pour regarder Omar faire des papouilles à notre fille. Une infirmière est alors arrivée avec une bassine orange pleine d'eau. Elle a pris le bébé et lui a donné le bain avant de l'emmailloter et de me le donner. Je l'ai blotti contre moi, ressentant une forte émotion en posant ma joue contre son visage.

— Bonjour, petite, ai-je murmuré en enfouissant mon visage dans son cou minuscule.

Puis Omar l'a doucement mise dans son berceau, au pied du lit. Il m'a embrassée et demandé de me reposer, ce que j'ai volontiers accepté.

L'infirmière m'a réveillée en me secouant gentiment. Nadine était partie et Omar dormait sur une chaise. Elle m'a tendu le bébé avec un grand sourire : pourtant, deux épais morceaux de fil de coton transperçaient chacune de ses minuscules oreilles !

— Mais qu'avez-vous fait ? ai-je demandé en arabe.

— Je lui ai percé les oreilles, a-t-elle répondu.

Cette femme avait simplement percé les lobes de mon enfant avec une aiguille et laissé un fil de coton dans les trous. J'étais horrifiée. Elle avait en plus le toupet de me réclamer un pourboire. Je l'ai chassée de la chambre sans ménagement, en la menaçant des pires représailles si elle osait poser à nouveau la main sur ma fille. Mes cris ont réveillé Omar, qui a couru après l'infirmière et l'a calmée en lui donnant un pourboire.

— Mais pourquoi fais-tu tout ce foin ? m'a-t-il demandé. Toutes les petites filles ont les oreilles percées. C'est normal.

Toute la famille est venue me rendre visite : ils se sont assis autour du lit et ont discuté du choix d'un nom. Comme ils n'étaient pas d'accord, Salma a mis les propositions dans un sac, et c'est Amira, qui signifie princesse, qui a été tiré au sort. Je préférais Yasmine, mais Amira n'était pas si mal.

La mère d'un de mes élèves est également passée me voir avec un cadeau qu'elle a négligemment déposé en partant. Il s'agissait d'un petit écrin rouge contenant une paire de minuscules boucles d'oreilles en or. Quelques minutes plus tard, Amira faisait sa véritable entrée dans le monde, délaissant ses fils de coton pour des fils d'or.

Eh bien ! me suis-je dit. *Si, avec ça, elle ne ressemble pas à une petite princesse !*

À midi, Omar m'a aidée à me lever pour m'habiller et nous avons quitté l'hôpital où j'avais séjourné moins de huit heures. Les services de l'établissement étant facturés à l'heure, on réalisait des économies en y séjournant le moins longtemps possible. J'ai été conduite chez Papa où je suis restée une bonne semaine. C'est donc Omar qui est allé enregistrer la naissance. Lorsqu'il est rentré avec le certificat, il l'a agité sous mes yeux en me disant :

— C'est mon assurance que tu ne fuiras jamais.

J'ai à peine eu le temps de jeter un œil au document, et je ne l'ai plus jamais revu.

Amira a vraiment été un bébé facile à élever, mangeant bien, dormant beaucoup et pleurant très peu. Elle avait des cheveux bouclés, brun foncé, et des yeux verts. Elle était énorme, pesant presque cinq kilos à la naissance.

Leila a continué à aller à l'école alors que je restais à la maison pour m'occuper de sa petite sœur. De riches amis égyptiens, par le biais de mon travail, m'ont envoyé des cadeaux et des fleurs. En rentrant de l'école, lestée de tous ces présents, Leila peinait à monter les marches de l'escalier, mais refusait de laisser le *bawab* l'aider à les porter.

Omar faisait toujours croire à notre entourage qu'il était un mari parfait. Mais, une fois la porte fermée, il lui arrivait de s'emporter contre Leila simplement parce qu'elle avait eu le malheur de ne pas ranger ses affaires. Il explosait, la secouait et la secouait encore jusqu'à lui en déboîter l'épaule. Je devais alors partir avec mes deux filles en taxi pour accompagner Leila en sanglots dans la salle d'attente du médecin. Omar passait ses colères sur nous avant de nous abandonner, me laissant recoller les morceaux.

Dès qu'il était là, Leila, d'un naturel insouciant, devenait anxieuse et se mettait à pleurer. Elle perdait toute confiance en elle, ce qui la rendait maladroite et Omar encore moins tolérant. Au moins était-elle rayonnante dans l'enceinte de l'école. Elle dansait dans un groupe qui devait représenter l'école à la Fête nationale de l'enfance, un événement qui avait lieu chaque année, qui était télévisé et fréquenté par de hauts responsables. Après la représentation, Leila a remis un énorme bouquet de fleurs à l'épouse du président Moubarak. Je n'ai jamais été aussi fière de ma vie.

Quand Amira a eu deux mois, j'ai repris mon travail à l'école. On lui a attribué une *dada*, tout spécialement pour elle, une Soudanaise, très noire de peau, gentille et enjouée, qu'Amira a d'emblée adoptée.

Notre vie s'est améliorée. J'ai recommencé à rendre visite à Nadine, Leila a recommencé à monter à cheval et j'ai pu passer plusieurs après-midi au club de Gizeh en compagnie d'amis égyptiens. Amira grandissait sans problème, tout le monde l'aimait, aussi bien les gens de l'école que les membres de la famille. Ses boucles rebelles entouraient son visage de bien jolie façon. La conjugaison de ses yeux verts et de son immense sourire attirait les regards admiratifs. Les parents en visite dans l'établissement demandaient toujours à sa *dada* qui était cette petite fille. Et tous les chauffeurs de l'école l'adoraient.

C'est chez Nadine que je suis brutalement revenue sur terre. Leila avait cinq ans et demi et Amira quinze mois. Elles jouaient dans le jardin en compagnie des garçons de Nadine.

— Dis donc, Jacky, Leila est en train devenir une jolie fille. Tu crois qu'elle acceptera d'épouser mon fils ?

Cela m'a fait rire.

— Nous n'en sommes pas encore là, Nadine. Ma fille doit d'abord acquérir une solide éducation avant de penser au mariage.

— Et Omar est d'accord avec ça ? Il a des **idé**es très modernes, alors. J'aurais attendu de lui qu'il promette Leila en mariage quand elle aura douze ans. C'est toujours la même chose avec les jolies filles. À mon avis, il va lui demander de porter le voile quand elle aura sept ans, pour lui éviter les regards concupiscents…

D'un coup, je me suis rendu compte que Nadine disait vrai. Je m'étais imaginé que mes filles auraient droit à une vie semblable à la mienne à leur âge. Mais ici, en Égypte, leur sort était réglé dès l'âge de sept ans. C'est à cet instant précis que j'ai compris qu'il me fallait fuir avant que Leila n'atteigne son septième anniversaire.

30

Secrets et mensonges

C'était décidé. Il fallait que je quitte ce pays avec les enfants le plus rapidement possible. Mais, pour cela, j'avais besoin de l'aide morale d'au moins une amie. Laquelle choisir? Il était primordial que cette confidente ne risque jamais de parler de mes projets à son mari.

Cette confidente de confiance, je l'ai trouvée. Louise se plaignait, ce jour-là, des très nombreuses absences de son conjoint, Methad, qui travaillait pour la chaîne d'hôtels Holiday Inn.

— C'est bizarre, lui ai-je fait remarquer, soudain touchée par une révélation. Il semble que, lorsque le mari de Jill est à la maison, le tien soit en déplacement, et réciproquement.

— Et alors?

— Et ils travaillent tous les deux pour Holiday Inn.

— Ah bon? Tu sais, Jill, je ne la vois guère, nous avons nos cours en même temps. Peut-être que nos maris se connaissent...

— Le contraire serait étonnant. Ils travaillent tous les deux au même endroit, ils sont tous deux mariés à des étrangères et ils s'appellent tous les deux Methad.

La lumière s'est à ce moment également faite en elle.

— Tu voudrais dire que... Mais c'est impossible!

— Je crois qu'on devrait avoir une petite conversation avec Jill.

Il s'est avéré qu'il n'y avait effectivement qu'un seul et même Methad. Jill et Louise ont comparé les dates et les moments où leurs maris étaient avec elles. Tout coïncidait.

Jill a pleuré toutes les larmes de son corps en se confessant à moi. Elle voulait tuer Louise, puis elle voulait tuer Methad, puis elle parlait de se suicider. Elle ne savait plus du tout où elle en était.

En fin de compte, les deux femmes se sont alliées contre Methad pour le piéger. Il avait commis l'erreur de les autoriser à travailler dans la même école et, à présent, elles se connaissaient et s'appréciaient. C'était un combat que Methad ne pouvait pas remporter. Elles ont donc décidé d'aller le trouver ensemble pour lui dire qu'elles avaient découvert le pot aux roses et qu'elles souhaitaient le quitter.

Malheureusement pour elles, il leur a annoncé qu'ayant trouvé un travail en Australie il quittait l'Égypte avec ses quatre enfants. Les filles étaient les bienvenues, si elles voulaient l'accompagner !

Après bien des hésitations, Louise et Jill ont décidé de rester avec leurs enfants, et se sont donc rendues à l'ambassade d'Australie pour s'informer des lois sur l'émigration. Malheureusement pour elles, l'Australie ne reconnaissait pas la polygamie. Seule la première femme de Methad, à savoir Louise, pouvait partir avec lui. Jill devait quant à elle faire une demande d'émigration en son nom propre.

Methad avait connu Louise à Louxor. Il l'avait épousée et ils avaient loué un appartement ensemble. Il avait ensuite rencontré Jill au Caire, l'emmenant vivre dans sa maison. Il avait ainsi réussi à épouser mes deux amies à une semaine d'intervalle, la pauvre Jill huit jours après Louise.

Cela laissait Jill face à un problème complexe. Chaque jour, nous en discutions ensemble pour reconsidérer sa situation et échafauder des plans. C'est lors de l'une de ces conversations que j'ai décidé de prendre le taureau par les cornes et de lui confier mes propres problèmes. Nous avons comparé nos points de vue et sommes arrivées à la conclusion qu'il me fallait rendre une visite à l'ambassade britannique pendant que, de son côté, elle se rendrait à celle d'Australie.

— Tu vas devoir sortir les choses de chez toi et les cacher, m'a-t-elle dit.

— De quelles choses parles-tu ? Et où pourrais-je les cacher ?

— Tout ce qui pourra aider Omar à retrouver ta trace quand tu seras partie, comme des lettres de tes parents, des photos, des cartes postales... Pourquoi ne les confierais-tu pas à Natacha ? Elle habite une grande et vieille maison et son mari n'est pas souvent là. Je suis certaine qu'elle accepterait de garder ce genre de documents.

— Je n'ai même pas de passeport et pas de certificat de naissance pour Amira, lui ai-je répondu, désemparée. En fait, je n'ai rien qui prouve qu'elle est ma fille. Il faut voir les choses en face : je n'arriverai jamais à fuir avec les filles. Et il n'est pas question que je parte sans mes enfants.

Jill s'est levée et m'a secouée par les épaules.

— Allez, calme-toi. Qu'as-tu fait de ta bonne humeur ? Sèche tes larmes. Allons parler de tout ça à Natacha, elle aura peut-être un plan.

Natacha a été bouleversée en apprenant la vie que mes enfants et moi menions aux côtés d'Omar. Nous avons commencé à réfléchir à une solution pour que je puisse aller à l'ambassade de Grande-Bretagne sans être vue. Car je ne pouvais aller nulle part sans en informer très précisément le *bawab* ou sa femme.

Omar contrôlait mes allées et venues quotidiennement et, jusqu'à présent, je ne lui avais jamais fourni la moindre raison de se méfier de moi.

L'ambassade était à une bonne demi-heure en voiture, dans un quartier du Caire appelé le Gizeh. Si je m'absentais de l'école, il fallait que j'en donne la raison, mettant une personne de plus dans la confidence. Le plan consistait donc à prendre le bus habituel pour aller à mon travail, à laisser les filles avec leur *dada* et Natacha, puis à prétexter une migraine et à prendre ma matinée pour aller m'allonger dans la tranquille salle de l'infirmerie.

De cette façon, j'ai pu me rendre en taxi à trois reprises à l'ambassade, depuis l'école. Ces expériences m'étaient toujours pénibles. Je me sentais plus sûre de moi quand Natacha et Jill étaient à mes côtés, quand elles m'encourageaient et me soutenaient. Toute seule, assise dans ces taxis, j'avais l'impression de ne jamais pouvoir y arriver.

Pour le personnel de l'ambassade, sans passeport ni certificat de naissance d'Amira, mon affaire se présentait plutôt mal. Le consul, un homme entre deux âges, courtois et gentil, m'a conseillé de fouiller pour trouver ces documents nécessaires à mes démarches. J'ai trouvé extraordinaire de pouvoir ouvertement parler de mes angoisses avec une personne ayant quelque influence. D'écouter le consul débattre de ma situation, de le voir aller droit au but et envisager les options possibles a aiguisé ma fierté d'être britannique. Il n'a pas perdu de temps en plaisanteries inutiles et n'espérait pas de pot-de-vin en retour des informations qu'il me fournissait. J'ai senti ma combativité refaire surface, même si, à ce moment-là, il n'y avait encore rien de concret à combattre.

Je suis rentrée de ma première visite très déterminée. Me souvenant que Karen avait retrouvé son passeport caché dans la doublure du costume de marié de Samir, j'ai fouillé chaque vêtement d'Omar, mais sans rien trouver. Chez mes beaux-parents, j'ai demandé à voir une copie du certificat de naissance d'Amira. Ils m'ont répondu que c'était Omar qui l'avait.

C'est donc les mains vides que je suis retournée à l'ambassade. Après avoir beaucoup discuté des conditions dans lesquelles je vivais et des raisons qui me poussaient à vouloir partir, le consul a admis le sérieux de ma démarche et apporté son soutien. Il m'a dit qu'il pouvait me procurer un passeport qui me permettrait de rentrer en Angleterre mais ne serait pas valable pour d'autres pays. Pour lui, l'opération était extrêmement dangereuse. S'il me remettait un tel passeport, il m'incomberait de le faire valider pour sortir d'Égypte ; il me faudrait donc aller à la poste pour me procurer les timbres adéquats, puis au bureau principal du gouvernement pour obtenir le visa. C'était ça, le gros morceau.

Mais je n'avais pas d'autre solution, aussi ai-je accepté sa proposition. Il a passé un appel téléphonique puis m'a annoncé :

— En fait, ce serait beaucoup plus facile de ne pas faire figurer Amira sur le passeport, vu que vous n'avez aucun document qui atteste qu'elle est votre fille. Seriez-vous prête à envisager de partir avec votre aînée et de revenir plus tard chercher Amira ?

— C'est pour mes deux filles que je me suis lancée dans ce combat. Pas question d'en laisser une derrière moi.

J'avais répondu avec colère et j'ai immédiatement compris que ce genre d'attitude ne me mènerait nulle part. J'ai aussitôt enchaîné :

— Excusez-moi. C'était déplacé. Je vais faire mon possible pour vous apporter des preuves. Pendant ce temps, pouvez-vous commencer les démarches de demande du passeport?

— Bien sûr, je vais donner les instructions.

Nous nous sommes serré la main et je suis rentrée à l'école où personne, cette fois encore, n'avait remarqué mon absence.

Jill est de son côté retournée à l'ambassade d'Australie où on lui a répondu qu'on ne pouvait rien faire pour qu'elle garde ses enfants.

— Methad peut en toute légalité les emmener en Australie, et je ne peux pas légalement le suivre en tant qu'épouse, a-t-elle sangloté.

— Mais pourquoi? C'est une question d'argent?

— Non, il faut avoir une bonne raison pour partir là-bas et suffisamment d'argent. Tu obtiens des points en fonction de ta situation quand tu fais ta demande, et tu dois avoir un certain nombre de points pour être acceptée. Tiens, regarde.

Elle m'a donné un dépliant sur lequel j'ai pu lire la liste des exigences qui donnaient des points.

— Calme-toi, Jill, et étudions ça plus à fond. Il y a sûrement un moyen de contourner la difficulté.

Nous nous sommes mises toutes les deux à étudier le dépliant, et, de fait, y avons trouvé une lueur d'espoir.

— Regarde ça! s'est-elle exclamée au bout d'un moment, ils disent que si on a des parents qui vivent là-bas, ça donne des points. J'ai un oncle à Perth. La voilà, la solution pour partir!

— Tu vas y arriver. Ne renonce pas, ai-je dit en l'embrassant.

— Toi non plus, a-t-elle répondu.

J'ai passé les jours suivants à rassembler la moindre preuve pouvant attester qu'Amira était ma fille. J'avais conservé quelques photos du *saboor*, sur lesquelles nous figurions toutes les deux, le billet de cinq piastres avec son nom et sa date de naissance qui avait été imprimé pour l'occasion, ainsi qu'une copie de l'avis de naissance paru dans un journal anglais, que ma mère m'avait envoyée par courrier. Serait-ce suffisant ?

De leur côté, les Hargreaves étaient rentrés d'Angleterre où ils avaient dîné en compagnie de mes parents. Dave travaillait maintenant pour Dunlop à Alexandrie. Val et lui partageaient leur temps entre l'Angleterre et l'Égypte. Maman leur avait demandé de nous rendre visite, de prendre des photos de nous, tout particulièrement d'Amira, et de nous apporter des cadeaux.

Le jour où ils sont venus, Omar venait juste de me frapper au visage. Il était ensuite parti en prenant soin de m'enfermer dans l'appartement. C'était pendant les vacances, il savait donc que les traces auraient le temps de disparaître avant que je ne retourne au travail.

Lorsqu'ils ont frappé à la porte de l'appartement, je n'ai pu qu'ouvrir le judas pour jeter un œil. En voyant mon coquard et mes lèvres gonflées, Val a reculé.

— Je peux vous aider ? ai-je dit, morte de peur que quelqu'un m'entende parler à des étrangers.

Val s'est à nouveau avancée.

— C'est vous, Jacky ? Nous sommes Val et Dave Hargreaves. Vous étiez absente, la dernière fois que nous sommes passés.

— Oui, je suis Jacky, ai-je dit en glissant mes doigts dans la petite ouverture. Enchantée de faire votre connaissance. Désolée que vous arriviez au mauvais moment, mais Omar est sorti et a fermé la porte à clé, de sorte que je ne peux pas vous faire entrer.

Dave s'est avancé.

— Ce sont de sales ecchymoses que vous avez là. C'est lui qui vous a fait ça ? Avant de vous enfermer ?

— Je vous en supplie, parlez plus bas, ai-je aussitôt murmuré. Il va s'acharner sur moi s'il apprend que je vous ai rencontrés. Où avez-vous laissé votre voiture ?

— Notre chauffeur n'a pas voulu entrer dans votre rue. Trop glauque. Il est resté sur la route principale.

Encore un nouveau manque de chance !

— Omar est sorti mais il peut revenir à tout moment. Si vous pouvez acheter le *bawab* avec un bakchich royal, genre cinq livres…

— Ce n'est pas beaucoup, m'a coupée Dave.

— Pour lui, si. Dites-lui de monter me voir. Nous n'avons pas beaucoup de temps, mais ça pourrait peut-être marcher.

— Qu'est-ce qui pourrait marcher ? a demandé Dave.

— Mon plan, ai-je répondu. Je veux à tout prix quitter cet enfer, mais c'est Omar qui a mon passeport et le certificat de naissance d'Amira. L'ambassade a accepté de me faire un autre passeport mais ils hésitent à y inscrire Amira parce que je n'ai pas de preuve que c'est bien ma fille. Accepteriez-vous de m'aider ?

— Nous ferons tout ce qui sera en notre pouvoir, Jacky. Vous n'avez qu'à nous dire ce que nous devons faire.

— Je travaille à Gizeh, à l'école *Misr Language*. Si vous veniez me voir là-bas, personne ne trouverait cela anormal. Nous recevons beaucoup de visiteurs étrangers. Que diriez-vous de mercredi prochain ?

— Est-ce que votre père est au courant de la façon dont votre mari vous traite ? a questionné Dave. Il ne nous en a jamais rien dit.

— C'est normal. Mes parents me croient heureuse. Ne les affolez pas ! ai-je répliqué. Partez maintenant. Donnez un bakchich au *bawab* et rendez-vous mercredi, à l'école.

Quelques minutes plus tard, le *bawab*, d'habitude si lent à la détente, piétinait devant ma porte. Apparemment, un pourboire de cinq livres faisait des miracles sur ses rhumatismes. Je lui ai assuré que les mêmes personnes lui donneraient encore plus d'argent s'il ne disait pas que des étrangers étaient passés me voir, et qu'il ne devait en parler à personne, même pas à sa femme. Il a accepté aussitôt et s'est éloigné en souriant.

Il était le maillon faible de mon plan. Mais l'argent fait des miracles et j'ai pensé qu'une telle somme pouvait museler sa bouche édentée.

C'est dans l'angoisse que j'ai attendu le retour d'Omar, même si, d'habitude dans ces cas-là, il revenait en m'embrassant, avec du pain frais et de la feta pour le thé, comme si cela pouvait faire disparaître mes ecchymoses.

Le mercredi suivant, les Hargreaves sont venus à l'école. Dave avait contacté mon père et lui avait dit que je songeais à fuir le pays mais que je manquais d'argent. Mon père avait répondu qu'il commanderait les billets d'avion à distance. Concernant Amira, Dave connaissait personnellement le vice-consul d'Alexandrie. Il lui parlerait pour savoir ce qu'il fallait faire pour que l'on reconnaisse qu'Amira était ma fille. Il a noté le numéro de l'école et m'a promis de rester en contact. Les choses commençaient à bouger.

À la maison, dans la couverture du livret de bébé de Leila, j'ai pris son certificat de naissance, le mien et mon certificat de mariage, qu'Omar n'avait pas pensé à cacher. Je les ai mis dans mon cartable pour les donner à Natacha qui les mettrait en lieu sûr.

Quelques jours plus tard, Dave a appelé pour dire que le consul de l'ambassade britannique du Caire aurait foi en la parole de mon père, s'il pouvait confirmer certains détails que je lui confierais de mon côté. Mon père devait appeler le lendemain, à 10 heures. Je ne pouvais pas rater ce rendez-vous.

Heureusement, c'était un jour où j'avais classe. Couverte par Natacha et par Jill, je suis partie de l'école pour l'ambassade où je suis arrivée, très nerveuse, avec vingt minutes d'avance. Le consul m'a posé des tas de questions au sujet d'Amira et je lui ai remis nos certificats. Mon père a réussi à avoir la ligne cinquante longues minutes plus tard, au moment où je commençais à perdre espoir. Je suis restée assise, crispée sur ma chaise pendant que le consul lui posait des questions.

À la fin de leur conversation, le consul a reposé le combiné, m'a regardée et a souri en annonçant que, sur la base des renseignements fournis par mon père, il lui était possible d'inclure Amira sur mon passeport. Il m'a demandé de rappeler la semaine suivante pour savoir quand le document serait prêt.

À la maison, j'ai mis les bouchées doubles pour que tout soit propre et bien rangé. J'ai lavé le linge en pleine nuit, mis les vêtements à sécher dans l'obscurité sur le balcon et les ai enlevés le matin avant de partir à l'école. J'ai frotté les sols chaque jour et passé davantage de temps à faire la cuisine pour être certaine qu'Omar soit content. Quand la pompe à eau est tombée en panne, je me suis assurée que nos réserves étaient suffisantes. J'ai entretenu la bonne humeur des enfants par de petits jeux et des chansons pendant que je m'échinais au travail. J'étais moins triste et plus attentive à son égard, Omar s'est donc montré plus détendu. Il avait l'épouse qu'il avait toujours désiré avoir. Il n'a rien soupçonné.

Il a fallu deux semaines à l'ambassade pour établir mon passeport. Il avait tout d'un banal passeport britannique, de couleur bleu marine et cartonné, mais il était précisé que sa validité se limitait à six mois. Le consul, en me le tendant avec mes autres documents, m'a dit :

— C'est tout ce que nous pouvons faire pour vous. Vos deux enfants y figurent. Si vous réussissez à quitter le pays, faites-en faire un nouveau.

— Merci, monsieur.

— C'est à vous, à présent, d'acheter les timbres appropriés et d'obtenir les visas nécessaires pour quitter l'Égypte. Vous pouvez vous procurer les premiers dans un bureau de poste. Si on vous dit qu'il faut l'autorisation de votre mari, faites un beau sourire et allez dans un autre bureau. Et ainsi de suite jusqu'à ce que vous les obteniez.

— Merci.

— Pour les visas, ça va être plus difficile. Il va falloir vous armer de patience et avoir de la chance. Si vous parvenez à les obtenir, il vous faudra encore passer la frontière égyptienne. Parce que, là encore, c'est très rare de voir une femme quitter le pays sans être accompagnée de son mari ou d'un autre homme de sa famille. Si on vous refuse le visa de sortie, ne faites pas machine arrière.

— Mais que devrai-je faire ?

— Si vous revenez, nous ne pourrons pas vous aider. Votre mari vous tuera. Il faudra essayer à une autre frontière, aller vers le Soudan par exemple. Ils sont moins regardants. Mais, dans tous les cas de figure, ne revenez pas.

Il m'a chaleureusement serré la main. Touchée par son geste et sa sollicitude, je lui ai répondu, les yeux tout embués :

— Vous avez été si gentil…

Il a pris sa pochette immaculée et me l'a offerte. Lorsque j'ai voulu la lui rendre, après m'être essuyé les yeux, il a hoché la tête en souriant.

— Non, gardez-la. Soyez prudente. Et ne revenez pas.

Ses paroles ont résonné dans ma tête pendant tout le chemin du retour à l'école. J'ai tout raconté à Natacha et à Jill en leur montrant le passeport.

— Tu as fait un sacré bout de chemin, Jacky, a dit Natacha en prenant le document. À présent, préparons ensemble ton évasion.

31

Passage à l'acte

Dès le lendemain, à l'heure de la pause, je suis sortie de l'école tout à fait normalement pour aller au bureau de poste *Shera al Haram*, rue des Pyramides. Je me suis approchée du premier guichet et j'ai innocemment demandé la procédure pour acheter les timbres qu'il me fallait. J'ai expliqué que mon mari était en déplacement, que j'avais égaré mon passeport et qu'on venait de me remettre le nouveau.

J'ai pris le risque de regarder le petit homme droit dans les yeux tout en m'exprimant dans un arabe impeccable. J'ai souri innocemment et, de la même façon, j'ai sorti un billet de cinq livres de mon portemonnaie.

— Est-ce que ça suffira pour régler mon problème ? C'est mon mari qui s'occupe de ça d'habitude, et je ne sais pas trop comment ça marche. Et puis, je n'ai pas beaucoup de temps, je travaille comme professeur à l'école de langues et je dois retourner à mes cours… ai-je dit en laissant traîner la phrase.

L'homme s'est penché en avant pour empocher l'argent avant que quiconque n'ait le temps de poser les yeux dessus. Après m'avoir entendue mentionner le nom de la prestigieuse école où je travaillais, il s'est précipité pour ordonner à un subalterne de faire le travail à sa place. Puis il est revenu me tenir compagnie en attendant. J'ai refusé le thé qu'il m'a proposé, prenant soin de ne plus croiser le regard de cet individu qui suait à grosses gouttes. Après un quart d'heure, j'ai récupéré mon passeport avec les timbres à l'intérieur et j'ai tranquillement regagné l'école, me retenant de sauter de joie et de courir pour montrer mon document à mes amies.

J'ai eu une chance incroyable. Toutes, nous avions cru que ce serait beaucoup plus compliqué.

— Jill, j'ai fait exactement comme tu avais dit : je ne l'ai regardé qu'une seule fois. Ç'a été suffisant pour l'exciter et lui donner envie de m'aider. Une fois de plus et ça aurait pu lui donner des idées.

— Ne te réjouis pas trop vite, a répliqué Jill. Le plus dur reste à venir. Nous devons vérifier chaque détail avant que tu obtiennes ton visa. Ça risque de prendre du temps.

— Elle a raison, a dit Natacha. Et plus ça va durer, plus Omar aura l'opportunité de découvrir le pot aux roses. À partir de maintenant, il va te falloir être encore plus vigilante.

— Faites-moi confiance, je le suis, leur ai-je répondu. Je meurs de trouille et je suis épuisée, mais le jeu en vaut la chandelle.

J'ai fait la demande de visa au Mugammaa, un énorme bâtiment de la place Tahrir située en plein centre-ville. Des centaines de bureaux y sont répartis sur plusieurs étages. Dès l'entrée, je me suis sentie perdue. Le bruit était assourdissant et des gens arrivant de toutes les directions me bousculaient sans ménagement. Dans le taxi, j'avais pris soin de me couvrir de la traditionnelle *millaya*. Le regard rivé au sol, je n'étais qu'une simple musulmane parmi d'autres, que l'on pouvait ignorer et bousculer.

Avec courage, je suis entrée par la première porte et j'ai pris la file. Ce n'était pas à proprement parler une file d'attente, mais plutôt une foule qui se pressait pour lire les numéros inscrits sur des panneaux vitrés. Ceux qui étaient derrière tiraient sur les vêtements de ceux qui étaient devant, tout le monde agitait des papiers dans tous les sens et criait. Je n'avais aucune chance de pouvoir jouer des coudes, alors j'ai préféré me ranger à l'écart pour étudier ce qui se passait. Je ne disposais que d'une heure car j'étais venue pendant l'une de mes périodes de repos, alors que mes élèves avaient cours de musique et de religion.

Au bout d'un moment, j'ai repéré des coursiers qui couraient de bureau en bureau. J'en ai stoppé un, lui ai donné un pourboire de cinquante piastres et lui ai demandé où je devais me présenter. Il m'a guidée vers le bureau adéquat, au troisième étage.

Un autre pourboire d'une livre m'a permis de me retrouver en tête de la file d'attente. Là, un homme obèse a examiné mon passeport et m'a posé un tas de questions auxquelles j'ai dû répondre en criant, à cause du brouhaha de la foule. Quand j'ai mentionné le nom de l'école où je travaillais, il m'a demandé si je connaissais Hassan, le chef de la police. Je lui ai répondu qu'en effet le fils d'Hassan était dans ma classe. Il s'est levé et est sorti de derrière son guichet pour venir me serrer la main, puis a appelé un garçon et l'a expédié au milieu de la foule avec mon passeport à la main. Il m'a ensuite demandé si je pouvais pistonner son neveu qui avait fait une demande pour entrer dans la police. J'ai accepté de m'en occuper dès que mon passeport serait prêt, ce qui, selon lui, devait prendre une dizaine de jours. Je lui ai tendu la main pour le remercier et je suis partie.

J'ai commencé à stocker quelques accessoires à l'école, comme des couches, des vêtements de rechange, une paire de chaussures, que Jill a mis dans un sac de couleur noire. J'ai ramassé tous les albums de photos et les lettres que je gardais d'habitude dans le fond de ma commode pour les donner à Natacha, afin qu'elle les mette en lieu sûr. Il était peu probable qu'Omar demande à les voir au cours des prochaines semaines. J'ai bien sûr pris soin de ne rien enlever qui aurait pu attirer son attention. J'ai volontairement brisé le cadre de la seule photo de moi qui était encadrée, de façon à avoir un prétexte pour la ranger dans un tiroir. Quelques jours plus tard, je l'ai confiée à Natacha.

J'avais très peu de choses personnelles dans cet appartement. En jetant un coup d'œil circulaire pour identifier ce qu'Omar pourrait bien utiliser pour nous retrouver après notre départ, mes yeux sont tombés sur une petite photo de lui encadrée et posée sur le rebord de la fenêtre. Je l'ai prise et j'ai passé mon doigt sur le contour de son visage : bronzé et souriant, ses traits racés cachaient la brute sauvage qu'il était en réalité.

D'un brusque mouvement irréfléchi, j'ai jeté le cadre et l'ai regardé voler dans les airs avant de se briser sur le carrelage. Puis j'ai calmement balayé les éclats de verre et les ai mis dans la poubelle, avec le cadre. J'ai déchiré la photo en m'assurant de bien passer par le milieu du visage. Enfin, j'ai craqué une allumette et allumé l'un des feux de la gazinière. Les petites flammes bleues ont jailli et viré au jaune orangé. Elles ont dévoré les minuscules morceaux de papier pour en faire un méconnaissable tas de cendres. Par ce geste, je commençais à me débarrasser véritablement d'Omar.

De son côté, Jill progressait dans son projet de partir en Australie. Son oncle avait envoyé l'invitation dont elle avait besoin. Mon amie pensait qu'elle arriverait ainsi à concrétiser son projet. Mais nous étions en Égypte, et ça prendrait forcément beaucoup de temps.

Après une dizaine de jours harassants, mes nerfs ont atteint leur point de rupture. Je vivais, je respirais, je mangeais en pensant à mon plan. Tout ce dont j'avais besoin à présent, c'était de ce visa. Si tout se passait comme prévu, ce voyage en ville serait le dernier.

Mon Dieu, faites que tout se passe bien, ai-je prié, assise dans le taxi qui m'emmenait au Mugammaa.

Je suis directement allée au troisième étage. J'ai de nouveau donné une livre pour atteindre rapidement la vitre du guichet. L'homme que j'avais vu la dernière fois n'était pas là. À sa place se trouvait une femme, noire de peau, à l'air rébarbatif, coiffée d'un turban. Je lui ai tout de même remis mon reçu à travers le trou, avec un billet d'une livre par-dessus. Elle a appelé un garçon de course et m'a demandé de me placer sur le côté en attendant.

Il s'est passé dix longues minutes avant que le garçon revienne avec trois passeports. L'un d'eux était bleu marine. La femme a jeté un regard dans ma direction et a hoché la tête. En jouant un peu des coudes, j'ai pu récupérer mon précieux document.

Je n'arrivais pas à réaliser que j'y étais parvenue. Assise dans le taxi, j'ai feuilleté les pages, passant mon doigt sur les visas, sur les timbres verts, sur mon nom et celui de mes filles. Sous le visa, il était écrit en arabe que j'étais l'épouse d'un ressortissant égyptien. Ce passeport était tout ce qu'il y avait de plus légal.

Cette semaine-là, Dave Hargreaves m'a appelée à l'école. Grâce à son ami vice-consul à Alexandrie, il avait pu obtenir des renseignements précieux et fiables sur les routes à prendre et celles à éviter pour réussir mon évasion.

— N'allez surtout pas à l'aéroport du Caire. Omar a peut-être des amis là-bas. Ce serait stupide d'avoir fait tout cela pour vous faire coincer à l'aéroport. C'est forcément là qu'Omar vous cherchera s'il découvre que vous vous êtes enfuie.

— Merci, Dave. Et que me conseille votre ami?

— D'acheter un aller-retour en car pour Israël.

— En car ?

— Trouvez quelqu'un pour vous conduire à la gare routière et achetez un billet aller-retour pour vous et vos deux filles. Ainsi, on croira que vous avez l'intention de revenir. Et d'Israël vous pourrez prendre l'avion en toute tranquillité.

— Oui, c'est une excellente idée.

— Si on vous demande pourquoi vous allez en Israël, dites que vos parents y sont en vacances pour deux semaines et que vous allez passer le week-end avec eux, mais que vous devez être de retour le dimanche matin, pour reprendre l'école.

— Ce qui supposerait que je parte un vendredi ?

— Ce serait mieux de partir un jeudi.

— Non, Dave. Cela pourrait mettre la puce à l'oreille de quelqu'un et alerter Omar trop rapidement.

— Voyez quand même ce que vous pouvez faire. Prenez des billets de car jusqu'à Tel-Aviv, pas jusqu'à Jérusalem. Votre père vous enverra les billets à Tel-Aviv dès qu'il connaîtra la date de votre arrivée là-bas.

— Très bien. Je vais faire comme vous dites. Vous vous êtes beaucoup investi. Je vous remercie.

— Je rappellerai dans quelques jours pour voir comment vous vous débrouillez. Agissez prudemment, Jacky. Vous y êtes presque. Val vous fait ses amitiés.

Jill, Natacha et moi avons peaufiné les moindres détails de ma fuite. Nous sommes parties du plan élaboré par Dave et son ami, passant en revue le moindre détail.

— Je peux aller acheter les billets de car aujourd'hui, a dit Jill.

— OK, récapitulons tout encore une fois, Jacky, a dit Natacha. Que vas-tu faire quand tu vas descendre du car ?

— Je vais prendre un taxi pour l'aéroport.

— Que vas-tu répondre si on te demande pourquoi tu vas directement d'Israël en Angleterre ?

— Que mon père a eu une attaque cardiaque, qu'il n'a pas pu venir en vacances et que nous allons le voir à l'hôpital, en Angleterre.

— Ça me paraît pas mal, a fait Jill en hochant la tête.

Nous nous sommes décidées pour le jeudi suivant. Dave a téléphoné, comme prévu, pour dire que les billets d'avion nous attendraient à Tel Aviv. Maman lui avait donné le nom de l'hôtel situé près de l'aéroport de façon que je puisse donner au chauffeur de taxi une destination précise.

— Le vol pour Heathrow partira tôt le vendredi matin. Il vous faudra donc passer une nuit à l'hôtel. Quoi que vous fassiez, si on vous pose des questions, ne déviez jamais de votre histoire.

— Promis.

— C'est bien. Vos parents vous attendent. À bientôt, en Angleterre.

— Au revoir, Dave. À très bientôt.

À l'insu d'Omar, j'ai demandé au chauffeur de bus de l'école de ne pas venir nous chercher ce jeudi-là. J'avais pris un jour de congé, prétextant que je devais aller à Alexandrie pour un mariage, ce qui était normal en Égypte. Personne ne s'est douté de rien.

Si je prenais le jeudi comme congé, on ne m'attendrait pas à l'école avant le dimanche suivant, ce qui me donnerait le temps de faire un long chemin avant qu'on s'aperçoive de ma disparition.

À l'école, le mercredi, Natacha m'a glissé soixante dollars dans la main.

— Tu auras sûrement besoin d'argent… Tu me rembourseras quand je viendrai te voir en Angleterre, a-t-elle dit en souriant.

Je l'ai embrassée.

— Merci, Natacha. Tu es une vraie amie. Je vais donner cet argent à Jill pour qu'elle le mette dans mon sac.

À la fin des cours, nous nous sommes dit au revoir. Je n'ai pas pu retenir mes larmes.

— Attention, attention, tu n'as pas le droit de flancher, pas maintenant.

Je me suis essuyé le visage avec ma manche.

— Tu as raison. Alors, au revoir. Prends soin de toi. Et je compte sur toi pour ne rien dire à Nadine, Sally ou Charlotte avant dimanche.

Je suis montée dans le bus avec mes filles et j'ai fait signe de la main à mon amie, jusqu'à ce qu'elle ne soit plus qu'un minuscule point à l'horizon. De retour à l'appartement, j'ai préparé notre dernier dîner au Caire avant de jouer avec les filles. Amira s'est endormie tôt, juste avant qu'Omar ne rentre. Nous avons fait tous les deux nos prières avant de passer à table. Je me suis ensuite mise à laver du linge et à l'étendre sur le balcon pendant qu'il regardait la télévision.

Après que Leila fut allée se coucher, j'ai enfilé une chemise de nuit presque transparente, que j'avais rapportée d'Angleterre. Je me suis assise à côté d'Omar sur le canapé malodorant et ai commencé un grand numéro de séduction.

Il en a été à la fois surpris et content. Je savais que je prenais un risque en allant vers lui. Il aurait pu se mettre en colère et réagir violemment. Ce soir-là, j'ai eu de la chance : j'ai réussi à le tenir éveillé jusqu'à 1 heure du matin.

Puis, allongée à ses côtés, je l'ai regardé dormir et écouté ronfler.

Bonne nuit, mon petit mari, très bonne nuit.

Épilogue

La bousculade de l'aéroport grouillant de monde est devenue pour moi secondaire. Le temps a semblé s'arrêter lorsque j'ai imploré l'employé du regard.

— Nous voyageons depuis plus de vingt-quatre heures, mon père est malade, il vient d'être hospitalisé en Angleterre. Nous voulons seulement nous assurer qu'il va guérir.

J'ai ramassé le sac noir qui était par terre et l'ai posé sur le comptoir.

— Vous me demandez seize dollars et je n'en ai que douze. Ce sac, c'est tout ce que j'ai. Prenez-le. À l'intérieur, il doit bien y en avoir pour quatre dollars. Je vous en prie, laissez-nous monter à bord.

L'employé, un jeune homme plutôt séduisant, a paru surpris en découvrant le sac. Pendant ce temps, Amira pleurait car elle voulait venir dans mes bras. Je l'ai assise sur le comptoir, à côté du sac. Elle a alors tendu la main vers l'employé, puis s'est penchée pour caresser le revers de son uniforme en lui décochant son sourire dévastateur. Il lui a souri et m'a regardée pour me demander :

— Qu'est-ce qu'elle veut ?

— Sûrement des graines de tournesol. Un autre employé qui portait un uniforme comme le vôtre lui en a donné, tout à l'heure. Elle en a déduit que vous deviez en avoir.

Embarrassée, j'ai voulu prendre Amira pour la faire descendre, mais l'employé m'a devancée. Il a pris ma fille dans ses bras et, sous le comptoir, a attrapé un sac en papier qui contenait des bonbons et en a offert un à Amira. Elle l'a pris, naturellement, refusant les bras que je lui tendais.

Nous perdions du temps. J'étais en train d'essayer de persuader Amira de lâcher l'employé lorsque celui-ci m'a annoncé, à voix basse :

— C'est bon, madame. Vous allez pouvoir monter à bord. Ça ira pour cette fois. La somme n'est pas bien importante. Vous pouvez garder vos affaires.

Avais-je bien compris ? Venait-il de dire que nous pouvions prendre l'avion sans payer ? Est-ce que cela pouvait être vrai ?

Il a contourné le comptoir pour reposer délicatement Amira par terre, à mon côté. Il s'est agenouillé pour lui dire de se comporter comme une grande fille, a tapoté la tête de Leila et est repassé derrière son comptoir pour me tendre mon sac en souriant.

— Je vous souhaite un agréable vol. J'espère que vous trouverez votre père en bonne forme.

Il m'a offert sa main à serrer, que j'ai prise sans hésiter, avant de le remercier et de partir vers la salle d'embarquement.

Une demi-heure plus tard, à bord de l'avion, je repensais à tout ce qui nous était arrivé. Je n'avais jamais imaginé qu'on nous laisserait partir. D'Égypte, je pensais cela possible, grâce à un regard, à un mensonge ou à un bakchich, mais certainement pas d'Israël, où les lois sont faites pour être respectées et les hommes en uniforme pour les appliquer.

Je me suis assise entre les filles, j'ai bouclé leurs ceintures et attendu, anxieuse. Je m'attendais à tout moment à voir Omar surgir à la porte de l'appareil pour nous emmener avec lui. J'ai cramponné les accoudoirs, guettant l'instant où l'on fermerait les portes, où les réacteurs démarreraient et où l'on commencerait à bouger. J'ai dévisagé les passagers qui montaient, mais n'ai reconnu personne.

Dix minutes plus tard, les portes et les coffres à bagages ont été verrouillés et l'avion a roulé sur la piste. Il s'est immobilisé alors que les moteurs montaient en puissance, puis s'est mis à accélérer avant de nous soulever dans les airs, vers les nuages et la liberté.

Amira a dévoré le contenu de deux plateaux-repas avant de s'endormir. On nous a projeté *Crocodile Dundee* que Leila a regardé, fascinée, du début à la fin. Quant à moi, les écouteurs sur les oreilles, le volume coupé, j'ai fermé les yeux. J'étais un peu étourdie par les événements des dernières trente-six heures. Tant de choses auraient pu mal se passer. J'ai repensé à ces rendez-vous clandestins à l'ambassade et au Mugammaa, aux visites des Hargreaves à l'appartement et à l'école, aux timbres de la poste pour le passeport, aux visas de sortie à la frontière égyptienne, aux interrogatoires des Israéliens et enfin à cet employé de l'aéroport. Nous avions eu de la chance. J'ai rouvert les yeux pour m'assurer que je n'avais pas fait un doux rêve, que je n'allais pas me réveiller dans mon lit, à l'appartement. Mais non, nous étions bien dans l'avion pour Londres. Je me suis souri à moi-même. J'ai passé un bras autour des épaules de Leila qui regardait le film. Dans quatre heures, nous foulerions le sol anglais. En citoyens britanniques.

Plus l'avion approchait de Londres, plus j'étais impatiente. Nous étions si près de toucher au but que plus rien ne pouvait nous arriver, n'est-ce pas ? Soudain, le commandant de bord a pris la parole pour nous informer que l'atterrissage serait retardé, que nous devions tourner au-dessus de Londres en attendant de pouvoir nous poser. J'ai essayé de respirer à fond pour calmer mon impatience et ma tension grandissantes, mais l'attente de l'atterrissage me consumait de l'intérieur.

Nous avons commencé notre descente une demi-heure plus tard. En regardant par le hublot, j'ai vu les arbres, les immeubles et les routes cesser d'être des modèles réduits pour prendre leur taille réelle. Le train d'atterrissage est sorti et, quelques secondes plus tard, nous roulions sur la piste.

Le pilote a freiné l'appareil et nous avons roulé sur le tarmac de l'aéroport. Pendant que les passagers se préparaient à descendre, qu'ils ouvraient les coffres à bagages, parlaient fort dans l'allée centrale ou se poussaient pour sortir, je me suis adossée à mon fauteuil. Toute la tension est retombée et je n'ai pu retenir mes pleurs.

— Maman ? a fait Leila en me posant une main sur le genou.

— Ce n'est rien, ma chérie... ai-je dit entre deux sanglots. Ça va aller... C'est juste... que je suis si heureuse...

Une hôtesse a remarqué mon émotion et, le regard inquiet, s'est frayé un passage pour venir vers moi. Leila l'a immédiatement rassurée en lui disant que maman était « heureuse, et pas triste ».

J'ai levé les yeux et j'ai souri, malgré les larmes. Leila avait raison. Ce n'était pas le moment de pleurer. Alors je me suis essuyé le visage et nous avons rejoint le flot des passagers dans l'allée centrale.

Nous avons franchi la douane sans qu'on nous pose de questions. Bien sûr, mes parents étaient là pour nous accueillir. Nous nous sommes embrassés, les yeux embués. Nous avions réussi.

Il a fallu une semaine à Omar pour comprendre que nous avions quitté le pays. Dans ses lettres, Natacha, mon amie russe, me tenait informée des moindres détails de ses agissements. Il est venu plusieurs fois à l'école, s'est entretenu avec les chauffeurs de bus et a même menacé certains professeurs, pensant qu'ils lui cachaient quelque chose. Puis il a questionné Nadine, Charlotte et même Natacha, puisqu'il lui était arrivé de m'emmener chez elle.

À chaque visite, il revenait avec un flot de nouvelles questions, m'a-t-elle écrit, mais il est reparti sans réponses. La même chose avec Charlotte, qui n'avait pas été mise dans la confidence de mon départ. Apprendre qu'il interrogeait tout le monde sans relâche n'a fait que me conforter dans l'idée que j'avais eu raison de ne parler de mon projet qu'à deux amies.

Après qu'elle eut compris ce qui s'était passé, Charlotte n'a pas fait part de ses doutes à Omar. Mais le plus surprenant a été la réaction de Nadine, qui s'est montrée fort aimable avec mon mari lors de ses visites. Un peu après, j'ai reçu chez mes parents une lettre de Nadine me demandant si je résidais vraiment chez eux en Angleterre. Elle y décrivait la détresse d'Omar, tout l'amour qu'il avait pour moi et elle disait combien elle le plaignait… Mais pourquoi n'avais-je pas plutôt décidé de prendre quelques vacances en Angleterre avant de revenir en Égypte pour conforter l'amitié qu'elle et moi avions nouée ? Tout mariage a ses hauts et ses bas et c'est du devoir de l'épouse de les affronter… Elle m'aurait aidée à le faire… sa lettre finissait par cette phrase :

« Mieux vaut le diable que l'on connaît, que l'ange que l'on ne connaît pas. »

Elle ne savait pas de quoi elle parlait.

C'est avec une réelle tristesse que j'ai rangé sa lettre dans un tiroir. Je n'y ai pas répondu.

La suite était prévisible. Omar s'est mis à appeler à n'importe quelle heure du jour et de la nuit, jusqu'à ce que maman en soit excédée. Il a tout essayé, de la supplication aux accès de colère en passant par l'assurance de notre amour indéfectible et les menaces d'enlèvement.

J'ai rapidement mis les filles sous tutelle judiciaire, car les lettres arrivaient quotidiennement et nous nous faisions de plus en plus de soucis concernant notre sécurité. D'un courrier à l'autre, les menaces devenaient plus insistantes, tout comme les déclarations d'amour, d'ailleurs. Omar m'avertissait que si je ne rentrais pas à la maison avec les filles, je ne connaîtrais jamais le repos. Un jour ou l'autre, il me les enlèverait.

« Tu es condamnée à vivre en regardant sans arrêt par-dessus ton épaule, jusqu'à ce jour où tu t'apercevras qu'elles auront disparu », m'a-t-il écrit un jour.

Suite à ce harcèlement, mon père a commencé à souffrir d'insomnies et de palpitations cardiaques. Ma mère était dans un état de stress permanent. Ils ont finalement décidé de déménager pour ne plus subir les sonneries du téléphone et les courriers quotidiens.

Leila était bien sûr très perturbée. Elle avait rangé ce qu'elle appelait son « autre vie » dans un coin de sa tête et ne voulait plus parler de ce qui pouvait évoquer l'Égypte. Bien que ses connaissances en anglais fussent réduites, elle a arrêté de parler arabe au moment où elle a mis le pied en Angleterre. Elle a fait de vrais efforts pour s'exprimer en anglais et préférait se taire quand elle devait employer des mots qu'elle ne connaissait pas. Il lui a fallu deux mois pour être à l'aise dans sa nouvelle langue, ce qui a beaucoup étonné ses professeurs. Cependant, chaque fois que l'on frappait à la porte, elle venait trouver refuge auprès de moi, terrorisée à l'idée que son père vienne la reprendre. Il lui a fallu énormément de temps pour réapprendre à s'adresser à un homme, même s'il était l'un de nos amis. Dès qu'elle apercevait un barbu, elle se mettait à pleurer.

De son côté, Amira a continué à être heureuse. Elle avait aimé la vie en Égypte et elle s'est bien adaptée à sa nouvelle vie en Angleterre. Elle était folle de sa sœur aînée et, tant qu'elles étaient ensemble, elle se sentait en sécurité.

Quatre mois après notre arrivée, Natacha et sa fille Sophie, âgée de six ans, sont venues nous rendre visite pendant trois semaines. Cela a été fantastique de les revoir. Leila était aux anges de retrouver sa copine : plus elle passait de temps en sa compagnie, plus nous l'avons vue se détendre et oublier ses angoisses.

Natacha n'avait toujours pas de nouvelles de Jill. Louise et Methad étaient partis en Australie avec les quatre enfants et Jill se bagarrait toujours avec les bureaucrates pour pouvoir les rejoindre. C'était trop risqué pour elle de garder le contact avec moi. Je n'ai jamais su comment s'est terminée son aventure, mais je pense souvent à elle.

Les menaces d'Omar ont atteint leur paroxysme. Il m'a un jour informée par courrier qu'il avait déposé plainte auprès de l'imam pour le crime d'abandon de mari et d'enlèvement d'enfants.

En tant que musulmane, j'ai commis un péché contre Allah et l'islam. Une fatwa a été lancée à mon encontre. Si, un jour, Omar me retrouve, il me tuera.

Un an après notre fuite, Omar a tenté de venir en Angleterre en produisant une fausse invitation de ma part. Fort heureusement, le ministère de l'Intérieur m'a demandé confirmation de l'invitation avant de le laisser entrer. Sa feinte a ainsi été éventée et nous avons fini par perdre tout contact.

Voilà ce que je peux écrire, vingt ans plus tard, alors que je vis toujours en Angleterre, avec cette menace constante au-dessus de ma tête. Si j'avais l'opportunité de risquer tout ce que je possède pour la sécurité des miens, je le ferais sans hésitation.

Il a fallu énormément de temps pour qu'Amira obtienne enfin un passeport. Son acte de naissance se trouvait au Caire, quelque part dans un obscur registre. À l'âge de dix-huit ans, elle a enfin pu obtenir une identité et la liberté de voyager, passer le permis de conduire ou se marier.

J'ai écrit ce livre pour deux raisons.

La première pour raconter les événements qui ont abouti à la naissance de mes filles et à notre évasion, sur laquelle Leila et Amira ne m'ont que fort peu questionnée jusqu'à présent. Ce livre leur permettra d'en savoir davantage.

La deuxième pour alerter toutes ces filles romantiques qui rencontrent et tombent follement amoureuses d'un bel étranger. Attention ! Lisez et retenez mon histoire. Si je parviens à dissuader, grâce à ce livre, ne serait-ce qu'une seule d'entre vous de partir sous des cieux lointains, alors je ne l'aurai pas écrit en vain.

Je continue à vivre sous la menace de cette fatwa, bien qu'aucun de mes collègues ou connaissances ne soit au courant. Je regarde par-dessus mon épaule. Tous les jours. Et pour très longtemps encore.

Remerciements

Quelques très bonnes amies m'ont soutenue d'un bout à l'autre au cours de ma démarche d'écriture. Lisa, Karen et Liz : je vous aime.

Ma mère, extraordinaire, m'a tout donné. Alors qu'elle menait un combat acharné contre le cancer, elle m'a encouragée et soutenue lorsqu'il a fallu relire certains passages de cet ouvrage. Il y a trois mois, elle a perdu la bataille. Maman, je te remercie encore.

Sans Dave et Val, je ne serais pas ici aujourd'hui et mon histoire ne serait qu'un cri étouffé. Je leur serai toujours reconnaissante.

Le député de ma circonscription, M. Austin Mitchell, s'est longtemps battu pour retrouver l'acte de naissance de ma fille Amira, sans y parvenir. Il a ensuite fait tout son possible pour qu'elle puisse obtenir un passeport à l'âge de dix-huit ans. J'ai bien apprécié l'action de cet homme.

Il y a aussi cette fonctionnaire qui, pendant des années, m'a soutenue dans mon combat pour qu'Amira puisse obtenir une véritable reconnaissance d'identité. Après de nombreuses tentatives, elle m'a conseillé d'attendre la majorité d'Amira, âge auquel ma fille pourrait faire une demande d'un passeport sans avoir besoin d'en informer son père naturel. Deux jours avant le dix-huitième anniversaire d'Amira, cette femme a pris soin de me téléphoner pour m'informer que le passeport serait près dans quarante-huit heures. Elle pensait sabler le champagne et m'a demandé si j'en ferais autant de mon côté. En larmes, je lui ai répondu que je le ferais. Cette femme s'appelle Christine Macmillan.

Je suis également redevable à mon éditeur, Clifford Thurlow, de m'avoir tant appris. Sa patience, son soutien et son élégante façon de me guider m'ont donné la confiance de laisser le stylo courir, page après page, pour mettre en forme ce livre dont je suis très fière.

Et je remercie bien sûr mes deux filles, qui ont été ma source d'inspiration et m'ont donné la force d'aller jusqu'au bout.

Table

CHEZ LE MÊME ÉDITEUR

Julie Gregory
MA MÈRE, MON BOURREAU

Une fillette est allongée sur la table d'examen chromée d'un spécialiste. Elle n'a pas douze ans, elle est maigre, elle est faible. Il est 4 heures de l'après-midi et elle n'a toujours pas été autorisée à manger quoi que ce soit. À côté d'elle, sa mère semble étrangement excitée. Elle est sur le point de suggérer une opération à cœur ouvert pour sa fille...

Depuis son plus jeune âge, Julie est une enfant fragile qui passe plus de temps chez les médecins et dans les hôpitaux que sur les bancs de l'école. Pourtant, ce mal étrange dont elle souffre, et que seule sa mère sait décrire, ne trouve pas de remède, en dépit des médicaments ingurgités, des traitements infligés et des innombrables spécialistes consultés...

Tout simplement, parce que Julie n'est pas malade... Elle est victime du syndrome de Münchhausen par procuration. *Ma mère, mon bourreau* est le récit de son enfance volée par une mère souffrant d'un besoin maladif d'attention. Un récit sans fard. Un témoignage poignant.

Julie Gregory a grandi dans le sud de l'Ohio. Diplômée en psychiatrie, elle œuvre à présent pour faire connaître ce fléau. Dans les vingt pays où il a été publié, Ma mère, mon bourreau *a permis d'ouvrir le débat sur une forme de maltraitance méconnue, car très difficilement détectable.*

« Hallucinant... Mais impossible à lâcher. »
Detroit Free Press

« Julie Gregory a su transcender l'horreur de son enfance pour nous livrer un témoignage, souvent touché par la grâce, qui laisse place à l'espoir. »
Entertainment Weekly

ISBN 978-2-84187-869-7 / H 50-4669-3 / 288 pages / 18,95 €

Brooke Shields
QUAND IL N'Y A PLUS DE LARMES

« Il était une fois une petite fille qui rêvait d'être maman. Plus que tout au monde, elle désirait un bébé. La fillette devint une femme et cette femme rencontra son Prince Charmant, mais, comme ils n'arrivaient pas à avoir d'enfant, elle finit par admettre que, sans un sérieux coup de pouce de la médecine, son rêve ne se réaliserait jamais.

S'ensuit alors une série d'interventions et de traitements contre l'infertilité. Après plusieurs échecs, elle désespère et se dit qu'elle a raté sa vie. Jusqu'au jour où elle tombe enceinte... »

B.S.

Cette femme, c'est Brooke Shields, la petite fiancée de l'Amérique, l'actrice révélée à treize ans par Louis Malle. Dans ce témoignage, elle raconte son long combat pour enfanter, et le bonheur qui aurait dû être le sien après la naissance de sa fille Rowan. Elle ignorait alors que son calvaire ne faisait que commencer...

Née en mai 1965 à New York, Brooke Shields a commencé sa carrière d'actrice avec La Petite, *en 1978, et* Un amour infini, *de Franco Zeffirelli, en 1981. Elle a récemment connu un succès critique à Broadway et Londres pour ses rôles dans* Cabaret *et* Chicago. *Mariée de 1997 à 1999 au tennisman André Agassi, elle a convolé en juillet 2001 avec le scénariste Chris Henchy, le père de Rowan.*

> « Brooke brise le voile de silence dont on entoure ces mères prétendument indignes. Le témoignage de sa lutte contre la dépression *post-partum* est un exemple. Son aveu, un message d'espoir. »
>
> *Gala*

ISBN 2-84187-746-9 / H 50-7551-0 / 240 pages / 18,50 €

Mende Nazer
MA VIE D'ESCLAVE

Avec ses quatre frères et sœurs, Mende menait une enfance heureuse dans son village des monts Nuba, au centre du Soudan. Vive et intelligente, elle allait à l'école où elle apprenait l'arabe, les mathématiques et étudiait le Coran.

Son existence est bouleversée lorsque, une nuit, des brigands fondent sur les villageois et les capturent. Mende est enlevée, violée puis vendue à un couple de Khartoum, sans savoir quel sort a été réservé aux autres membres de sa famille. Elle n'a alors que douze ans. Désormais, il lui faut travailler jour et nuit sous les coups, les humiliations et les brimades de Rahab, sa maîtresse.

Après sept ans de captivité, Mende est envoyée à Londres chez la sœur de Rahab, épouse d'un diplomate de l'ambassade du Soudan. Affaiblie, elle trouvera cependant les ressources pour échafauder son évasion...

C'est le récit de sa vie, rédigé avec le journaliste Damien Lewis, qu'elle nous livre ici, le témoignage poignant d'une esclave d'aujourd'hui, au cœur de nos cités.

Mende Nazer réside à Londres, où elle suit des études d'infirmière. Soutenue par des organisations humanitaires, elle sillonne le monde – son livre a été publié dans dix pays – pour que cessent ces pratiques barbares.

« Un récit bouleversant,
une charge contre l'esclavage moderne. »
The Washington Post

ISBN 2-84187-690-X / H 50-1394-1 / 360 pages / 19,95 €

Nura Abdi
LARMES DE SABLE

Nura Abdi est née à Mogadiscio en 1974. À quatre ans, par mesure de « purification », elle est soumise au rituel de l'excision. Bien que traumatisante, cette pratique lui semble normale, puisque subie par l'immense majorité des filles de son âge.

En 1992, voulant gagner les États-Unis, elle trouve refuge en Allemagne, où elle réside depuis. Au contact de cette nouvelle culture, elle prend conscience que cette coutume barbare l'a conduite à refouler en elle son identité de femme.

Si son livre est un plaidoyer contre l'excision, Nura y décrit également son enfance heureuse en Somalie, et ses paysages somptueux, à une époque où la guerre civile n'avait pas encore obligé sa famille à fuir au Kenya. Puis c'est le déracinement et le choc lors de son arrivée en Europe, où elle doit accepter les tâches les plus ingrates.

Malgré les épreuves, Nura Abdi a toujours conservé cette détermination et cette joie de vivre qui lui permettent aujourd'hui d'entrevoir l'avenir avec optimisme. Elle se bat pour venir en aide à ses sœurs d'infortune : « *Il me reste des combats à mener,* dit-elle, *contre ces forfaits qui sont commis sur des jeunes filles, en Somalie comme ailleurs. L'excision est une pratique barbare. Il faut y mettre fin une fois pour toutes.* »

Au-delà de sa propre expérience, le témoignage de Nura Abdi est un message adressé à toutes les femmes victimes de violences ou de sévices. « *Trop de femmes dans le monde sont contraintes de vivre avec une horreur inscrite dans leur chair et contre laquelle elles sont impuissantes. Certaines ne peuvent même pas en parler, parce qu'elles en ont honte. Je veux leur rappeler qu'il n'y a pas de honte à révéler ce qu'on a subi sans l'avoir voulu.* »

ISBN 2-84187-579-2 / H 50-2199-3 / 288 pages / 18,95 €

*Cet ouvrage a été composé
par Atlant' Communication
aux Sables-d'Olonne (Vendée)*

Impression réalisée sur CAMERON par

C P I
Brodard & Taupin
*La Flèche (Sarthe)
en janvier 2007*

*pour le compte des Éditions de l'Archipel
département éditorial
de la S.A.R.L. Écriture-Communication*

Imprimé en France
N° d'édition : 995 – N° d'impression : 39647
Dépôt légal : février 2007